Botte Charlotte

ANNABEL **GILES**

BOTTE CHARLOTTE

the house of books

2 4. 08. 2007

Oorspronkelijke titel
The Defrosting of Charlotte Small
Uitgave
Penguin Books, Londen
Copyright © 2006 by Annabel Giles
Copyright voor het Nederlandse taalgebied © 2007 by The House of Books,
Vianen/Antwerpen

Vertaling
Marjet Schumacher
Omslagontwerp
marliesvisser.nl
Omslagdia
Devon Moore Curtin-zefa-Corbis
Opmaak binnenwerk
ZetSpiegel, Best

ISBN 978 90 443 1880 7
D/2007/8899/134
NUR 302

Voor allen die van mij hielden
voordat ik leerde van mezelf te houden.

Je zou het niet zeggen, maar ik ben pas een jaar of drie oud. Aan de buitenkant zie ik er misschien wel uit als een volwassen vrouw, maar vanbinnen ben ik nog maar een klein meisje.

Ik zal beginnen bij het eind, en dat kwam voor het begin. Je zou me destijds niet aardig hebben gevonden – dat vond ik zelf namelijk ook niet – en ik zou jou al helemaal niet aardig hebben gevonden. Ik zou iets hebben gevonden wat niet deugde aan je, zelfs als ik daar heel erg mijn best voor had moeten doen. Ik zou nog tegen Maria Magdalena hebben gezegd dat blauw haar niet stond.

Maar nu ben ik een heel ander mens. Ik houd van mijn leven, ik zie er beter uit dan ooit tevoren, en ik voel me fantastisch. Sterker nog, ik zou zelfs durven zeggen dat ik gelukkig ben. Het grootste deel van de tijd.

Wat er is gebeurd? Ik zal het je vertellen.

Dit is mijn verhaal.

Charlotte Small
Londen, 2006

1

'Mijn hart was als een geheime tuin, en de muren waren heel hoog.'

William Goldman, *The Princess Bride*

'Das probleem is,' schreeuwde de zoveelste au pair die ons in de steek liet, ik kan me haar naam niet meer herinneren, 'dat hier kain liefde is, jai hebt kain liefde!'

'Fijn, dank je wel,' zei ik, de hond vasthoudend aan zijn halsband voordat hij weer de weg op zou rennen. 'Zou je nu zo vriendelijk willen zijn om mijn huis te verlaten? Alsjeblieft?' (Al het andere buiten beschouwing gelaten, was het stervenskoud buiten, en als de voordeur te lang openstond, ging al die dure warmte naar buiten.)

Vic, haar vriendje, griste opnieuw een handvol in tassen gepropte bezittingen mee uit de gang, schopte een tegel van zijn plaats toen hij mijn verzakte maar authentiek Victoriaanse pad af liep, en smeet de bagage chagrijnig door de open achterportieren van zijn witte bestelbus, die met knipperende alarmlichten midden in de smalle straat in onze woonwijk geparkeerd stond.

'Hé!' zei ik. 'Is dat mijn mooie papieren tas van Joseph die je daar hebt? Die had ik speciaal bewaard, hoe durf je!'

'*Voteffer*,' antwoordde Helga, of was het Anya, het enige nieuwe Engelse woord gebruikend dat ze tijdens haar verblijf bij ons had geleerd.

'Is dat alles?' vroeg Vic, glimlachend – brutaal stuk ongeluk.

Miss Oost-Europa trok haar jas aan.

'En wat,' vroeg ik, terwijl ze de schitterende sjaal die ik haar voor haar verjaardag had gegeven om haar bevallige jonge nek wikkelde, 'moet ik tegen je ouders zeggen wanneer ze zondagavond bellen?'

'Zek maar,' zei ze, met een glimlach toen ze over de drempel stapte, 'dat jai ein monster bent!'

Achter haar stond Vic te hikken van het lachen.

'Zou ik mijn sleutels terug mogen, alsjeblieft?' vroeg ik, op bevelende toon – voor zover dat mogelijk is als je oog in oog staat met een lachende stukadoor. 'Of wou je die soms ook nog stelen?'

Toettoet! Buiten op straat wilde een van die afgrijselijke 4x4 jeepdingen (ze hebben ze hier allemaal, zo handig voor de rotsachtige Londense straten) dat dat bestelbusje ophoepelde, en dat wilde ik ook.

Ze gáf me de sleutels niet, ze gooide ze min of meer naar me toe en rende toen giechelend het pad af.

'Bah, wat kinderachtig!' krijste ik, terwijl ik op handen en voeten door de border kroop. 'Dief!' riep ik zwakjes over de heg toen Vic de motor startte.

Er klonk een afgrijselijk gepiep toen ze wegreden – niet van banden, maar van hond. Ik ging staan, nog net op tijd om te zien hoe de Chelsea tractor hem afmaakte. De bestuurder stopte niet – zo'n jack russelltje voel je waarschijnlijk niet eens onder die gigantische wielen.

Met de onfeilbare timing van een meisje van acht met aanleg voor hysterie, verscheen Amber in de deuropening. 'Ma-a-a-a-m!' mekkerde ze. 'Wat is er met McQueen gebeurd?'

'Eh, nou' – ik keek naar wat er van hem over was op het wegdek en ontnam Amber het zicht daarop door voor haar te gaan staan – 'het is hem eindelijk gelukt, zijn *Great Escape*. Ik bedoel, het was slechts een kwestie van tijd voordat hij zou ontsnappen. Ik heb hem laatst ook al naar de motor van de buren zien kijken...' Er kon geen lachje vanaf. Waarschijnlijk was ze te jong om de verwijzing naar de film te snappen. 'Hij is nu vrij, nu kan hij eindelijk gelukkig zijn.' Ik liep de straat op en keek neer op zijn bloederige lijk. 'Ja hoor, zie je wel, hij glimlacht!'

Amber sloeg haar handen voor haar gezicht en gilde precies lang en hard genoeg om de nieuwsgierige nachtzuster die tegenover ons woonde wakker te maken. Vervolgens rende ze het huis binnen en smeet de voordeur achter zich dicht. Bam!

Zou ik die sleutels nog kunnen vinden? Ach, rot op. De buren hadden een set reservesleutels, maar ik had ruzie met hen. Amber was kennelijk zo overstuur dat ze me niet kon binnenlaten, het enige wat ik door de brievenbus hoorde, was het hartverscheurende gesnik van een kind dat zogenaamd kapot was van verdriet. (Dat zou ik nog niet zo erg hebben gevonden, maar het was niet eens onze hond – we moesten er op passen voor mijn vriend Arthur terwijl hij op vakantie was.) Uiteindelijk zag ik me genoodzaakt om naar de krantenwinkel op de hoek te lopen, zonder jas, in november. Ik moest de eigenaar smeken me een pakje snoepjes te geven om Amber mee om te kopen. Dat duurde even, aangezien we hem nog £72,30 moesten betalen, een kater uit betere tijden, toen ik nog elke dag de krant aan huis kreeg. Sandip ging uiteindelijk overstag toen ik aanbood om mijn horloge achter te laten als onderpand, hoewel ik aan hem kon zien dat hij het serieus overwoog.

Eindelijk, eindelijk, verwaardigde die kleine aanstelster zich om me binnen te laten. Blauw van de kou en ziedend van woede smeet ik de deur heel hard achter me dicht. Zo hard dat het authentieke Victoriaanse geëtste glas in een van de panelen uit elkaar spatte op de deurmat in honderden en duizenden glinsterende scherven. Godzijdank dat de hond er niet was om zijn poot open te halen en het hele vloerkleed onder te bloeden. Ik haalde twee vuilniszakken uit de keuken – eentje om over het ontbrekende paneel in de deur te plakken en de andere als omhulsel voor het stoffelijk overschot van Arthurs huisdier, zodra ik dat van de weg had geschraapt. (Het leek me het beste om de zak buiten bij de achterdeur te bewaren tot hij thuiskwam. Hij zou er waarschijnlijk een of andere bizarre homobegrafenisceremonie voor willen houden.)

Nadat ik Amber voor de televisie had neergepoot met een video van *Harry Potter and the Temple of Doom* of iets dergelijks, deed ik wat iedere zichzelf respecterende alleenstaande ouder in mijn situatie zou doen: ik nam een bierglas vol rode wijn en sloot me samen met mijn peuken op in de plee beneden, waar ik voor de zoveelste keer dat oude nummer van *Elle Wonen* ging zitten lezen, vervuld van afkeer jegens al die mensen die een mooier huis hadden dan ik, en tegelijkertijd wensend dat ik een van hen was.

Pas toen ik naar voren leunde om mijn as in het fonteintje te tikken, kreeg ik mijn oma's diamanten ring in het oog, die naar me lag te fonkelen vanuit het afvoergat. Dus de au pair had hem toch niet gestolen. O. Nou ja, ik kon haar toch missen als kiespijn, ze at veel te veel.

Ik leunde achterover tegen de stortbak, blies ringen van rook en gaf toe aan mijn nieuwste obsessie, het maken van zelfmoordplannen. De methode die de laatste tijd mijn voorkeur genoot, was in bad mijn polsen doorsnijden, aangezien dat de minste rommel zou geven. Maar zou een wegwerpscheermesje goed genoeg zijn? Of zou ik een scheermes voor mannen moeten kopen, en zou de vrouw bij de drogist raden waar het voor was en de politie bellen, of het Riagg? Misschien zou ik alles kunnen opbiechten en zou zij me kunnen vertellen wat ik het beste kon kopen... hmm, ik had een heleboel om over na te denken. Tot nu toe had ik niet de moed gehad om het te doen, aangezien ik de gedachte niet kon verdragen dat Amber me zou vinden met mijn gezicht in een plas bloed of overgeefsel of wodka. Ik zou moeten wachten tot ze weg was, op schoolreisje of iets dergelijks.

Ik bracht de rest van de middag door met omhoog staren naar de onheilspellende scheur tussen de muur en het plafond, en het plannen van mijn begrafenis, mijn arme levenloze lichaam godzijdank overreden door een dubbeldekker of als een boom geveld door een hersentumor die goed van pas kwam. Het zou een stijlvolle aangelegenheid worden; mijn glimmend gepoetste, zwartgelakte kist zou vervoerd worden in een zwarte, door paarden getrokken koets. De paarden zouden er schitterend uitzien, met zwarte pluimen op hun hoofd en zwarte linten in hun staart. Er zou veel gejammerd worden door de toegestroomde mensenmenigte langs de straten, de dienst zou over de hele wereld op televisie worden uitgezonden, er zouden gigantische televisieschermen worden geplaatst buiten Westminster Abbey...

...Amber stond op de deur te bonzen. 'Mam! Ik heb honger! Wat hebben we voor de lunch?' Ze had ook al geen ontbijt gehad, tenzij je dat overjarige koekje meetelde, en over een paar uur was het alweer bedtijd. In de koelkast was niets eetbaars te vinden, en in de kast maar heel weinig, maar ik was te moe om de deur uit te gaan, dus Amber kreeg een beetje pasta met tomatenketchup en een pakje winegums als toetje. Ik at een heel pakje rijstwafels met Marmite, wat niet bepaald smakelijk was.

Voor jou klinkt dit waarschijnlijk als een rampzalige dag. Voor mij was het destijds volkomen normaal.

Er is gewoon zoveel te vertellen dat ik niet weet waar ik moet beginnen. Ja, ik weet dat Julie Andrews helemaal bij het begin zou beginnen, maar wat weet zij er nou van? We hebben het hier over de vrouw die dacht dat het goed was voor haar carrière om haar borsten te laten zien aan het publiek, en van wie we sindsdien gelukkig bijna nooit meer iets hebben vernomen.

Maar is het echt noodzakelijk dat je weet waar en wanneer en hoe ik geboren ben? Of zelfs maar hoe ik eruitzie? Nee. Het volstaat als ik zeg dat ik er aan de buitenkant volkomen normaal uitzie. Het is de binnenkant die een probleem vormde.

Ik denk dat het allemaal is begonnen op kostschool, toen ik nog maar net acht jaar was. Ik werd keurig op de trein gezet op Paddington Station, samen met een heleboel andere meisjes, die net als ik gekleed waren in een groene, kriebelende tweedjas en een groen vilten hoedje dat met veel te strak elastiek onder je kin vastzat.

Gek genoeg was de autorit naar het centrum van Londen veel schokkender dan alles wat daarna kwam. Het was de eerste keer dat ik mijn vader had zien huilen. (We hebben het hier over een man die glansrijk slaagde voor al zijn examens op de Stiff-Upper-Lip School.) Hij was zelfs zo overstuur vanwege mijn vertrek dat hij van mijn moeder niet uit de auto mocht komen; hij kreeg de opdracht om rondjes te blijven rijden tot hij zichzelf weer in de hand had. (Zij was hoofdmonitrice geweest op de Stel-Je-Niet-Aan School voor Meisjes.) Het zal dan ook niemand verbazen dat er geen spoor van emotie te bespeuren viel op haar gezicht toen ze haar enige kind voor een periode van vier maanden bij een stel wildvreemden achterliet. Sterker nog, ze kon niet eens wachten tot de trein van het perron was weggereden; ze liet me daar gewoon achter terwijl ze iets mompelde over dat ze nog van alles moest doen. Niet voor de eerste keer in mijn leven voelde ik me ongewenst.

Achteraf bezien begrijp ik wel dat mijn ouders het beste met me voor hadden. Mijn vader zat vaak in het buitenland voor zijn werk (hij was crisismanager bij noodlijdende bedrijven) en bovendien werden kostscholen in die tijd gezien als de enige manier om je kind een goede start te geven in het leven. Niet vanwege het onderwijs, triest genoeg, maar vanwege de sociale status. Voor hun soort mensen was de vraag of je het ontzettend hoge lesgeld kon betalen niet eens aan de orde, je deed het gewoon. En, o, wat werden we met dat lesgeld om de oren geslagen: 'Vooruit, meisjes, jullie ouders betalen heel veel geld zodat jullie hier kunnen zijn, jullie zouden dankbaar moeten zijn, jullie zijn heel erg bevoorrecht. Lucy Gubbins, wil je alsjeblieft voortmaken!'

Maar we voelden ons niet bevoorrecht. Nee, we voelden ons afgewezen en in de steek gelaten, maar destijds kenden we die woorden niet, alleen de gevoelens. Onze kinderlijke logica zei dat we iets heel erg verkeerd moesten hebben gedaan; we waren zo stout geweest dat onze ouders de school bakken met geld moesten betalen om ons bij hen vandaan te houden. We waren ondeugende, vervelende kinderen die opgesloten moesten worden, voor ons eigen bestwil. Misschien was dat waar we dankbaar voor geacht werden te zijn. Het was destijds niet te bevatten, en dat is het nu nog steeds niet. Waarom zou je kinderen nemen als je ze niet wilt hebben?

Sommige van de wat zwakkere meisjes lagen 's avonds in bed te huilen omdat ze hun pappie en mammie zo misten; wij vonden hen maar watjes. (Het was een keihard wereldje; ieder vertoon van emotie werd gezien als een teken van zwakte, en wie zich er schuldig aan maakte, werd uitgelachen/voor gek versleten/naar Coventry gestuurd.) De realiteit is natuurlijk dat die meisjes nu waarschijnlijk een gelukkig, evenwichtig, volwassen leven leiden, omdat ze erin geslaagd zijn de pijn van een dergelijke afwijzing op een redelijk gezonde manier te verwerken. Degenen onder ons die lachten om hun heimwee en die zichzelf niet toestonden om iets te voelen – dat zijn de compleet verknipte, neurotische idioten. Je weet wel wie ik bedoel.

Hoe dan ook, ik paste me vrij snel aan mijn nieuwe leven aan. Hoewel ik een 'schaduw' toegewezen had gekregen, een ouder meisje dat erop moest toezien dat het goed met me ging, kreeg algauw genoeg van al mijn vragen, zodat ik alles zelf maar moest uitzoeken. Er was een heleboel wat je moest onthouden; molton-hoeslaken-laken-sloop, bijvoorbeeld, was de volgorde waarin je je bed moest opmaken, met keurige strakke hoeken uiteraard, die regelmatig werden gecontroleerd tijdens de onaangekondigde Bedden-Controle.

Dan had je nog de Neten-Controle, een ceremonie die aan het begin van ieder trimester werd uitgevoerd. Dit betekende dat je je haar liet controleren op neten met een gemeen scherpe, stalen kam die in een bijtende, desinfecterende vloeistof was gedoopt. Het behoeft geen betoog dat dit onderzoek werd uitgevoerd door een onbuigzame oude hoofdverpleegster die was vergeten dat het pijn doet als er aan je haar wordt getrokken, zelfs als je een klein verwend nest bent op een dure kostschool. (Sterker nog, bij hen doet het juist extra veel pijn, omdat hun mammie er niet is om hen na afloop te troosten.) Als je de afgrijselijke pech had dat je hele hoofd vergeven was van de luizen, moest je het niet alleen laten insmeren met een giftig goedje dat vreselijk stonk en waarmee je met gemak een paard had kunnen bedwelmen, maar ook een week lang dag en nacht je rubberen badmuts ophouden, zodat de hele school wist dat je een vies meisje was.

(Jaren later las ik op een stencil dat Amber van school had meegekregen dat de nederige neet juist de voorkeur geeft aan schoon haar, aangezien hij daarin meer grip heeft. Ach, de schande der schande.)

Nadat ik een paar dagen op dit verbijsterende instituut had doorgebracht, kwam er een papperig meisje met roze wangen op me af in de Ontspanningsruimte. (Als ik destijds had geweten dat ze Victoria Plomp heette – ja, echt – waren de zaken misschien ietsje anders gelopen. Maar dat terzijde.) Ik zat stilletjes patience te spelen op de grond in een poging me niet zo eenzaam te voelen. Zij hield een notitieboekje in haar handen geklemd, waar een potlood aan was bevestigd met zalmroze onderbroekenelastiek van het soort dat je meestal uitsluitend tegenkomt op de fourniturenafdeling van Peter Jones. 'Heb je vandaag een grote boodschap gedaan?' vroeg ze.

'Neem me niet kwalijk?' Ik ging staan, welopgevoed als ik was. (Bang, liever gezegd, maar niet van plan om het te laten merken.)

Ze zuchtte – ze werd er duidelijk doodmoe van dat ze dit aan alle Nieuwe Meisjes moest uitleggen. 'Heb je vandaag een grote boodschap gedaan?' vroeg ze nogmaals, met uitpuilende ogen. 'Je weet wel, ben je naar het toilet geweest?'

'Ja, natuurlijk,' antwoordde ik. 'Het is zes uur 's avonds!'

'Ja.' Ze zuchtte nogmaals. Ze was heel goed in zuchten, ik kan niet anders zeggen. 'Maar heb je een grote boodschap gedaan?'

'Nou, ik heb me – eh, afgeveegd met een groot stuk van dat overtrekpapier, als je dat bedoelt.' (We hadden Izal Medicated bij ons op school, het was doorzichtig in plaats van absorberend.) Ik snapte er helemaal niets van. 'En ik heb mijn handen gewassen.' Was dat het goede antwoord?

'Luister.' Ze deed een stap dichterbij, ik deed er eentje naar achteren. 'Heb je vandaag een hoopje gedaan?'

'O!' Nu snapte ik het. 'Gepoept? Of ik gedrukt heb, bedoel je?'

Ze had het echt helemaal gehad met me. 'Ja!' siste ze.

'Nou, eh,' redeneerde ik hardop, 'nu ik erover nadenk, nee, eigenlijk niet, geloof ik.'

'Meen je dat?' Ze leek verrast. 'Weet je het zeker?'

'Eh, ja, ik geloof het wel.'

Ze liet haar ogen weer uitpuilen. 'Weet je het echt zeker?' Ze probeerde me iets duidelijk te maken, maar ik wist niet wat. Ik was pas acht, en daarmee onervaren op het gebied van de non-verbale communicatie. 'Heel zeker?'

'Eh, ja. Ik heb vandaag echt niet gepoept.'

Ze deed nog een stap in mijn richting en siste nauwelijks hoorbaar: 'Laatste kans!' Ze deed weer een stap naar achteren en zei met haar officiële stem: 'Heb je vandaag wel of niet een grote boodschap gedaan?'

'Nee,' zei ik, zeker van mijn zaak nu. 'Vandaag niet.'

Ze schudde haar hoofd – ze had de hoop opgegeven. 'Hoe heet je?' vroeg ze, terwijl ze het boekje raadpleegde met haar potlood.

'Charlotte.'

Ze klakte afkeurend met haar tong. 'Charlotte hoe? Er zijn hier een heleboel Charlottes.'

'O, sorry. Charlotte Small.'

Ze zette een groot kruis in haar boekje naast mijn naam. 'Oké, melden bij de zuster, vlak voor bedtijd.'

Die avond kreeg ik een grote dosis vijgensiroop toegediend met de mededeling dat ik moest zorgen dat mijn ingewanden naar behoren functioneerden. Hoewel dit het begin was van een lange jeugd die vergald werd door ernstige obstipatie, heb ik het meisje met het Boodschappen Boekje nooit meer de waarheid verteld.

Arthur was echt overstuur vanwege die verrekte hond van hem. Gelukkig verft hij zijn wimpers tegenwoordig – dit was uiteraard een suggestie van mij geweest. Hij had de waterproof mascara's (bruin, dus discreter) allemaal al uitgeprobeerd. Arthur is een echte janker. 'Maar ik dacht dat je wel wist dat dit op een dag zou gebeuren,' protesteerde ik. 'Vanaf het moment dat je hem hier hebt gebracht, heeft die hond uit alle macht geprobeerd om het huis uit te komen. Is dat niet de reden waarom je hem McQueen hebt genoemd, naar Steve McQueen in *The Great Escape*?'

'Nee, Charlotte, dat was niet de reden.'

'O.'

'Waarom heet – sorry, heette – hij dan McQueen?'

'Het was Jimmy's idee.' Hij begroef zijn gebruinde gezicht in zijn gemanicuurde mannenhanden. Zijn kale plek werd alsmaar groter, dat zou ik hem moeten vertellen. Misschien niet nu.

'O, Jimmy's idee, aha.'

(Jimmy was De Ex, een akelig, puisterig jong knulletje uit Glasgow dat eruitzag en zich gedroeg als een verpauperde homohoer, maar zelf beweerde dat hij student was aan de modeacademie. Arthur was niet wat je noemt een grote schoonheid, en was dat ook nooit geweest, maar hij was wel een ontzettend lieve man. Persoonlijkheid is echter niet voldoende in de wrede homowereld, en als je voor het bereiken van een bepaalde leeftijd geen fatsoenlijke, inwonende lange-termijn vriend hebt, en je bent niet rijk of beroemd of fantastisch, dan krijg je gesodemieter. Of eigenlijk juist niet, en kun je het verder wel vergeten met de sodomie. Dus zijn hele toekomst had in de handen gelegen van die verrekte Jimmy, die Arthur louter zag als een kortstondige liefde met een portemonnee. Het was diep triest. Ik had er alles aan gedaan om hem op te fleuren, maar Arthur was, na bijna een jaar, nog steeds kapot van de breuk. Het was doodvermoeiend. Jimmy was er vandoor gegaan met een of andere griet van de academie, die – zoals Arthur telkens weer herhaalde door zijn tranen heen, dronken of nuchter – een punker was. Een echte. Ze had een paarse hanenkam en droeg een minikilt. In deze tijd.)

'O, ik snap het al – het is Schotse nichtenhumor. "Mc" en "Queen" – heel grappig.'

Hij nam een time-out van zijn verdriet om het uit te leggen. 'We hebben hem vernoemd naar Alexander McQueen, De Grootste Ontwerper Van Deze Tijd.'

'Ja, hè hè, dat weet ik ook wel, ik werk zelf ook in de mode, weet je wel.' Ik nam een grote slok van Arthurs whisky. 'Wat vreselijk afgezaagd van jullie. Homo, homo, homo.'

'Je bent ongelooflijk!'

'Dank je.' Ik dronk zijn glas leeg. 'Wil je er nog eentje?'

'Het kan je echt niets schelen, hè?' Hij keek me aan alsof hij me nu pas voor het eerst zag. Het zou de jetlag wel zijn.

'O, Arthur, schei uit, zeg. Luister, het spijt me, maar ik heb toch gezegd, al twee keer, dat het een ongeluk was. Je moet het gewoon loslaten.' Ik stond op van de keukentafel. 'Zo. Vertel eens over je vakantie, hoe was het? Nee, zeg maar niets, een nachtmerrie zeker. Was het zoals ik had gezegd, allemaal pitbullsmokings en nylon jurken? Ach ja,' ik nam nog een grote slok, 'als je naar een ordinaire bestemming als het Caribisch gebied gaat, kun je op je vingers natellen dat je het plebs tegen het lijf zult lopen... wat is er?'

'Hij was als familie voor me.' Hij had nota bene tranen in zijn ogen en een brok in zijn keel.

'Hij was een huisdier!' antwoordde ik. 'Hij was een hond, en nu is hij dood. Het spijt me als je daarvan overstuur raakt, maar ach, zo is het leven!' Ik lachte. 'Of liever gezegd, zo is de dood!'

Ik had wel min of meer in de gaten dat ik misschien een tikje ongevoelig was op dat moment, dus legde ik sussend een hand op Arthurs arm. 'Het spijt me, werkelijk waar. Luister, waarom gaan we dit weekend niet gewoon een nieuwe kopen? Heeft Harrods nog steeds een afdeling huisdieren? Ik weet nog dat mijn oma daar ooit eens een mangoest heeft gekocht –'

'Nee!' Hij stond op, radeloos. 'Niets zal McQueen ooit vervangen. Hij was mijn vriend, mijn beste maatje van de hele wereld, ik hield van hem en hij hield van mij.'

'Maar hoe kan hij nou je beste vriend zijn?' bracht ik ertegenin. Eerlijk gezegd was ik behoorlijk pissig aangezien ik had gedacht dat ík Arthurs beste maatje was. Ik had die hond nooit gemogen. 'Hij kan niet praten, hij kan niet lachen om je grapjes, hij kan *Will and Grace* niet voor je opnemen, of wel soms? Vertel eens, Arthur, wanneer heeft McQueen je voor het laatst getrakteerd op een drankje?'

'O, neem toch niet alles zo letterlijk, je weet heus wel wat ik bedoel.'

Ik fronste. Ik had nooit iets begrepen van mensen die een hechte band hadden met een dier. Ambers strenge directrice was aanzienlijk gedaald in mijn achting toen ze me had toevertrouwd dat ze het nooit droog hield bij *Animal Hospital.*

'Weet je dan niet hoe dit voelt?' Hij keek me aan en schudde zijn hoofd. 'Nee, waarschijnlijk weet je dat niet.' Met een zucht pakte hij zijn jas van de rugleuning van de stoel. 'Ik denk dat ik zo van streek ben omdat hij het laatste overblijfsel was van Ons. Ik heb alles gedaan om die jongen te vergeten – ik ben met iedereen naar bed geweest, ik ga naar andere bars, ik ben verhuisd, ik heb al het meubilair vervangen, het beddengoed, zelfs de keukenspulletjes, alles om te proberen de herinneringen uit te wissen.'

'Nou, is het dan niet juist een goede zaak dat McQueen dood is, net als de relatie? Misschien is het symbolisch...'

'Nee, dat is het niet!' Hij zag er nu echt uit als een gebroken man. 'Ik geloof dat ik misschien wel dacht dat Jimmy op een dag terug zou komen, alleen om McQueen op te zoeken. Hij hield van die hond. We hielden allebei van die hond.' Zijn stem brak, hij stond op het punt om weer te gaan huilen, en dat allemaal vanwege een hond! 'Nu heeft hij geen enkele reden meer om contact met me te zoeken, nooit meer...'

Mooi zo, dacht ik bij mezelf, Jimmy was een ettertje. 'Werkelijk, Arthur, ik vind echt dat je je vreselijk aanstelt – zo'n drama is het nou ook weer niet. Maar ja, je bent altijd al een beetje overgevoelig geweest als het om Jimmy ging. Ik bedoel, ik weet precies hoe je je voelt, maar ik denk dat je beter –'

'O ja?' Zijn van verdriet vertrokken gezicht werd rood. 'Ik denk het niet, Charlotte. Ik bedoel, heb jij weleens echt van iemand gehouden?'

'O, doe niet zo raar, natuurlijk wel!'

'Werkelijk?' Hij zag eruit als iemand die boos was. Zo had ik hem nog nooit eerder gezien. 'Van wie dan?'

'Ach, van zoveel mensen. Luister, Arthur –'

'Ik denk eerlijk gezegd van niet.' Hij kneep zijn ogen tot spleetjes – heel onaantrekkelijk. 'Je hield beslist niet van Joe, dat is een ding dat zeker is –'

Ik was enigszins van mijn stuk gebracht. 'Wat weet jij daar nou van? Je hebt hem nooit gekend!'

'En jij,' hij trok zijn jas aan en streek denkbeeldige stofjes van de schouders, 'evenmin, zo is gebleken.'

'Arthur!' Ik was geschokt. 'Dat is echt onder de gordel! Wat een rotopmerking, je weet dat het niet zo was...' Dit had ik nog nooit eerder meegemaakt, wat was er in vredesnaam met hem aan de hand? 'En trouwens, ik hou van Amber.'

'Echt waar? Dump je haar daarom ieder weekend bij je ouders?'

'Ik "dump" haar niet! Ze vindt het leuk bij mijn ouders.'

'Ja,' zei hij, zijn jas dichtknopend, 'omdat ze dan niet bij jou hoeft te zijn. Sorry hoor, ik weet dat dat niet leuk is om te horen, maar het is zo duidelijk als wat.'

Wauw, en ik maar denken dat Arthur zo zachtmoedig was. Hoe kon hij zo onbeschoft zijn? Er was bovendien niets van waar. 'Oké, zo kan ie wel weer, Arthur, ik denk dat je maar beter kunt gaan. En wel nu meteen!'

'Wees maar niet bang, ik ga al!' Hij stormde driftig door de gang en omklemde het handvat van zijn koffer op zoevende wieltjes. 'Tot ziens!' zei hij hooghartig, en smeet de voordeur achter zich dicht. Hij moet echt overstuur zijn geweest, want hij stopte zelfs niet om de ingelijste foto van mijn broer op het tafeltje in de gang te kussen voordat hij wegging.

'Relnicht!' riep ik, door het paneel van zwart plastic.

'Hardvochtig kreng!' riep hij terug, terwijl hij het hekje achter zich dichtdeed. (Hij kende de regels.)

Belachelijk gezeik om niets, dacht ik bij mezelf, terwijl ik de rottende restanten van de hond op straat zette bij het vuilnis en weer naar binnen ging om de rest van de whisky op te drinken. Toch zat het me niet helemaal lekker. We kibbelden wel vaker, maar we hadden nog nooit zo'n knallende ruzie gehad.

Ik kende Arthur nu een jaar of zes. We hadden elkaar ontmoet na afloop van de oldtimerrace van Londen naar Brighton – je weet wel, zoals die in de film *Genevieve* te zien is. Mijn vaders paradepaardje is een Panhard uit 1902, die de rest van het jaar in hun garage resideert, hoewel hij elke zondag wordt gepoetst, zonder mankeren.

Mijn moeder was jaren geleden al opgehouden met hem te vergezellen, aangezien ze van mening is dat de eerste zondag in november niet het juiste moment is om in een antieke auto met open dak en oncomfortabele stoelen te zitten, die niet harder mag dan 30 kilometer per uur, zelfs al zou hij het kunnen, en te zwaaien naar mensen die niets beters te doen hebben dan jou toejuichen. Bovendien vond ze het vooruitzicht dat het ding het ieder moment kon begeven niet gevaarlijk en opwindend; ik weliswaar ook niet, maar het was een Belangrijk Evenement voor mijn vader en inmiddels een van onze tradities.

Arthur was wedstrijdcommissaris in Brighton, en terwijl papa de felicitaties in ontvangst stond te nemen van de andere oude kwibussen omdat hij voor het vijfde jaar op rij vierde was geworden (o, wat een opwinding) bood hij me een slok aan uit zijn zakflacon. Ik weet niet hoe of waarom, maar vanaf dat moment zat het helemaal goed tussen ons. Wat voor mij was begonnen als een saaie plichtsgetrouwe-dochterdag, eindigde in een fantastische homo nachtclub waar Arthur en ik elkaar de liefde verklaarden en elkaar beloofden dat als we geen van beiden de ware hadden gevonden voordat we veertig werden, we absoluut met elkaar zouden trouwen, maar geen seks met elkaar zouden hebben. (Veertig was onlangs verhoogd naar vijfenveertig, vanwege het verstrijken van diverse verjaardagen sinds het sluiten van het pact...)

Eerlijk gezegd dacht ik niet dat ik hem daarna ooit nog zou zien. Maar ongeveer zes maanden later stond hij letterlijk bij me op de stoep, totaal over de rooie omdat hij had ontdekt dat zijn Grote Liefde waar hij al BIJNA ELF JAAR mee samen was, Ben, niet alleen een verhouding had gehad met, maar ook een flat in Pimlico had gekocht met een jonge Amerikaanse bankier, genaamd Clay.

Dus had hij Brighton definitief verlaten en was naar Londen gekomen om daar zijn fortuin te zoeken. Hij heeft wekenlang bij mij op de bank geslapen, en we hadden de grootste lol samen met huilen en lachen en koken (hij) en drinken (ik) en roken als een schoorsteen. Het klikte gewoon tussen ons. Toen kreeg hij een baan bij een van de meest vooraanstaande interieurontwerpers in Londen, compleet met de bijbehorende verplichte 'woonruimte' in een 'interessant' deel van oost-Londen. Arthur was een loyaal mens, en hij was altijd dankbaar gebleven voor wat hij mijn 'vriendelijkheid' noemde om hem onderdak te verlenen – ik geloof eigenlijk niet dat ik hem ooit heb verteld dat ik genoot van zijn gezelschap en het niet leuk vond om hem te zien vertrekken, maar ik denk dat hij dat wel min of meer wist. We spraken elkaar nog steeds bijna dagelijks, gewoon voor de gezelligheid. Tenzij het weer 'aan' was met Jimmy – dan verdween hij weken achter elkaar, tot hun volgende ruzie. Om het in de woorden van de grote filosoof Robert Palmer te zeggen: Arthur was verslaafd aan de liefde.

Malle ouwe nicht, dacht ik bij mezelf terwijl ik de fles verstopte in de vuilnisbak. (Ik wist vrijwel zeker dat de nieuwsgierige nachtzuster bijhield hoeveel er elke week naar de glasbak gingen.) Hij zou er wel overheen komen, hij zou morgen weer op de stoep staan, met zijn staart tussen zijn benen – oeps.

Hij zou wel bellen.

Hij belde niet.

Dus tegen de tijd dat ik op mijn dertiende van die school af ging, was ik bikkelhard.

Ik was bijna volledig gedrild. Ik was gewend geraakt aan het leven als grote groep, ik was eraan gewend geraakt dat ik nooit mocht kiezen wat ik at, wat ik voor kleren droeg, wat ik deed. Ik was een van velen geworden. Ons leven werd geregeerd door De Bel. De Bel vertelde ons wanneer we op moesten staan. De Bel vertelde ons wanneer het tijd was om te eten, om te studeren, om te gaan staan, om te gaan zitten, De Bel vertelde ons zelfs wanneer we moesten gaan slapen.

En ik miste het ook niet om een stel ouders helemaal voor mezelf alleen te hebben. We hadden onze eigen grote dikke matrone, Zuster genaamd. Ze droeg een wit nylon jasschort dat ruiste wanneer ze door de gangen sloop om te zien of er nog iemand praatte nadat de lichten uit waren gedaan. Ze was er om over ons te 'moederen', dat was haar taak; maar daar vroegen we haar nooit om, uit angst dat ze het zou doorvertellen.

Ik geloof dat het haar idee was om ons een kalmerend drankje te geven op de avond voor een examen – je kon kiezen tussen warme Ribena of warme chocola gemaakt met water. Het is waarschijnlijk een blijk van hulde aan haar dat ik zelfs nu nog een beker warme Ribena voor mezelf maak op de avond voor een belangrijke dag.

Nadat ik ongeveer twee jaar daar op school had gezeten, ging ze dood. Ze gaven ons tijd om te rouwen – we kregen een uur om in stilte rond het hockeyveld te lopen – en daarna moesten we weer gewoon aan de slag. Ik kan me niet herinneren dat ik meer verlangde dan dat.

Ik was eraan gewend geraakt dat ik mijn ouders nooit zag. Sterker nog, ik was ze een beetje saai gaan vinden. We moesten elke zondag een brief aan hen schrijven, wat erg lastig was aangezien er nooit wat gebeurde, en zeker geen dingen om over naar huis te schrijven. In een goede week was er misschien één keer een korfbalwedstrijd geweest waar ik niet aan had meegedaan, of er was iemand jarig geweest; maar over het algemeen concentreerden onze inspanningen zich vooral op het zo groot mogelijk schrijven om de verplichte twee kantjes vol te krijgen. We mochten de envelop niet dichtplakken voordat de brief op spelling en grammatica was gecontroleerd – en, nu ik erover nadenk, op eventuele kom-me-alsjeblieft-halen-want-het-is-hier-verschrikkelijk-en-ik-wil-naar-huis passages.

Mijn ouders schreven om de beurt terug, wat hun verschillende stijl perfect accentueerde. Mijn moeder schreef ook op zondag, zodat onze brieven elkaar kruisten. Haar brieven waren kort, bijna in de vorm van aantekeningen. Ze stonden vol met dingen die ze had willen doen maar uiteindelijk niet had gedaan omdat ze het veel te druk had; welke taart ze had gebakken voor welk feest, en nieuws over leden van de Vrouwenvereniging die ik nog nooit had ontmoet.

Mijn vaders brieven, daarentegen, waren veel langere, uitgebreide beschrijvingen van het verstrijken van de seizoenen, eigenzinnige verslagen van gebeurtenissen in de wereld en updates over de vorderingen van zijn antihondenpoep campagne. En hij wachtte altijd tot mijn brief er was, om met veel belangstelling en grote passie te antwoorden op mijn saaie schoolmeisjespraat. O, en hij vergat nooit om een getypt velletje met Tien Interessante Feiten bij te sluiten, bij wijze van educatief extraatje voor me. Het was saai en ik las het nooit, maar ik miste hem wel.

Natuurlijk hadden we ook schoolvakanties, en omdat we wisten dat we geacht werden ons te verheugen op het naar huis gaan, maakten we aftelkalenders met hokjes waar we een kruisje in konden zetten, die we onder de klep van ons bureau plakten met de titel 'Dagen tot het eind van het trimester'. We stonden onszelf toe om heel erg opgewonden te raken zodra het aftellen een getal onder de tien bereikte, dan mochten degenen die met de auto werden opgehaald een dag eerder dan wij al naar huis, en dan: hoera! Dan zaten we weer in die trein en 'misdroegen ons verschrikkelijk' door veel te hard te praten en veel te opgewonden te doen, tot grote ergernis van de secretaresse van de school, die ons moest vergezellen. De aanblik van mammie die aan het eind van het perron stond te wachten was bijna te veel voor ons. We renden op haar af zoals ze in films deden, vaak onze hoed vergetend, die zorgeloos werd achtergelaten op de treinstoel. Mrs. Cox moest dan met die hoed en haar manke poot achter ons aan rennen, maar ze had in ieder geval wel het fatsoen om de preek te bewaren voor de terugreis naar school.

Eenmaal thuis ging ik de hond en de kat begroeten en stormde vervolgens naar boven om te controleren of mijn slaapkamer er nog was. Daarna maakte ik een vlugge ronde door het huis om te zien of er ergens iets nieuws was. En vervolgens bleef ik een beetje om mijn moeder heen drentelen omdat ik niet zo goed wist wat ik moest doen. Dat vond ze verschrikkelijk, want zij wist ook niet zo goed wat ze moest doen. We waren er allebei zo aan gewend om van elkaar gescheiden te zijn, dat het raar voelde om bij elkaar te zijn.

Een statisticus in de dop uit mijn klas (inmiddels getrouwd met een dominee, vreemd genoeg) heeft een keer uitgerekend dat we veel meer tijd op kostschool doorbrachten dan bij onze familie. Misschien is dat de reden waarom ik heimelijk liever op school was – daar voelde ik me meer thuis.

Mijn moeders zondagse lunch was ronduit smerig. Ik weet niet wat ze met de kip deed, maar hij was altijd slijmerig. En heb je ooit weleens in de supermarkt rondgeneusd en je vergeefs afgevraagd wie er in vredesnaam instantpuree gebruikt? En wortels uit blik? En dat hoogstandje op het gebied van E-nummers, jus uit een pakje?

'Mm, dit is verrukkelijk,' zei mijn vader, die werd afgestraft met een kwade blik omdat hij met volle mond praatte.

'Mam,' zei Amber, worstelend met een gepofte aardappel – of was het een stuk houtskool? 'Wat doen we met de kerst?'

'Hoe bedoel je?'

Ik zag haar een snelle blik werpen op mijn moeder, die haar met een knikje permissie gaf om verder te gaan.

'Nou, gaan we ergens naartoe?'

'Jazeker, schat, ik dacht aan Barbados dit jaar, wat vind jij?' Ik stak een spruitje in mijn mond dat vanbinnen nog bevroren bleek te zijn. 'Doe niet zo gek, Amber.'

'O.'

Stilte. Mijn vader hield zich bezig met zijn zogenaamde eten, en mijn moeder knikte nogmaals naar Amber. Ik legde mijn mes en vork neer en wachtte.

'Nou, ken je Matt?'

'Oom Matt voor jou.' Ik nam een slok van mijn ouders' favoriete wijn uit een doos, Soave, om tijd te winnen voor wat ik vermoedde dat er komen ging. 'Ja, ik ken hem, Amber, hij is mijn broer.'

'Nou, weet je dat hij nu in Amerika woont?'

'Ja, daar ben ik me van bewust.' O God.

'Nou, eh...' Ze nam een grote hap.

'Kom op, Amber, gooi het eruit!' Terwijl zij haar spruitje weer uit-spuugde, keek ik naar mijn ouders, de samenzweerders. Mijn vader schoof zijn doperwten in het rond over zijn bord, en mijn moeder zat kleine stukjes vlees van de schriele kippenvleugeltjes te peuteren die zij met alle geweld had willen hebben zodat iemand anders de poten kon krijgen, die nog steeds aan de kip zaten. (We zouden haar moeten overhalen om ze straks alsnog te eten, nadat we allemaal hadden gezegd dat wij ze niet hoefden en het risico bestond dat ze anders over zouden blijven, wat zonde zou zijn. Het was een belachelijk toneelstuk dat ze ons allemaal liet opvoeren, vooral omdat we de poten geen van allen lekker vonden, wat ze maar al te goed wist.)

'Luister,' zei ik, 'ik kan met geen mogelijkheid twee weken vrij nemen om met de kerst naar Los Angeles te gaan, ik heb het razend druk op dit moment, met al die –'

'– ja, dat weten we, mam,' zei Amber. Het was het 'we' dat me irriteerde. 'En daarom hebben we –' ze glimlachte naar mijn moeder –

'– bedacht dat wij Amber wel mee kunnen nemen om haar oom op te zoeken,' kwam mijn vader tussenbeide nu Amber het moeilijke gedeelte voor haar rekening had genomen. 'Het arme kind kent hem nauwelijks. En je moeder kan wel wat zon gebruiken – ze probeert nog steeds van die vervloekte verkoudheid af te komen. Leek me wel wat, Kerstmis op het strand. Weer eens wat anders dan het gebruikelijke.'

('Het gebruikelijke' waren wij met zijn vieren in hun kille vochtige eetkamer met het zondagse servies, slijmerige kalkoen en mis-

25

moedige papieren hoedjes. De toespraak van de koningin werd gevolgd door de afwas, die wij met zijn drietjes deden om mijn moeder te ontzien, en vervolgens een verkwikkende wandeling waarbij we knikten en glimlachten naar volmaakt onbekenden, enkel omdat het Kerstmis was. Daarna, rond een uur of zes, bracht papa ons altijd over de snelweg terug naar Londen, terwijl mijn moeder thuis alvast de televisiegids pakte om te zien welke programma's ze voor die avond met rood hadden omcirkeld. Ik was altijd degene die ouderdienst had op de dag zelf, aangezien Matt meestal andere bezigheden had. Hij bracht een paar dagen later dan wel een bliksembezoekje, tijdens het saaie gedeelte tussen kerst en oud en nieuw.)

'En ik mag ook mee!' kwetterde Amber, tot de kern van de zaak doordringend. 'Naar Amerika!'

'Maar dat kan ik niet betalen! Ik kan het me absoluut niet veroorloven om weg te gaan met de kerst. Trouwens, ik kan het me eigenlijk ook niet veroorloven om thuis te blijven.' Hoe haalden ze het in hun hoofd om het haar te vragen zonder eerst met mij te overleggen?

'Wij betalen,' zei mijn vader glimlachend. 'Heb laatst een prima website gevonden, perfect voor dit soort dingen.' Hij was onlangs een 'zilveren surfer' geworden nadat Matt hem zijn oude laptop had gegeven tijdens zijn laatste vrijgevige bezoekje. 'Heb voor de zekerheid een stoel voor haar gereserveerd. Zou ons kerstcadeau zijn voor jullie allebei, hm?' Hij keek naar zijn vrouw voor goedkeuring. Toen ging hij verder. 'Je moeder en ik dachten dat het goed voor je zou zijn om even tot rust te komen en de accu weer op te laden. Over Amber hoef je je geen zorgen te maken, we zullen goed op haar passen, nietwaar?'

Moeder zei niets, depte enkel haar beide mondhoeken met haar servet.

'Toe, mam, alsjeblieft? Mag ik alsjeblieft mee?' Ambers gezichtje stond smekend. 'Ze hebben daar Disneyland en een of andere filmstudio met een haai en ET op zijn fiets, en het is er mooi weer, en –'

'Goed dan!' Ik klonk net zo prikkelbaar als ik me voelde, en ik zag mijn moeder fronsen toen ze haar mes en vork op haar bord legde.

'Jippie!' Amber klom van haar stoel en omhelsde me stevig. 'Ik hou van je, mam!'

Echt waar, dacht ik bij mezelf, hou je echt van me? Waarom wil je de kerst dan doorbrengen met mijn familie, maar niet met mij? Waarom wilde mijn familie evenmin de kerst met mij doorbrengen?

Achteraf bezien is het niet zo gek dat mijn ouders me niet uitnodigden om met hen mee te gaan. Ik had er nooit een geheim van gemaakt dat ik een hekel had aan Kerstmis, dat ik een hekel had aan LA, en dat ik een enorme hekel had aan mijn broer.

'Charlotte Small?' De secretaresse van de school stak haar hoofd om de deur van het klaslokaal. We hadden aardrijkskunde, en we leerden hoe je rubber moest tappen uit een boom. Nuttig.

'Ja?' Ik ging staan.

'Je moeder heeft een baby gekregen.'

Dit kwam als een verrassing, ik had niet geweten dat ze 'in blijde verwachting was', zoals we het destijds noemden. (Stel je voor dat je de ware omschrijving zou gebruiken terwijl er een codewoord voorhanden is.) Maar het was het einde van het zomertrimester, en in het vrije weekend halverwege het trimester was ik bij een vriendin gaan logeren, dus ik had haar al een poosje niet gezien.

'Goh,' zei ik.

'Wil je niet weten of het een jongetje of een meisje is?' vroeg Mrs. Cox.

'O, eh, ja. Is het een jongetje of een meisje?'

'Een jongetje. Een broertje voor jou. Hij heet Matthew. Fantastisch nieuws, vind je niet?'

'Ja, Mrs. Cox, dat is het zeker.'

'Hoera voor baby Matthew!' riep iemand op de achterste rij. 'Hiep hiep –'

'– hoera!' riep de rest van de klas. Dit was de enige manier die we kenden om iets te vieren, we deden dit bij alle Leuke Dingen, hoewel het meestal was voorbehouden voor overwinningen op sportgebied.

Ze stuurden me een foto van hem in mijn moeders armen. Hij zag er gewoon uit als een baby. Het was echter haar gezichtsuitdrukking die eigenaardig was. Op haar gezicht stond te lezen dat ze heel erg blij was, heel erg levendig. Zo had ik haar nog nooit gezien. En hij was helemaal in dikke, zachte dekens gewikkeld, heel knus en gezellig. En ze zaten in mijn slaapkamer, op mijn bed. Hmm.

En jawel, toen ik een paar weken later voor de zomervakantie naar huis ging, kwam ik tot de ontdekking dat hij mijn kamer had gekregen, en dat ik eruit was gezet. (Als ik mezelf had toegestaan iets te voelen, zou ik op dat moment waarschijnlijk hebben gezwolgen in jaloezie.) Ik had nu de logeerkamer. 'Daar heb je meer ruimte,' zei mijn vader, bij wijze van verklaring. Ze hadden de kamer opnieuw ingericht, alles Laura Ashley, overal kleine roze bloemetjes. Roze was altijd mijn lievelingskleur geweest, maar dat was het inmiddels niet meer, ik hield nu meer van kastanjebruin.

We gingen die zomer zelfs niet op vakantie, omdat Matthew nog te klein was. En ik weet dat het geen wedstrijd is, maar hij kreeg veel meer cadeautjes met kerst dan ik, veel meer. Die jongen kon niets verkeerd doen, mijn ouders aanbaden hem werkelijk. Als hij hikte, moest iedereen lachen – als ik hikte, kreeg ik te horen dat ik een glas water moest gaan halen. Als hij een scheet liet, moest iedereen lachen – als ik een scheet liet, werd ik de kamer uit gestuurd. Als hij in zijn broek poepte, heette dat een ongelukje – tegen die tijd had ik het opgegeven.

En hij was ook nog intelligent. Heel erg intelligent. Zo intelligent dat hij een studiebeurs won voor de plaatselijke, particuliere jongensschool, dus hij ging niet eens naar kostschool. Hij was aangenaam gezelschap en goedkoop in het onderhoud.

Elke keer dat ik thuiskwam in de vakanties, trof ik bewijsmateriaal aan dat erop wees dat mensen zich hadden geamuseerd zonder mij. Pennen uit souvenirwinkels, plattegronden van attractieparken, foto's van een tafel voor drie. Ze waren heel gelukkig als trio.

Moet ik ook nog vertellen dat hij knap was, of had je dat al geraden? En goed in sport, en vreselijk populair, en omringd door mooie, grappige, intelligente vrouwen. Hij was zijn carrière begonnen als nederige loopjongen voor de ietwat sporadische Britse filmindustrie, maar nu deed hij iets op het gebied van 'development' bij een van de grote studio's in Hollywood – ik kan maar niet onthouden welke – wat naar mijn idee inhield dat hij achter zijn bureau zat te wachten tot Het Volgende Grote Project zich aandiende. Hij had al een paar successen geboekt, dus hij was walgelijk rijk, en dikke maatjes met allerlei filmsterren. En hij stond in elke Top Tien Van Meest Begeerlijke Vrijgezellen, maar tot dusverre was geen enkele vrouw erin geslaagd om hem aan de haak te slaan.

Maar het ergste van alles was dat hij dol was op mij. Ik vond dat onuitstaanbaar. Hij aanbad me, hij vond me fantastisch. Als ik thuiskwam van school liep hij als een hondje achter me aan door het hele huis, een gelukzalige glimlach op zijn gezicht. Hij wilde mijn slaaf zijn. Hij deed alles voor me; hij was hopeloos onzelfzuchtig als het om mij ging. Je zou kunnen zeggen dat hij van me hield.

Jasses.

2

'Vergeet niet dat het hele nut van huishoudelijk werk eruit bestaat om de boel efficiënt draaiende te houden als vrolijke achtergrond om te leven – dus leef! Bedenk iets positiefs, of simpelweg iets leuks, wat je wilt doen met de tijd die je bespaart. Anders glipt het leven... tussen je... vingers... w-e-g...'

Shirley Conran, *Superwoman*, 1975

Maandag was mijn vrije dag. Ik vond het niet goed voor Amber om een moeder te hebben die vijf dagen in de week werkte, en bovendien was ik meestal bekaf van het weekend. Maandag was de dag dat ik geacht werd om een gratis computercursus te volgen bij een instelling in de buurt, maar aangezien we geen computer hadden, zag ik daar het nut nog niet van in. En trouwens, ik had een bloedhekel aan computers; ze zagen er spuuglelijk uit en er ging constant van alles mee mis. In tegenstelling tot pen en papier, 'crashten' ze voortdurend. Bij de pinautomaat lag voor mij zo ongeveer de grens, en die had ik al ruimschoots overschreden. Ik haatte technologie – ik had zelfs geen mobiele telefoon. Ik was een primitieveling, en daar was ik trots op ook.

Op dinsdag en woensdag werkte ik in een boetiek in de buurt, Shades, aangezien de eigenaresse een verhouding had met een getrouwde man, zodat dit hun 'weekend' was. Het werd niet enorm goed betaald, maar het was wel handje contantje, en dat was handig. Ik werkte er pas een paar weken – daarvoor had ik altijd gedacht dat het een dekmantel moest zijn voor het witwassen van drugsgeld of iets dergelijks, want ik had er nog praktisch nooit iemand naar binnen zien gaan of naar buiten zien komen. Nu realiseerde ik me echter dat ze maar één of twee klanten per week nodig had. Een simpel lichtroze T-shirtje met een klein glitterhartje erop kostte ? 60!

Maar zolang er mensen stom genoeg waren om zulke prijzen te betalen, bleef Sadie ze hanteren. De clientèle bestond voornamelijk uit twee soorten vrouwen: de echt goed rijken, en de vastgoedrijken.

De echt goed rijken waren van die blonde vrouwen die getrouwd waren met rijke bankiers en advocaten, die binnenkwamen om met hun vingers aan de koopwaar te zitten, waarschijnlijk omdat ze zich verveelden. Vermoedelijk wilden ze even respijt van het Druk Doen. Het kindermeisje zorgde voor de kinderen, de huishoudster zorgde voor het huishouden, manlief werkte zich een slag in de rondte om de mensen die zorgden te kunnen betalen. Zij hoefde er alleen maar leuk uit te zien, de vakanties te boeken en ieder weekend met de Range Rover over de snelweg heen en weer terug te rijden om een worstje en af en toe een plakje bacon van de ene koelkast naar de andere te transporteren. Deze vrouwen kochten het informele spul – 'Dat is wel leuk voor in Padstow/Portugal/De Hamptons, misschien' – en ze hadden allemaal een voornaam die begon met een 'c': Carina, Camilla, Candida (dat werd afgekort tot Candy sinds bekend was geworden dat het de officiële naam was voor witte vloed).

De vastgoedrijken waren meestal blonde alleenstaande vrouwen van een bepaalde leeftijd die op een goudmijn zaten. Ze hadden jaren geleden gekocht in Fulham en hadden de vastgoedprijzen, bijna letterlijk, huizenhoog zien worden. Maar ze hadden geen cashflow. En geen kinderen. Ze snakten echter wanhopig naar allebei, dus ze hadden er een dagtaak aan om zich in te spannen om een van die rijke bankiers aan de haak te slaan. Dit betekende dat ze alle feestjes afliepen, en daar hoorde een passende garderobe bij zodat je er niet wanhopig uitzag, nietwaar? Deze vrouwen kochten het formele spul. Ze koersten altijd rechtstreeks naar het uitverkooprek, dat week in week uit hetzelfde bleef, en dat vol hing met moderampen zoals heel erg doorschijnende fluorescerende topjes of spotgoedkope designkleding in maat 32 of 48 – Sadie was niet gek. En dan vroegen ze aan mij of we iets hadden wat geschikt was voor een chic diner in de stad/liefdadigheidsevenement/polofeestje.

De ongeorganiseerde types kwamen om een uur of vijf binnen-

stuiven nadat ze eerst bij de kapper waren geweest, één deur verderop (waar ze goedkoop hun highlights lieten doen), in blinde paniek omdat ze nog steeds niets hadden om die avond aan te trekken.
Óf Hij had alles al gezien, óf Aziz had de stomerij weer eens voor-
tijdig gesloten. 'Hebben jullie iets geschikts voor een man met wie ik
al een lunch en twee keer een diner heb gehad, en met wie het vanavond waarschijnlijk gaat gebeuren?' vroegen ze dan, zich er niet
van bewust dat het woord 'wanhopig' op hun voorhoofd geschreven
stond, dat er meer voor nodig zou zijn dan de juiste kleding om het
beoogde resultaat te behalen.

Alsof ik er verstand van had. Ik was nou niet bepaald een deskundige. Aangezien ik zelf meer een trui-en-spijkerbroek type was,
kostte het me al de grootste moeite om iets te vinden wat goed genoeg was om aan te trekken wanneer ik in de winkel werkte. (Alles
zwart, uiteraard. Oxfam, maar dat zag je niet.) Toch deed ik mijn
best om hen te adviseren, en ik ging er prat op dat ik niet een van
die gemaakt glimlachende verkoopsters was die tegen iedereen zeiden dat ze er fantastisch uitzagen in alles. Ik vertelde mijn klanten
de waarheid.

Op deze dinsdagochtend was ik misschien een tikje chagrijniger
dan anders, aangezien ik twee berichten had ingesproken op Arthurs
antwoordapparaat, en hij me niet had teruggebeld. Hij had kennelijk nog steeds last van nichtenkuren vanwege dat gedoe met die
hond, wat verdomd irritant van hem was, en tamelijk egoïstisch bovendien. Ik had behoefte aan een lekker potje zeuren over het feit
dat mijn ouders Amber wilden ontvoeren voor de kerst.

Het was te koud geweest om te lopen, en ik kon maar één handschoen vinden, dus ik had een eeuwigheid staan wachten op de bus
die, toen hij eindelijk kwam, zo vol bleek te zitten dat er geen pas-
sagiers meer bij konden, zodat ik alsnog had moeten lopen. Ik was
dus aan de late kant met het openen van de winkel – ik was er pas
om een uur of elf. Er stond een chagrijnig uitziende meid voor de
deur te wachten, rillend van de kou.

'Ja?' zei ik, terwijl ik met één hand naar de sleutels zocht en mijn
druipende neus afveegde met de handschoen.

'Word je niet geacht om half tien open te gaan?' zei ze. Ze had
donker haar en een accent – ze was niet een van de vaste klanten.

'En?' Ze zaten waarschijnlijk in de andere zak.

'Nou, het is kwart over elf.'

'Wat wil je daarmee zeggen?' Ik tuurde in de peilloze, overvolle diepte die mijn handtas was.

'Ik heb staan wachten.'

'Werkelijk?' Ik zag ze nergens. 'Waarom?'

'Hoe bedoel je, waarom?'

'Nou, waarom –' ik stortte mijn handtas leeg op de stoep, 'ben je niet iets anders gaan doen tot ik er was? Ben je wel goed bij je hoofd? Het is stervenskoud!'

'Ik had zin om te winkelen,' zei ze met opeengeklemde kaken, hetgeen ik onterecht aanzag voor klappertanden, 'en jij bent een uur te laat.'

'Nou en? Heb je een acute kledingcrisis of zo? Ik bedoel, mensen zeggen weleens dat ze niets hebben om aan te trekken, maar dit is belachelijk!' Waar waren die stomme sleutels, verdomme? 'Wat is er zo dringend?' Aha! Ik had ze gevonden in het binnenste ritsvak, waar ik geacht werd mijn lippenbalsem en mijn papieren zakdoekjes te bewaren, alleen was dat nog nooit gelukt.

'Vooruit!' tetterde ze. 'Schiet op!'

'Verdomme nog aan toe, hou even je gemak, wil je!' antwoordde ik. 'En nog niet naar binnen gaan, ik moet eerst het inbraakalarm uitzetten. En de post in de la leggen. En wat luchtverfrisser spuiten zodat de klanten het optrekkende vocht uit de kelder niet ruiken. Weet je wat,' ik duwde de deur open en werd getrakteerd op oorverdovend elektronisch geschreeuw, 'waarom ga je niet even koffie voor ons halen, en dan kom je over tien minuten terug. Doe mij maar een café latte met twee suikerklontjes.' Ze keek enigszins geschokt, maar ik deed gewoon de deur voor haar neus dicht in de geruststellende wetenschap dat ik haar toch nooit meer zou zien.

Vijf minuten later kwam ze terug met twee koffie op een kartonnen dienblaadje. Ik was zo uitgekookt geweest om te 'vergeten' haar geld mee te geven voor de mijne. (Zo word je als je heel erg arm bent. Je doet alsof je verstrooid bent als het om geld gaat, terwijl je in werkelijkheid bijna nergens anders aan kunt denken.) Ter compensatie besloot ik Heel Behulpzaam te zijn.

'Zoek je iets speciaals?' vroeg ik, terwijl ik een peuk opstak. Eigenlijk werd ik niet geacht daar te roken, maar als je een hele doos met luchtverfrisser van de groothandel tot je beschikking hebt, tja, dan is het gewoon te verleidelijk.

'Niet echt,' zei ze, om zich heen kijkend.

De telefoon ging. Het was mijn nieuwe beste vriendin, Sabrina, die even wilde roddelen.

'Denk je dat je nog lang bezig bent?' vroeg ik. 'Dit is namelijk mijn dokter die belt met de uitslagen van een aantal onderzoeken.' Ze keek niet op. 'Naar kanker.' Een leugentje, ik weet het, maar het was me allang duidelijk dat ze geen serieuze klant was, maar gewoon een snuffelaar die niets beters te doen had. En bovendien, welke idioot gaat er nou 's ochtends vroeg kleren kopen?

'Deze is leuk,' zei ze, een strak hemdje met spaghettibandjes tegen haar broodmagere borst omhoog houdend terwijl ze in de spiegel keek.

'Wacht even, Sabrina,' zei ik zuchtend in de hoorn, en ik legde hem neer op de tafel naast de kassa. 'Moet je horen,' zei ik terwijl ik naar haar toe liep en het topje terughing op het cirkelvormige rek, 'je kunt deze heel goedkoop krijgen op Shepherd's Bush Market. Daar koopt de vrouw van wie deze winkel is ze ook – het enige wat ze doet, is er een paar sierspijkers en glitters opplakken en de prijs verdrievoudigen!'

'Echt waar?' zei de vrouw.

'Ja!' verkondigde ik. 'Wat een oplichterij, hè? Ik zou er direct naartoe gaan, als ik jou was, voordat ze uitverkocht zijn.'

Me bedankend voor mijn advies, verliet de vrouw de winkel, zodat ik de rest van de ochtend mijn tijd kon doden met luisteren naar Sabrina, die maar door bleef wauwelen over een of andere saaie vent die ze de avond daarvoor had ontmoet.

Toen ik de volgende dag bij de winkel arriveerde, stond Sadie me al op te wachten, kokend van woede. Ze ontsloeg me ter plekke. Ik vond het volkomen onredelijk, en dat zei ik ook tegen haar. Maar ze had klachten gehad van een aantal van haar vaste klanten; kennelijk hadden ze er aanstoot aan genomen dat ik tegen hen had gezegd dat ze er dik uitzagen in een bepaald kledingstuk. Dus had ze de dag daarvoor haar zus gestuurd, om me te bespioneren. Schokkend genoeg blijkt eerlijkheid dus toch niet altijd te lonen.

Op mijn dertiende ging ik naar 'public school'. Ik weet niet waarom het zo heette, want het was een particuliere kostschool die in het geheel niet openstond voor het grote publiek, en evenmin voor katholieken, joden en niet-anglicanen. Er waren twee zwarte meisjes die toestemming hadden gekregen om daar naar school te gaan (hun vader was koning van een of ander piepklein Afrikaans landje) en een Indiaas meisje dat op zijn minst een kleindochter van Gandhi moet zijn geweest; ze vielen op, maar werden grotendeels genegeerd door de zeshonderd andere leerlingen, die voornamelijk de dochters waren van diplomaten, militairen en herenboeren. Sommigen kwamen uit een zakelijk milieu, zoals ik, en er zat zo hier en daar ook weleens een dochter van een politicus tussen.

Het onderwijs zelf was niet echt geweldig, maar we leerden een heleboel over detail, verveling en bekrompenheid. Een voorbeeld: we mochten maar vijf voorwerpen op het ladekastje naast ons bed hebben liggen, waarvan nummer één de Bijbel moest zijn, en nummer twee en drie je borstel en kam, zodat er in feite dus maar twee voorwerpen van onze eigen keuze mochten liggen. Als je geen foto van je ouders neerzette, werd je door je medeleerlingen voor gek versleten, dus de uitslovers hadden een hele fotokubus van iedereen thuis inclusief de paarden, met niet minder dan zes foto's die telden als één. Hetgeen betekende dat je welgeteld één voorwerp voor op je nachtkastje zelf mocht kiezen. Het mijne was mijn bril, omdat ik die nergens anders kwijt kon.

Onze slaapzalen waren opgedeeld in hokjes, eenpersoons en tweepersoons, die van elkaar werden gescheiden door middel van houten wanden die maar een klein stukje hoger waren dan wij, en een gordijn dat als deur moest dienen. Dat deed het echter niet, want als je het dichttrok, dacht iedereen dat je een rothumeur had of dat je iets te verbergen had. Ik heb nooit een eenpersoonshokje gehad, maar dat deed er niet zoveel toe, aangezien we toch allemaal op elkaars bedden woonden.

Maar nooit erin. Er zijn talloze mannen geweest die geduldig naar me luisterden terwijl ik vertelde over kostschool, hopend op verhalen over lesbische praktijken zoals samen in een schuimbad gaan. Of in ieder geval een potje stiekem middernachtelijk rommelen met elkaar. Niet op mijn school. We kwamen niet dichter bij elkaars vagina in de buurt dan nodig was om Tampax naar binnen te duwen bij de jongere meisjes, om hun te laten zien hoe dat moest, maar dan op een medische manier, niet op een seksuele manier. En we sloten ons inderdaad samen in de badkamer op, maar alleen om de directrice op stang te jagen, die dan op de deur klopte en zei: 'Wie is daarbinnen?'

'Charlotte.' Dat was ik.

'Wie nog meer?'

'Claire.' Mijn beste vriendin.

'Wie nog meer?'

'Judy.' Een andere beste vriendin, maar niet mijn allerbeste.

'Wie nog meer?'

'Sarah.' Judy's beste vriendin, en dus ook een beste vriendin van ons.

'Verder nog iemand?'

'Alleen Jessamy.' Nummer vijf, die altijd en eeuwig probeerde om aansluiting te vinden bij ons vieren.

'Doe onmiddellijk die deur open!'

Dat deden we dan, en dan zag ze dat er maar één van ons in bad zat, en dat de anderen op de grond zaten te kletsen. Ik heb geen idee wat voor beeld die vrouw voor ogen had, maar ze zag er altijd ietwat teleurgesteld uit...

We deden alles samen, begrijp je. Alles. We waren nooit alleen. We hadden het wonen in een gemeenschap tot een kunst verheven. Als je shampoo op was, gebruikte je gewoon die van iemand anders. Als je een topje wilde lenen, pakte je het gewoon uit iemands la. Als je over een van deze dingen klaagde, werd je bestempeld als – de grootste belediging van allemaal – saai.

God, wat verveelden we ons. In de schoolgids stond dat leerlingen hun vrije tijd mochten doorbrengen in de Kunstzaal of de Muziekvleugel, als ze wilden, om creatief bezig te zijn. Wat niet werd vermeld, was dat dit afhankelijk was van het feit of een docent bereid was om een deel van haar weekend op te offeren om toezicht op je te houden.

Op zaterdag mochten we gaan winkelen in het stadje, maar bepaalde winkels waren verboden terrein, dankzij één of twee egoïstische meisjes die er een heleboel nagellak en bodyglitter hadden gestolen, en het daarmee voor ons allemaal hadden verpest. (Het feit dat ze hun buit onder ons hadden verdeeld toen ze terugkwamen op school was totaal irrelevant.)

Op zaterdagavond werd er af en toe een film vertoond in de Grote Zaal. We mochten er in burger naartoe (non-uniforme kleding), maar broeken waren niet toegestaan – die schenen wangedrag in de hand te werken. Evenmin mochten we schoenen zonder hiel dragen (in de rest van de wereld bekend als klompen, destijds je van het) op zaterdagavond, voor het geval we een enkel zouden breken. We kregen films te zien als *The Incredible Journey,* het zogenaamd inspirerende verhaal over een dappere kat en diens twee hondenvriendjes die op miraculeuze wijze de weg naar huis terugvinden. Of *Born Free,* het fascinerende verhaal over een leeuw in Kenia. En het boeiende vervolg, *Living Free. Tarka the Otter,* eenmaal andermaal?

Het waren de jaren zeventig, we waren tieners, nota bene – sommigen van ons waren al achttien! Bij wijze van rebellie begonnen we deze avonden te boycotten, er de voorkeur aan gevend om op onze bedden te zitten en een wedstrijd te houden wie het eerste echte tranen kon produceren. Dus lieten ze ons suggesties opschrijven voor films die we graag zouden willen zien op een lijst op het mededelingenbord, met daarnaast een overzicht van alle beschikbare titels. Het hoeft geen betoog dat we alles opschreven wat er ook maar enigszins schokkend uitzag, zoals *Virgin Soldiers.* Dit werd genegeerd, maar er werd wel één oude James Bond film vertoond – die we allemaal misten – en sindsdien werd ons niet meer van tevoren verteld welke film het zou zijn, we moesten het risico maar nemen. Ik heb *The Incredible Journey* drie keer gezien.

Op maandagavond werden we onderworpen aan lezingen van saaie gastsprekers over onderwerpen als 'Britse zangvogels', 'De minder bekende kastelen van Versailles' en 'Samuel Johnson – de vrouwen in zijn leven'. Er was er eentje over 'De gitaar', die stampvol zat omdat we dachten dat het verzameld werk van iemand als Pete Townshend misschien wel aan bod zou komen – maar het was 'De geschiedenis van', van de luit tot de Spaanse gitaar, en eindigde vlak voor de elektrische gitaar. We boycotten deze ook – dus maakten ze het verplicht om er minimaal drie per trimester bij te wonen.

We hadden weinig contact met de buitenwereld, behalve het *Illustrated London News,* dat later werd vervangen door de *Daily Telegraph.* Het zou dus correcter zijn om te zeggen dat we weinig contact hadden met de echte wereld. Vreemd genoeg, echter, mochten we wel naar *Top of the Pops* kijken. Maar dat was op dezelfde avond als de koorrepetities, die op hetzelfde tijdstip begonnen als *TOTP* afgelopen was. Dus we hadden de keus: óf je kwam niet te weten wie er op 1 stond (waar het hele programma uiteindelijk toch om draaide) en je was op tijd, óf je bleef om erachter te komen maar kreeg extra oefeningen mee als straf omdat je te laat was. We probeerden de koorjuf uit te leggen dat het gewoon muziek was, maar dan een ander soort, en dat het in feite nuttig voor ons was om deze moderne kunstvorm te bestuderen, dus of ze alsjeblieft wilde overwegen om de koorrepetities tien minuten later te laten beginnen. Beslist niet. Dus belden we de plaatselijke begrafenisonderneming en vroegen hun om zich naar de school te haasten om haar lichaam op te halen, en dat deden ze, tot haar grote woede, hun irritatie en onze hilariteit.

Maar goed. Daar zaten we dan, zeshonderd tienermeisjes op een kluitje in één grote brij van hormonen, met Victoriaanse normen en waarden binnen de muren en een postjarenzestig, seksueel bevrijde wereld buiten de muren die aan ons voorbijging. Het is geen wonder dat sommigen van ons, zodra we van school kwamen, volledig zijn doorgedraaid.

Op donderdag werkte ik bij de televisie. Niet voor de BBC of een andere zender waar je daadwerkelijk van zou kunnen hebben gehoord, maar voor een klein kabelstation. Het lunchprogramma waar ik me mee bezighield, heette *Rond de keukentafel*. Je kunt wel ongeveer raden wat voor soort programma het was, maar voor het geval er nog enige twijfel mocht bestaan, kan ik je verzekeren dat het de gebruikelijke wilde mengeling was van minimale beroemdheden die iets kwamen pluggen wat varieerde van biografieën tot pantomimes; handige tips van een reeks incompetente deskundigen en volstrekt onbekende goede doelen en inzamelingsacties waar zo weinig geld mee werd binnengehaald dat het gênant was. Het pretentieloze uurtje werd afgesloten met een optreden in de provisiekast van een band waar je nog nooit van had gehoord en waarvan je wist dat je er ook nooit meer iets van zou horen. Je weet wel wat ik bedoel.

Aangezien ik de dag ervoor mijn baan bij de boetiek was kwijtgeraakt, zou het redelijk zijn om te zeggen dat ik op de donderdagochtend in kwestie niet bepaald in een uitstekend humeur was. De paniek begon toe te slaan. Zou Amber het erg vinden als ik haar haar kerstcadeautjes zou geven wanneer ze terugkwam, zodat ik iets zou kunnen kopen in de uitverkoop in januari? Ik rommelde in de doos met gratis monsters die de producer onder haar bureau be-

waarde – er zat niets bruikbaars in: ik kon ╲
Amber blij zou zijn met een elektrische peperm╲
de autobiografie van Heather McCartney.

Het thema van het programma was deze week ╲
al zo sinds oktober.

'Allemachtig,' klaagde ik tegen Wendy, mijn colle╲
deur voor haar openhield. 'Als ik premier ben, komt ⟋t die
het iedereen verbiedt om het woord Kerstmis in de mo╌d te nemen
voor één december.'

'Werkelijk, Charlotte?' vroeg ze. 'Waarom?'

'Nou, weet je, we hebben een minuscule zomer die ongeveer vijf
minuten duurt, vervolgens zeggen alle winkels dat het weer-naar-
school tijd is, en dan ineens liggen de kerstslingers in de schappen en
is de hele wereld bedolven onder de feestverlichting en zijn de feestdagen zelfs nog eerder aangebroken dan het jaar ervoor, en duren ze
langer dan ooit tevoren. Als we niet uitkijken, beginnen ze alweer
opnieuw nog voordat ze voorbij zijn!' Ik lachte bitter.

Wendy keek naar me op, volkomen wezenloos, niet begrijpend
hoe zoiets mogelijk zou kunnen zijn.

'Ik vermoed dat jij Kerstmis leuk vindt, hè, Wendy?' Ik kende haar
niet zo goed, aangezien we maar één uur per week in elkaars gezelschap verkeerden, maar we hadden al vastgesteld dat we niet veel
gemeen hadden.

'O, jaaa,' zei ze met een onnozele glimlach. 'Ik ben er dol op. Sterker nog, ik heb al mijn kerstinkopen al gedaan.'

'Meen je dat, Wendy?' Ik trok mijn stoel naar me toe en zette mijn
hoofdtelefoon op. 'Wat goed van je.' Jij griezelige geflipte idiote maniak.

'Tja, ik moet wel, voordat het te druk wordt in de winkels, snap je?'

'Op die manier.' Wendy zat in een rolstoel.

'Zou je –' Ze gebaarde naar haar hoofdtelefoon, die op het bureau
lag.

'O ja, vergeten,' zei ik, de hoofdtelefoon op haar hoofd zettend.
Ze had maar één functionerende arm en vond dat soort dingen een
beetje 'lastig', zoals ze zelf zei.

'Proost!' zei ze opgewekt. 'Ga je nog weg met de kerst, Charlotte?' vroeg ze, terwijl de producer twee duimen omhoog stak naar

...e glazen ruit heen, en wij haar gebaar beantwoordden met opgestoken duimen.

'Nee hoor.' Ik gaf Wendy de formulieren die we moesten invullen om een logboek bij te houden van alle telefoontjes, en haalde de dop van haar pen.

'Ik wel.'

Ik stelde geen vragen, ik kon het niet aan, ik wist dat ze het me toch wel zou vertellen.

'Naar Jamaica.'

'Super.' De klok verscheen in beeld op onze monitor – nog dertig seconden voor live.

'Om mijn oma op te zoeken.'

'Cool.'

'Nou,' ze snoof bij het vooruitzicht van haar eigen grapje, 'ik denk dat het er eerder heel heet zal zijn!'

Wat doe ik hier in godsnaam, dacht ik bij mezelf, kijkend naar de presentatrice die uit de Make-up kwam rennen om haar plaats in te nemen aan de zogenaamde 'keukentafel'. Ik zit hier beleefdheden uit te wisselen met een eenarmige zwarte invalide die waarschijnlijk ook nog lesbisch zou zijn als alle concerten toegankelijk zouden zijn voor rolstoelen. Ondanks haar handicaps kon ik haar gewoonweg niet aardig vinden, en ik wist zeker dat ze de baan alleen maar had gekregen omdat het kabelstation daarmee kon voldoen aan de wettelijke verplichting om als werkgever gelijke kansen bij gelijke geschiktheid te bieden. Dus wat was mijn excuus?

Een van de telefoonlijnen lichtte op, hoewel het programma nog niet eens begonnen was.

Ik zette de schakelaar aan. 'Rond de keukentafel, waarmee kan ik u van dienst zijn?' zei ik op mijn allervriendelijkst en allerbeleefdst. (Ik was nu paranoïde; waarschijnlijk was het de man van de producer om me op heterdaad te betrappen.)

'Wat voor kleur onderbroek heb je aan?' zei een rochelstem.

'Wie zegt dat ik er eentje aan heb?' Ik zette de schakelaar weer uit. 'Rukker.'

Wendy schudde haar hoofd, vol wanhoop. Ik wist dat ze vloeken verschrikkelijk vond, waardoor ik het alleen maar meer ging doen.

De openingstune begon. Op de monitor zag ik de intro voorbij komen: beelden van bijna beroemde praktisch vergeten mensen die in de 'keuken' op bezoek waren geweest, een lelijke baby (van de producer) die eindeloos op en neer stuiterde in een deuropening, een hand die duidelijk nog nooit van zijn leven hard had moeten werken en die gedroogde bloemen aan het schikken was in een vaas. Door het raam van de studio kon ik de camera's zien, die zich op de presentatrice stortten als Daleks op Dr. Who's assistent. Ze glimlachte en begon te praten terwijl ze Intelligent en Zorgzaam keek. De kijkers bleken vandaag te kunnen bellen over het omgaan met stress voor de feestdagen, en de deskundige aan het andere eind van de 'keukentafel' was een dunne man met een baard die een boek had geschreven, getiteld *Hoe haal je de kerst uit de mis?*

Het behoeft geen betoog dat het merendeel van onze telefoontjes ging over kerstkousen, met uitzondering van twee huisvrouwen die dachten dat ze het nummer van het Leger des Heils hadden gedraaid. Wendy en ik verschilden van mening over deze vrouwen; zij vond ze zielig in de zin van meelijwekkend, en ik vond ze zielig in de zin van hebben ze dan echt niks beters te doen. We behandelden ze dienovereenkomstig.

Zoals gewoonlijk was geen van onze bellers geschikt om daadwerkelijk in de uitzending aan het woord te laten, dus moest een van de redacteuren weer doen alsof ze Colleen was uit Exeter met een vraag over haar schoonmoeder.

'Ach, zolang de dollars maar blijven binnenstromen,' verzuchtte ik toen de aftiteling voorbij rolde en ik mijn hoofdtelefoon afzette.

'Krijg jij in dollars betaald?' vroeg Wendy, ineenkrimpend toen ik de hare van haar hoofd rukte.

Een jonge jongen met te veel piercings en niet genoeg shampoo, de loopjongen van de productie, stak zijn hoofd om de hoek van de Telefoonkamer. 'Vergadering in de Groene Kamer over vijf minuten,' lispelde hij.

'Dank je, Justin,' zei Wendy met een onnozele glimlach.

'Zal ik je duwen?' vroeg ik, in een poging behulpzaam te zijn. 'Ik heb enorm veel ervaring opgedaan toen mijn dochter nog een baby was – ik ben een kei op het gebied van kinderwagens.'

'Nee, dank je,' antwoordde Wendy, een tikje verontwaardigd nota bene. 'Ik red me wel.'

De vergadering was om ons te vertellen dat het programma van het scherm zou worden gehaald. De kijkcijfers bleven gewoon uit, er keek niemand naar. (Wat nog veel schokkender was: men was verbaasd om dit te horen.) Dus de uitzending van morgen zou de allerlaatste zijn. Ze trokken, in termen van tv en levensonderhoud, de stekker eruit. Sommige mensen met kinderen en een hypotheek barstten in tranen uit. Ik was alleen maar boos. Eén baan kwijtraken zou je nog als een tegenslag kunnen zien; twee banen kwijtraken in één week tijd leek op onverschilligheid, maar was in feite ronduit botte pech. Veel erger kon het toch niet worden?

Na een schoolloopbaan waaraan ik het denkbeeld had overgehouden dat het periodiek systeem hetzelfde was als de menstruatiecyclus, slaagde een aantal meisjes erin om naar de universiteit te gaan, maar ik niet. Op onze laatste schooldag beloofden we allemaal trouw dat we contact zouden houden voor eeuwig en altijd amen, draaiden we onafgebroken 'School's Out' van Alice Cooper op elf toeren, en huilden tranen met tuiten.

Die zomer kwamen we over en weer bij elkaar thuis, gingen we naar feestjes om te drinken en te roken en te zoenen met andermans broers en de vrienden van hun broers.

En toen was het september, en daarna oktober.

Ik had geen flauw idee wat ik wilde doen met de rest van mijn leven, ik had er nog helemaal niet over nagedacht. Ik was nergens echt goed in geweest op school, maar had me min of meer gemakzuchtig voorgesteld dat ik verkering zou krijgen met een gozer met een Porsche, dus dan deed het er feitelijk niet zoveel toe wat voor baan ik had, nietwaar?

Mijn vader dacht daar anders over. Hij stuurde me naar de bruisende wereldstad Leatherhead, in Surrey, naar een secretaresseopleiding die voornamelijk werd bevolkt door huisvrouwen die een opfriscursus kwamen doen, en één non. Dit was niet bepaald glamoureus genoeg voor mij, maar ik had ook geen betere suggesties, en dus stemde ik in met zijn plan, al was het maar om uit huis te kunnen gaan. Het vredige voorstedelijke dorpje Ashtead kende echter nauwelijks een nachtleven, alleen de pub, die vol zat met hitsige, fervente bierdrinkers en verlopen oude dames in regenjassen met ceintuur en verzopen haar. De enige foute types die je er tegen het lijf liep, waren de mannen van het dartteam. Er waren geen motorrijders, alleen fietsers.

Maar goed. Ik had nu een diploma steno en typen, dus ik begon uitzendwerk te doen – ik wilde nog steeds niet gebonden zijn aan een echte baan, ik wilde de vrijheid om op vakantie te gaan wanneer ik wilde, met alle jetsetvrienden die ik nu ieder moment zou kunnen krijgen. De plaatselijke baantjes waren saai, en van het forenzen kreeg ik de zenuwen, dus ik verhuisde naar Londen, om een flat te delen met een meisje van school dat Imogen heette.

Ze was niet een van mijn beste vriendinnen geweest, sterker nog, ze was wat wij noemden V&V(vet en vriendinnenloos). Maar haar vader had een flat in Kensington voor haar gekocht, alsof het niks was. Ze bood mij haar logeerkamer aan, de stilzwijgende overeenkomst was dat ik haar in ruil daarvoor iets van een sociaal leven zou bezorgen. Gelukkig zaten de meesten uit ons eindexamenjaar ook in Londen, voor diverse cursussen en studies en herexamens, zodat Imogens flat een soort partycentrum werd, tot haar en mijn grote vreugde.

Het was koud, heel koud, vooral voor een vrouw die nu ook haar andere handschoen kwijt was, en Piers deed niet open. Waarschijnlijk had hij een kater, zoals gebruikelijk, teer van gestel als hij was. Ik drukte nogmaals op de intercom en hield de knop irritant lang ingedrukt. Het was toch vrijdag, of niet soms? Waarom was hij er dan niet?

Ik had zijn vacature ongeveer een jaar geleden in de streekkrant gezien. 'Lijkt het je leuk om in de Britse filmindustrie te werken?' was de opvallende kop geweest. Ik zag de kleine lettertjes waarin 'parttime' stond pas toen ik al onderweg was naar het sollicitatiegesprek, maar ik had me met vleierij laten overhalen om de baan toch te nemen. Kennelijk maakte het feit dat ik de zus was van een Hollywood 'development' bobo me tot een zeer waardevolle werkneemster. Piers was erg teleurgesteld toen ik hem vertelde (nadat ik voor hem was gaan werken, uiteraard) dat we elkaar nauwelijks spraken en probeerde me constant aan te sporen om contact met hem op te nemen, zonder succes.

Piers noemde zichzelf een freelance producent, maar zijn werk was beslist heel anders dan dat van Matt. Voor zover ik het kon beoordelen, bestond het uit het schrijven van een heleboel smeekbrieven naar de extreem rijken, het ontlopen van telefoontjes op de ene lijn en tegelijkertijd op de andere lijn een heleboel telefoontjes plegen, en een buitensporige hoeveelheid kopieerwerk. Ik verrichtte al ongeveer een jaar elke vrijdag secretariële werkzaamheden voor hem (of liever gezegd: ik moest doen alsof ik zijn fulltime secretaresse was), en ik had hem nog nooit iets filmachtigs zien doen, zoals 'op de set' zijn, of 'op locatie'. Hij was altijd 'op kantoor' – de inloopkast die alleen een makelaar een tweede slaapkamer zou noemen in zijn piepkleine zolderflat boven een pub genaamd The Goat in Boots op Fulham Road.

Piers was een beetje een feestbeest, dat moet gezegd worden, een perfect product van zijn chique opvoeding. Hij was het soort man dat een stropdas met een spijkerbroek en een colbertje aantrekt naar een diner, wiens verwarde haar-tot-op-zijn-schouders altijd dringend aan een knipbeurt toe is, het soort dat erbij lijkt te zijn wanneer het gedonder begint, maar nooit wanneer het achter de rug is. 's Ochtends vroeg zag hij er verschrikkelijk uit, maar in de loop van de dag werd het beter, dankzij de bar beneden die fungeerde als zijn natuurlijke habitat. Hij was best aardig, maar op een ongeschikte manier. Hij had een heleboel vrienden die aan motorracen deden, was goed bevriend met de vrouwen van anderen, maar had zelf geen fatsoenlijke vriendin voor de lange termijn. Een tikje onstabiel, een tikje chaotisch, je kent het type wel. Schoenen zonder sokken, zelfs in de winter. Waarschijnlijk niet zozeer uit modieuze overwegingen, maar meer omdat hij er geen twee kon vinden die bij elkaar hoorden.

Schiet op, Piers! Ik sta hier te bevriezen...

Via hem had ik Sabrina leren kennen. Ze waren al heel lang bevriend en hadden vroeger een soort 'regeling' gehad die inhield dat ze elkaar af en toe ontmoetten voor seks zonder verplichtingen wanneer een van beiden daar zin in had. (Zij was kennelijk een beetje een maniak; hij heeft me een keer toevertrouwd dat hij te bang voor haar was om nee te zeggen. Maar hij voegde er wel aan toe dat ze erg goed was in wat ze deed.) Hoe dan ook, op een vrijdag, ongeveer drie maanden geleden, toen ik net weg wilde gaan, belde ze om hem te helpen herinneren dat hij haar die avond zou vergezellen op een uitje met een klant naar een optreden van die Abba-coverband, Björn Again, dat was hij toch zeker niet vergeten, hè?

Hij was het niet alleen vergeten, hij zat ook al in Amsterdam voor het weekend, waar hij fondsen probeerde te werven voor een film over een man die met een pinguïn trouwt, ja, echt, en dus ging ze door het lint. 'Die klootzak! Het is toch niet te geloven dat hij me dit aandoet, wat een l*l' – et cetera.

Het duurde niet lang – uiteindelijk ging ik mee in zijn plaats.

Ken je dat, dat je iemand ontmoet en dat het gewoon meteen klikt? Nou, zo was het dus met ons. We hadden het eerste deel van de avond doorgebracht met lachen om de trieste types in het publiek, zo trots op hun satijnen knickerbockers en hun bolero's, en toen waren we, zodra het fatsoen het ook maar enigszins toeliet, vertrokken en hadden we een taxi gedeeld naar huis. Vervolgens hadden we tot twee uur 's morgens in haar verfijnd ingerichte vrijgezellenappartement met lichte vloerbedekking enorme hoeveelheden wijn zitten drinken en gelachen om Piers' magere piemel en verhalen over ons liefdesleven uit zitten wisselen, je kent dat wel. Ze woonde op loopafstand van mijn huis, en ik wankelde die nacht stomdronken naar huis, blij dat ik een verwante geest had gevonden. En ik wankelde weer terug toen het tot me doordrong dat ik mijn handtas bij haar had laten staan.

Piers was echter niet zo blij geweest met onze nieuwe status als beste vriendinnen, omdat hij het gevoel had dat we tegen hem samenspanden. Althans, dat was onze diagnose van het probleem. Het probleem was namelijk dat hij sindsdien niet meer beschikbaar voor haar was voor seks, en mij had hij geen cent meer betaald. Het was geen enorm bedrag, maar genoeg om me de kerstdagen door te helpen – ik had inmiddels zo'n twaalf weken salaris tegoed. (Piers' betalingen waren altijd al onregelmatig geweest; zo werkte het nu eenmaal bij hem. Ik was het eigenlijk gaan zien als een soort sparen. Het totaalbedrag ging meestal op aan een of andere grote rekening.) Ik vond het vreselijk om over geld te praten, maar ik had Sabrina beloofd dat ik er vandaag Iets Over Zou Zeggen. Sterker nog, ik had mezelf beloofd dat ik Piers' flat niet zou verlaten voordat ik een cheque in mijn hand had.

Nu hield ik mijn vinger stevig op de bel gedrukt om een ononderbroken zoemtoon te produceren. Zelfs als hij nog in bed lag, zou hij hierdoor zodanig geïrriteerd raken dat hij zou opstaan om er iets aan te doen.

Nog steeds geen reactie. Misschien was hij even de deur uit om een pak melk te kopen of zoiets. Ik keek achter me, recht in de uitpuilende ogen van een roodharige man met een wollen muts.

'Shit, ik schrik me dood!' stamelde ik, een hand op mijn bonzende hart.

'Waar is ie?' zei de man met een zwaar Iers accent.

'Wie, Piers?'

'Ja, die.' Hij staarde me aan alsof het mijn schuld was dat er niet open werd gedaan.

'Ik weet het niet. Normaal gesproken zou hij thuis moeten zijn,' was het enige wat ik kon zeggen.

'Wie ben jij?' vroeg de man.

Ik besloot mijn naam niet te noemen. 'Ik ben zijn secretaresse.'

'Werkelijk?' De man lachte en spuugde een kloddertje van iets heel smerigs op de stoep.

'En u bent...?'

Hij deed een stap naar achteren om met samengeknepen ogen omhoog te turen naar Piers' raam. 'Een vriend.'

Hij oogde en klonk beslist niet zoals Piers' gebruikelijke vrienden, die allemaal Quentin of Nigel heetten en die allemaal, zonder uitzondering, totaal niet op deze man leken.

Mijn vinger begon moe te worden. Ik stopte en hurkte neer om door de brievenbus te kijken. Een hele lading reclamefolders en vastgoedblaadjes en pizzafolders op de grond, maar geen teken van leven.

'Ik probeer hem nu al drie dagen te pakken te krijgen,' zei de roodharige man. 'En ik ben het spuugzat.' Hij haalde een koevoet uit zijn jekker tevoorschijn en begon de deur in te slaan.

Aangezien ik zijn accent inmiddels had weten te plaatsen als zijnde Noord-Iers, besloot ik om niet te protesteren. Waarschijnlijk was hij lid van de IRA, en ik had geen zin om, overgoten met pek en veren, te worden gedumpt bij een of andere hippe wijnbar vol ouders van schoolkinderen op Fulham Road.

Nog één klap en we waren binnen. Ik liet hem als eerste de trap op gaan.

Er was maar één klap voor nodig om het slot kapot te maken van de deur naar de flat. Er was een feestje geweest, dat was duidelijk. Er stonden overal wijnflessen en champagneglazen, en het stonk er naar verschaalde sigarettenrook en zweetoksels. De asbakken zaten vol kakkerlakken, op een hoesje van een cd van de Dire Straits zaten nog restjes wit poeder; daarnaast lag een pasje van de videotheek en een opgerold biljet van twintig pond.

'Verdomme!' barstte de terrorist uit nadat hij in de slaapkamer was gaan kijken. 'Het ziet ernaar uit dat hij 'm gesmeerd is,' zei hij terwijl hij de schoorsteenmantel afspeurde en een bruine envelop oppakte. 'Ben jij Charlotte?'

Het was een ongeopende gasrekening, een Laatste Aanmaning. Op de achterkant stond geschreven:

Charlotte
   Het spijt me dat ik je dit moet aandoen, etc, maar het gaat gewoon niet meer. Ik weet dat ik je een enorme bak geld schuldig ben, maar ik heb het gewoon niet op het moment. Ik beloof je dat ik het zal terugbetalen, eerlijk waar.
   Ik zal je zo snel mogelijk bellen. Maak je geen zorgen over mij, ik red me wel.
   Piers
   PS Vrolijk kerstfeest, etc.

'"Maak je geen zorgen over mij"?' zei ik hardop, tegen de muren. 'Ik maak me geen zorgen over jou, Piers, ik maak me zorgen over mijn geld, vuile rotzak!'

De deur van de flat ging met een klap open en weer dicht, en ik begreep dat de IRA-man vertrokken was.

Ik plofte op de bank neer en legde mijn hoofd in mijn handen. Aan het begin van de week werkte ik nog in de mode, bij de televisie en in de filmindustrie. Nu niet meer. En aangezien het Kerstmis was, zou de wereld langzaam tot stilstand komen, en zou ik op zijn vroegst half januari pas weer een andere baan kunnen krijgen. Hoe moest ik de komende paar weken in godsnaam door zien te komen?

Precies toen ik het videotheekpasje en het opgerolde biljet van twintig pond in mijn zak stond te stoppen, verschenen er twee politieagenten in de deuropening.

Ze beschuldigden me van inbraak; er was zelfs sprake van dat er een vrouwelijke agent zou komen van het bureau om me te fouilleren op drugs. Het duurde een hele tijd voordat ik hen ervan wist te overtuigen dat ik gewoon een huisvrouw was uit Fulham, of Hammersmith, afhankelijk van wie je gesprekspartner was. Gelukkig herkenden ze de IRA-man aan de hand van mijn omschrijving – hij bleek een bekende incasseerder te zijn voor een drugsdealer uit de buurt.

In één week tijd was ik dus drie banen kwijtgeraakt. Ik neem aan dat iemand die ze allemaal op een rijtje had daar vreselijk van overstuur zou zijn; ik vond het alleen maar vervelend.

3

'Het is uw correspondente onlangs onder de aandacht gebracht dat zij, op sociale bijeenkomsten, niet de menselijke
magneet is die ze zou moeten zijn. Sterker nog, ze blijkt zich
als bron van vermaak, vrolijkheid en gezelligheid te bevin-
den op het niveau van een takje peterselie en een enkele
schaats.'

Dorothy Parker, *Review of the Technique of the
Love Affair*, november 1928

Er is geen enkel geluid zo verrukkelijk als het klok-klok van donker-
rode wijn die in reusachtige glazen wordt geschonken door een vriendin die van roddelen houdt, op een ijskoude winteravond bij een
knisperend haardvuur. Amber lag boven te slapen, zich niet bewust
van het feit dat we de kindertafel en de bijpassende stoeltjes die ze
toch bijna nooit meer gebruikte aan het opstoken waren. Sterker nog,
het verbaasde me dat ze niet wakker was geworden van het lawaai;
we waren ronduit hysterisch geweest en waren het kleutermeubilair
op de keukenvloer te lijf gegaan met een inmiddels bot vleesmes en
een hamer, pogend het in hapklare brokken voor op het vuur te ver-
delen, luidkeels 'I'm a lumberjack and I'm OK' zingend, kunstmatig
verwarmd vanbinnen door de fles witte wijn van daarvoor.

'Waar denk je dat Piers naartoe is?' vroeg ik, terwijl ik nog een peuk
opstak.

'Joost mag het weten,' zei Sabrina, en pakte er nog eentje uit mijn
pakje, 'de idioot.' (Ze rookt niet, maar ze is ook geen niet-roker, wat
dus betekent dat ze nooit haar eigen sigaretten koopt maar erop ver-
trouwt dat andere mensen ze wel aan haar zullen verstrekken.)

'Ik zal mijn geld wel nooit krijgen, hè?'

'Ik betwijfel het.' Ze blies vol overgave uit. 'Hij is een man, niet-waar? Gewetenloze slappeling.'

'Ja, je hebt gelijk.' We dronken allebei nog wat.

Sabrina's mobiele telefoon trilde en zoemde en diedel-ie-diede zich een weg over de salontafel. Ze pakte hem op en keek naar het schermpje. 'Hij is het!' Ze schraapte haar keel, likte langs haar lippen. 'Hallo?' zei ze met een donkerbruine, fluwelige stem die altijd maakte dat mannen met haar wilden trouwen. (Ik had het zelf wel-eens geprobeerd, maar dan vroegen mensen altijd of ik een zere keel had.)

Terwijl zij zich een weg tortelde en kirde in het hart van de zoveelste man, keek ik over de tafel heen naar mijn vriendin en wilde mijn hoofd schudden, maar deed het niet. Ze had het bijna nergens anders over gehad sinds haar komst hier, dus ik wist alles over hem, maar ik nam niet de moeite om deze informatie in mijn geheugen op te slaan. In de paar maanden dat ik haar nu kende, had ik al een patroon ontdekt: Sabrina ontmoet man van haar dromen, man van haar dromen blijkt vreselijke tekortkomingen te hebben, man van haar dromen wordt gedumpt en vervangen door nieuwe man van haar dromen, die andere maar eveneens onverdedigbare vreselijke tekortkomingen blijkt te hebben, en dus wordt ook hij gedumpt en vervangen door weer een andere man van haar dromen.

Begrijp me niet verkeerd, Sabrina was fantastisch. Ze had alles goed voor elkaar, ze was echt een sterke persoonlijkheid. Ik kon maar niet geloven dat ik zo'n vriendin had. Ik bleef maar denken dat ze elk moment genoeg van me kon krijgen, zodra ze erachter kwam dat ik niet de persoon was die ze had gedacht. Ze was zo actief, zo levendig, zo intelligent – wat zag ze in vredesnaam in mij? Ik durfde niet eens te proberen om die vraag te beantwoorden, ik had het veel te druk met van haar gezelschap genieten voor zolang als het duurde, hopend dat ik iets van wat het ook was wat ze had kon overnemen.

En ze had een heleboel. Ze had een ongelofelijk goedbetaalde top-functie in de financiële pr (wat dat ook moge zijn); ze had een super-snelle sportwagen waar ze supersnel in reed; ze dronk als een tempelier maar werd nooit dronken, en was ongelofelijk gefocust en gedreven in alles wat ze deed. Falen was simpelweg geen optie.

'Oo, dat moet je niet zeggen, daar raak ik opgewonden van...' zei Sabrina liefkozend in de telefoon, en ze knipoogde naar mij.

Ze had echter één grote tekortkoming. Mannen. Alle wijsheid, levensstrategieën of succesformules die ze in de loop der jaren had verzameld en zeer effectief had toegepast op andere terreinen van haar leven, vergat ze prompt wanneer het om mannen ging. Het was belachelijk, tragisch zelfs. Zielig, eigenlijk. Ze verloor zichzelf helemaal zodra er zelfs maar een vleugje romantiek in de lucht hing, en ze deed alles, hoe extremer hoe beter, om het onderwerp van haar begeerte voor zich te winnen. En wat nog erger was, ze bleef maar proberen om mij te betrekken bij haar capriolen, vanuit de komische overtuiging dat ik alleen maar een goede man nodig had en dat alles dan wel op zijn pootjes terecht zou komen. (Ik ging erin mee, enkel omdat ik haar aardig vond. Maar ik zat echt niet te wachten tot er een man voorbijkwam in een oogverblindende witte Porsche om me te redden.)

Sterker nog, ze had mij en Amber (klaarblijkelijk onze grootste troef) een week of twee geleden meegesleept naar de openlucht ijsbaan bij Somerset House. Ze was van mening dat we een goede kans hadden om in de armen te vallen van een behulpzame man, heel letterlijk. Amber en ik hadden alleen maar chagrijnig staan blauwbekken en waren uiteindelijk warme chocolademelk gaan drinken achter de hekken, kijkend naar Sabrina, die zich op het ijs gooide voor de voeten van elke man die voorbijkwam (en die van een heleboel onhandige vrouwen). Dus nadat we een paar opstoppingen hadden zien ontstaan, waren we naar huis gegaan; Sabrina was nog ergens iets gaan drinken met ene Bill, een bankier vol blauwe plekken uit New York.

'Dag lieverd. Ja, ik hou ook van jou...' Ze sloeg haar ogen ten hemel voor mijn amusement. 'Tot straks dan, ik kan niet wachten.' Ze hing op en drukte haar peuk uit in de asbak die ze voor me had gejat uit een of ander chic restaurant in Mayfair de week daarvoor.

'Wie was dat?' riep ik uit. Ze had zojuist jeweetwel gezegd, I.H.V.J! Het kon onmogelijk die Bill zijn geweest waar ze het steeds over had, ze kende hem pas een paar weken.

'Bill, natuurlijk,' zei ze, alsof ik tekst en uitleg nodig had. 'Heb je pepermuntjes?'

'Eh, nee,' loog ik. (Ik had ze wel, maar ze slingerden onderin mijn handtas, los, waar ze smerig lagen te worden. Niet geschikt voor algemene consumptie, alleen voor mijn mond. Ik had ze wel weg willen gooien, maar ik dacht niet dat ik nieuwe kon betalen.) 'Luister, Sabrina –'

'Ja?' Ze zat in haar handtas te grabbelen.

Ik haalde diep adem. 'Wat doe jij met de kerst?'

'Grappig dat je daarover begint,' ze haalde haar make-uptasje tevoorschijn, 'ik wilde jou precies hetzelfde vragen.'

'Echt waar??'

'Ja.' Ze bestudeerde haar onberispelijk opgemaakte gezicht in een piepklein spiegeltje en fronste. 'Mijn moeder gaat dit jaar weer met haar zus naar Miami, het schijnt dat ze op echtgenotenjacht gaan, dus ik kan doen wat ik wil.' Ze haalde wat duur uitziende make-up in een glanzend gouden doosje tevoorschijn. 'Waarom, wat gaan jullie doen?'

Ik legde het haar uit, terwijl zij zich opdirkte.

'Fantastisch!' Ze sloeg het doosje met een klap dicht. 'Als we dan allebei alleen zijn, kunnen we wel samen iets doen!'

'Echt waar???' Ik kon niet geloven dat ze dat had gezegd en hield mijn adem in.

'Ja – hé, ik weet wat,' haar grote ogen lichtten op, 'laten we ertussenuit gaan! Laten we er gewoon vandoor gaan en een paar weken op een strand gaan liggen...'

'O.' God, ik haatte mijn leven. 'Dat gaat niet.'

Ze keek op, niet-begrijpend.

'Mijn twee minst favoriete woorden in het woordenboek – "te" en "duur",' legde ik uit.

Sabrina lachte, ze vond het grappig. 'Toe nou, Lottie, zo erg kan het toch niet zijn?' (Ze was de enige persoon ter wereld door wie ik me zo liet noemen, ik was er niet goed in geslaagd om tegen haar te zeggen dat ik het afschuwelijk vond toen ze het voor de eerste keer deed, en nu was het te laat.)

'Ik vrees van wel.' Ik slaakte een zucht en nam een slok. 'Ik bedoel, ik heb natuurlijk wel geld,' ik deed mijn best om een luchthartig lachje te produceren, ik wilde niet dat ze zou denken dat ik de complete financiële hansworst was die ik feitelijk was, 'maar ik heb dringender zaken om het aan uit te geven dan een vakantie.' Zoals de rest van de creditcardrekening voor het laatste exemplaar dat ik had gehad, tweeëneenhalf jaar geleden.

'Ach, rot op, ik betaal wel!' zei ze.

'O nee.' Yes! Maar nee. 'Nee nee nee nee nee, ik kan jou niet laten –'

'Ach, hou je kop. Luister, Lottie, ik heb geen zin om in mijn eentje te gaan, dus als ik ervoor moet betalen om jou mee te krijgen, dan moet dat maar!' Ze was nu klaar en ritste haar make-uptasje dicht. In mijn ogen zag ze er nog net zo uit als daarvoor – grote ogen, volle lippen. Sabrina was niet mooi, maar ze was wel opvallend. 'Oké – we doen het zo. Ik betaal de vlucht en de accommodatie, als jij het allemaal regelt, je weet wel, boekingen enzo, het saaie werk. Ik heb op het moment gewoon nergens tijd voor, het is een gekkenhuis op mijn werk.' Ze maakte haar haren in de war. 'Het wordt vast enig!' Ze sloeg de rest van haar wijn achterover, en op dat moment ging de deurbel.

'Wie kan dat in vredesnaam zijn?' Ik verwachtte niemand, het was bijna middernacht. Werken deurwaarders zo laat nog?

'Het is Bill. We kunnen gewoon niet van elkaar afblijven op het moment, dus hij komt me ontvoeren...' Ze ging staan en keek in de spiegel boven de open haard. Ze maakte haar haren opnieuw in de war. 'Hoe zie ik eruit?'

Ik wilde zeggen 'als een opblaaspop die achterstevoren door een heg is gesleurd', maar durfde het niet. Dus in plaats daarvan zei ik: 'Heb je een voorkeur voor een bepaald reisbureau?'

'Nee – probeer het internet maar,' zei ze, terwijl ze haar jas van nepbont aantrok. 'Lastminute.com of iets dergelijks.'

Ik nam niet de moeite om naar de deur te lopen om deze Bill te ontmoeten, wat had het voor zin? Over een paar weken zou hij toch weer gedumpt worden. Terwijl ik Sabrina ten afscheid twee luchtkussen gaf, zei ik: 'Ontzettend bedankt, ik ga er meteen mee aan de slag,' en ik meende het echt. Eindelijk leek de toekomst wat rooskleuriger te worden!

Mijn maagdelijkheid was een beetje een gênante kwestie geworden. Ik had altijd gezegd dat ik niet met een man naar bed zou gaan tenzij ik wist dat hij van me hield (dat had ik op school gelezen, in een clandestien tijdschrift, *Jackie*, het was regel nummer 1 van Cathy en Claire) maar alle anderen hadden hun maagdelijkheid al een eeuwigheid geleden verloren, en ik was inmiddels negentien.

Ik had al wel gezoend, natuurlijk. Ik was op feestjes in de hoek gedrukt door iemands tong, reken maar. En er was geknepen, geknabbeld en getrokken aan mijn arme borsten, allemaal in naam van de hartstocht. Ik had ook geflikflooid dat het een lieve lust was. Nou ja, een beetje dan. Voldoende. Ik had op jassen gelegen bovenop bedden, ik had mijn panty's achtergelaten onder vleugels, ik had mijn portie wel gehad als het ging om het vasthouden en betasten van piemels (maar ik had er nog nooit oog in oog mee gestaan, om het zo maar eens te noemen, aangezien dat weerzinwekkend zou zijn).

Meer dan dat werd het echter nooit. Andere meisjes gingen er op een feestje met een jongen vandoor en hadden dan meteen de volgende dag verkering met hem, op die manier Een Vriendje in de wacht slepend. Bij mij ging het echter nooit zo. Het leek wel alsof ik op vrijdagavond iemands hand in mijn slipje kon hebben en op zaterdag die van iemand anders, zonder zelfs maar een verzoek om herhaling van een van beiden wanneer de lichten weer aangingen.

Ik maakte er een gewoonte van om altijd een blocnootje in mijn tas te hebben met mijn naam en telefoonnummer alvast op de bovenste drie blaadjes geschreven, om het excuus van geen pen te omzeilen. Er bestonden destijds geen antwoordapparaten, en het bleek dat een bewaakte telefoon volgens hetzelfde principe werkt als een bewaakte fietsenstalling – er gebeurt nooit wat. Dus schreef ik uit voorzorg ook mijn adres vast op onder mijn telefoonnummer, je kon nooit weten. En mijn achternaam.

Ik wist totaal niet waar ik mee bezig was – ik had niet het soort moeder aan wie je dat kunt vragen. Het leek me een goed idee om een vaginale deodorant te gebruiken, voor maximale frisheid. Ik weet nog dat een Italiaanse jongen zijn vingers aflikte voor een voller seksueel genot en me er vervolgens luidkeels van beschuldigde dat ik hem probeerde te vergiftigen.

Ik ging aan de pil omdat ik had gehoord dat je tieten daar groter van werden. Dat was niet zo. Ik had nog steeds dezelfde borsten, maar ik kreeg wel een dikkere kont.

Ik stopte met het dragen van een beha, voor gemakkelijke toegang. De jongens leken teleurgesteld dat ze niet de kans kregen om hun verfijnde beha-losmaak-vaardigheden te demonstreren.

Iedereen had verkering, waarom ik dan niet? Research in vrouwentijdschriften leerde me dat ik een soort zonderling schepsel moest zijn. Ik volgde hun advies op: ik nam een ander kapsel, ik accentueerde mijn vollere figuur, ik ging naar het theater om saaie producties uit te zitten van intelligente toneelstukken zodat ik iets zou hebben om over te praten met Erudiete Mannen (mijn type, volgens het tijdschrift *19*) op het volgende feestje. Allemaal tevergeefs; het enige wat het me uiteindelijk opleverde, was haar dat nog korter was dan dat van Judi Dench, de transparante garderobe van Judi Dench, en een niet te evenaren praktijkkennis van de meest recente theatersuccessen van Judi Dench.

Uiteindelijk kwam het er uiteraard toch van. Ik was negentien en het was Valentijnsavond. Ik kwam terug van een snel bezoekje aan de slijterij en trof een ineengezakte man aan op onze stoep. In de veronderstelling dat het een alcoholist was, negeerde ik hem en stak mijn sleutel in het slot.

'Hoi,' zei hij, ik denk dat hij had liggen slapen, 'ken jij Imogen?'

'Imogen wie?' vroeg ik, alsof het hele gebouw wemelde van de Imogens.

'Imogen Hartington-Clark,' zei hij. Ik realiseerde me dat hij helemaal geen dronkaard was, ook al was hij vrij oud. Sterker nog, hij was tamelijk knap, met zijn verfomfaaide corduroy en zijn uiterlijk van een mislukte Oxbridge-student.

'Ja, ze is mijn huisgenote!' zei ik, met meer opwinding dan die opmerking verdiende.

'Fantastisch,' zei hij terwijl hij ging staan, hij was heel mooi lang, 'is ze thuis?'

'Nee,' zei ik, en deed mijn best om niet te bitter te klinken, 'ze is uit met haar vriendje.' (Ik weet het, niet doen.)

'O.' Hij zag er beteuterd uit, alsof hij er behoefte aan had om de armen van een goede vrouw om zich heen te voelen, misschien zelfs van eentje met kleine tieten. 'Mag ik binnen op haar wachten?'

'Ja, natuurlijk!' zei ik, en ik droeg zelfs zijn rugzak voor hem de trap op.

De telefoon rinkelde toen we binnenkwamen. (Ik nam niet op, omdat ik niet wilde dat iemand zou denken dat ik thuis was op Valentijnsavond, en omdat het misschien mijn moeder was die belde om me eraan te helpen herinneren dat ik moest trouwen en kinderen krijgen, hoewel ze haar verborgen thema handig wist te verhullen met vragen als 'Hoe gaat het met je?' en 'Nog leuke dingen gedaan?') Dus ik liet hem gewoon rinkelen, mompelend dat het waarschijnlijk Imogens vader zou zijn, die een grote klootzak was.

'Ja, ik weet het,' zei hij, zijn voeten op de bank leggend (zonder zijn schoenen uit te trekken, hij was heel onconventioneel) terwijl ik de wijn ontkurkte, 'hij is ook mijn vader.'

Imogen was zo chic dat haar familie zo ontzettend groot was dat het bijna niet te bevatten was. Ze had honderden familieleden, stiefzussen en stiefzo's, over de hele wereld. Ze had halfbroers en -zussen die in leeftijd varieerden van drie tot veertig, en ontelbaar veel tantes. Ze hadden allemaal belachelijke namen zoals Peregrine en Lettice, terwijl hun honden Dave of Bob heetten. De vrouwen runden de familie terwijl de mannen erover praatten. Ze ruzieden allemaal over geld, maar niemand bracht het graag ter sprake. De kinderen gaven hun erfenis helemaal uit of wisten hem te verdubbelen, enkel om het geld verkwist te zien worden door de volgende generatie.

Ik was volkomen gewend aan onverwachte bezoekjes van haar familieleden, hoewel ik niet kan zeggen dat ik het prettig vond – ze leken van mening dat onze flat hun flat was, maar we werden nooit uitgenodigd voor een tegenvisite in grote landhuizen in Ierland of riante plantagehuizen in het Caribisch gebied. Maar gelukkig probeerde niemand van hen bij ons in te trekken; ze kwamen meestal alleen een nachtje logeren, op weg naar Heathrow of voorafgaand aan een bezoekje aan de tandarts in Harley Street de volgende ochtend, dat soort dingen. Het vastgoed dat de familie bezat, vormde in feite hun eigen privé-netwerk van slaapadressen. Ik vermoed dat het enkel baksteen en cement was dat dit zootje bij elkaar hield.

'Hoe heet je?' vroeg ik, terwijl ik hem zijn wijn overhandigde in een mok – Imogen en ik hielden allebei niet van afwassen, en we zaten midden in de zoveelste patstelling over de kwestie. Ik had al een keer soep uit een vaas gegeten.

'Jonty,' zei hij. 'Eerste vrouw, derde kind,' lichtte hij toe. (Ze stelden zich allemaal op deze manier voor, ik was eraan gewend, en had mijn pogingen om namen te onthouden opgegeven – en zij kennelijk ook.)

Jonty was drieëndertig jaar. Hij was net terug van een jaar in India, en dat verklaarde het gestreepte katoenen vest en het shirt van kaasdoek, de sandalen en de vuile voeten. En het enigszins uitgeteerde uiterlijk, dat waarschijnlijk werd veroorzaakt door amoebendysenterie, maar dat alles gemaskeerd door een schitterend gebruinde huid en een sexy glimlach.

'Was je daar voor je werk?' vroeg ik, zonder erbij na te denken.

'Eh, nee,' deze mensen werkten niet, 'ik was er gewoon om de armoede te bekijken, weet je wel, om te zien hoe het is om letterlijk straatarm te zijn.'

'Wauw,' zei ik.

Enfin, hij praatte en ik luisterde en we dronken en dronken en ik luisterde en hij praatte nog wat, en we aten Imogens geheime voorraad vijgenkoekjes en cashewnoten op en we dronken nog wat, en tegen een uur of negen had ik besloten dat hij de interessantste mens ter wereld was en ik de saaiste. Tegen tienen had ik besloten dat negentien versus drieëndertig uiteindelijk helemaal niet zo'n groot leeftijdsverschil was, al kwam ik er niet helemaal uit hoeveel jaar het precies was zonder een rekenmachine te gebruiken. Tegen elven was ik stapelverliefd op hem en stelde ik me ons voor in een ashram even buiten Calcutta, met zeven prachtige kinderen van onszelf en een paar schitterende bruine exemplaren die we hadden geadopteerd uit de goedheid van ons hart.

Tegen middernacht smeet hij me door de slaapkamer en had hij seks door, met en van me, grommend en zuchtend en zonder me de kans te geven om te zeggen: 'Trouwens, ik ben nog maagd.' Het kwam gewoon niet ter sprake, waarschijnlijk omdat er überhaupt niet gesproken werd, onze monden hadden andere bezigheden. Maar hoewel mijn dronken kop gewillig was, en mijn eenzame hart wanhopig, moest mijn arme lichaam er niets van hebben en begon het buitengewoon onaantrekkelijk te bibberen – ik lag te trillen als een espenblad, van top tot teen. Destijds hield ik mezelf voor dat het kwam omdat hij de dekens van me af trok, ik had het gewoon koud, dat was alles. Nu weet ik dat het pure angst was.

Maar hij merkte er waarschijnlijk niets van, hij had het te druk met het vertonen van zijn indrukwekkende repertoire van seksuele kunstjes, heen en weer slingerend aan denkbeeldige kroonluchters, springend van denkbeeldige garderobekasten. Ik denk dat hij zichzelf een behoorlijke 'sekspert' vond, en dat hij dat aan mij wilde laten zien, dus hij wrong me in allerlei bochten om zijn expertise te demonstreren. Ik kan me nog één heel gecompliceerd standje herinneren waarbij hij in de lotushouding zat terwijl ik over hem heen hurkte als een teefje dat op het punt staat om te gaan plassen, hetgeen me tot op de dag van vandaag nog steeds in elkaar doet krimpen.

Het was niet afschuwelijk, ik bedoel, het was geen verkrachting. Maar ik denk dat het gerechtvaardigd zou zijn om te zeggen dat hij er meer van genoot dan ik. Hij was zo vriendelijk om me te kussen voordat hij van me af rolde, en vervolgens legde hij zijn hoofd op mijn borsten en viel in slaap. Ik kon nauwelijks ademhalen onder zijn gewicht, maar ik vroeg hem niet om van me af te gaan omdat dat me niet erg romantisch leek. Ik deed geen oog dicht die nacht; niet alleen lag ik te wachten tot ik me Een Vrouw zou gaan voelen, maar ik maakte me ook zorgen over hoe ik de vlekken uit de lakens moest krijgen.

De volgende ochtend moest ik werken – hij niet, uiteraard. Ik zette mijn wekker uit voordat deze afliep, kroop uit bed en kleedde me heel stilletjes aan. Ik wilde hem niet wakker maken, en ik denk dat hij dat ook niet wilde. Toen ik die avond thuiskwam, was hij weg. Ik huilde – niet omdat ik mijn maagdelijkheid had verloren aan iemand die niet van me hield, maar omdat hij geen afscheidsbriefje had achtergelaten.

Het was allemaal leuk en aardig dat Sabrina mij opdracht gaf om een vakantie te zoeken op het internet, maar wist ze dan niet dat ik geen computer had? Waarschijnlijk niet. Ze had me haar e-mailadres gegeven toen we elkaar voor het eerst hadden ontmoet; ik had gezegd dat mijn computer in reparatie was. Vervolgens waren we allebei beginnen te ratelen over de onesthetische waarde van gegoten plastic en was ze er niet meer op teruggekomen.

De volgende dag deed ik niets aan de vakantie, omdat ik dacht dat ze het waarschijnlijk niet had gemeend. (Het leek te mooi om waar te zijn – een zonvakantie, betaald door iemand anders. Hoewel, waar ik mijn zakgeld vandaan moest halen, dat wist ik niet.)

De dag daarna belde ze op om te vragen hoe het ervoor stond. 'Prima,' zei ik, 'het is gewoon een kwestie van ze allemaal doorploegen.' Ze leek te weten wat ik bedoelde, ook al deed ik dat niet. Het Caribisch gebied, Zuid-Afrika en Marokko kwamen ter sprake – ik zei dat ik zou doen wat ik kon. En dat was heel weinig – mijn tv was zo oud dat er niet eens teletekst op zat.

De volgende dag moest ik naar de pinautomaat, die pal naast het reisbureau zat. Ze lachten me in mijn gezicht uit daar, ze hadden niets meer voor de kerst, behalve vier dagen Malta of twee weken in het duurste kuuroord ter wereld, op Mauritius, geloof het of niet. Ik kon Sabrina onmogelijk vragen om voor zoiets te dokken. De reisagent adviseerde me om op het internet te kijken.

Aangezien ik inmiddels een tikje wanhopig begon te worden, gaf ik een kapitaal uit aan een nummer van het tijdschrift *Time Out*. De vakanties zagen er een beetje vreemd uit, en er kwamen meestal kamelen en Magic bussen en vluchten naar Australië aan te pas. Ik belde er eentje, maar die zetten me in de wacht, zodat ik gedwongen werd te betalen om naar een elektronische versie van 'Greensleeves' te luisteren totdat het meisje weer aan de lijn kwam en zei: 'Hebt u onze website al geprobeerd?'

Normaal gesproken zou ik Arthur het allemaal hebben laten uitzoeken voor me, maar ik had nog altijd niets van hem gehoord. Waarschijnlijk nog steeds nijdig vanwege die verrekte hond. Ik nam me voor om hem een kwaadaardige ansichtkaart te sturen van waar we dan ook naartoe zouden gaan.

'En – waar gaan we heen?' vroeg Sabrina, vier dagen nadat ze haar vriendelijke aanbod had gedaan.

'O god, de au pair heeft de badkraan weer aan laten staan,' zei ik. 'Ik bel je straks terug.' Ik wist dat ze toch niet meer zou weten dat de nieuwe au pair dezelfde weg was gegaan als de Helga/Anya vóór haar, die ontslagen was omdat ze het bad had laten overlopen, twee keer. Ik legde de hoorn op de haak en kroop weer onder de deken. Ik was volledig aangekleed aangezien het steenkoud was in huis – ik had de verwarming alleen aan als Amber thuis was. In bed was de beste plek voor mij.

Een paar uur later belde ze weer. 'Je klinkt alsof je hebt liggen slapen,' zei ze.

'Nee hoor,' loog ik, 'ik voel me alleen niet zo lekker, dat is alles. Ik denk dat ik ziek word...'

'O jee,' zei ze. 'Jij bent echt toe aan een vakantie in de zon. Nog nieuws?'

'Ja!' zei ik, ik weet niet waarom.

'O, wat?!' Ze wreef verbaal in haar handen van opwinding. 'Vooruit, zeg op!'

'Nou,' zei ik. Eh. Fuck. 'We kunnen kiezen...'

'Super!' zei ze. 'O, wacht even, nou gooit dat verdomde werk mijn privé-leven weer in de war – nee, nee, Hugo, dat is totaal verkeerd, zo doe je dat niet – shit – sorry, Lottie, ik moet ophangen, ik bel je straks terug.'

Ik trok de stekker van de telefoon uit de muur en probeerde weer te slapen. Ik hoorde hem beneden overgaan. Ik negeerde het. Ik haalde Amber van school. 'O, kijk eens, mama, vijf berichten!' zei ze toen we thuiskwamen. Ik beluisterde ze niet, ik wist van wie ze waren.

Die avond deed ik alsof ik niet thuis was toen Sabrina aan mijn voordeur kwam kloppen, niet één keer, maar twee keer. Ze riep zelfs mijn naam door de brievenbus. Ik voelde me nu alsof ik werd lastiggevallen, gestalkt zelfs. Jemig! Ik deed alle lichten uit en las een boek in bed, bij het licht van een zaklamp.

Dit is belachelijk, dacht ik bij mezelf, toen ik om 3.12 uur nog steeds wakker lag. Wil je nou op vakantie, ja of nee?

Er klonk een afschuwelijk jammerend geluid – ik dacht dat het de plaatselijke overbevolkte kattenpopulatie was die buiten slechte spookimitaties ten gehore bracht, dus ik pakte het extra grote Uzi Schwarzenegger waterpistool dat ik speciaal voor dit doel naast mijn bed had liggen, smeet het raam open en schoot naar buiten in het donker. Maar het lawaai ging gewoon door.

'Ik heb oorpijn, mama,' huilde Amber. 'Ik heb Calpol nodig, mama, alsjeblieft...'

Dat hadden we niet in huis. We hadden ook geen bruikbaar alternatief in huis. Zelfs geen oud aspirientje. Ik maakte een kop warme Ribena voor haar, maar dat hielp niet echt. Ik gaf haar een warme kruik, in een handdoek gewikkeld, om tegen haar oor te houden. Ze kroop bij mij in bed, we nestelden ons dicht tegen elkaar aan, en ik neuriede babyliedjes voor haar totdat ze in slaap viel, maar ze werd al snel weer wakker, gillend van de pijn.

'Sst, Amber!' siste ik, half slapend. 'Je maakt de hele straat wakker!'

'Het doet pijn, mam,' jammerde ze, 'het doet zo'n pijn!'

'En wat wil je dat ik daar aan doe, verdomme?' Ik weet het, ik weet het; ik was snauwerig, ik voelde me hulpeloos, ik was ten einde raad. Waar was haar vader op dit soort momenten? 'Luister, we hebben geen medicijnen, alle winkels zijn gesloten en de dokter ook – je zult gewoon moeten wachten tot het ochtend is, het spijt me. Zal ik de tv aanzetten?'

Het zal je niet verbazen dat de Open Universiteit haar niet al te lang kon boeien, en de Grand Prix van Australië evenmin, dus uiteindelijk moest ik een taxi bellen om met haar naar de eerstehulppost te gaan. Daar gaven ze haar uiteindelijk antibiotica.

Om half acht 's morgens namen we de bus naar huis. We hadden het koud, we waren moe, we voelden ons ellendig. Amber wilde niets eten, en dat was maar goed ook, want ik had niet echt iets te eten in huis, en dus kropen we weer in bed en nestelden ons dicht tegen elkaar aan.

'Ma-am?'

'Ja?'

'Wat ben je aan het doen?'

Ik glimlachte, dit was een oud spelletje van ons. 'Ik ben een taart aan het bakken.' Ik wachtte de verplichte drie seconden. 'Amber?'

'Ja?'

'Wat ben je aan het doen?'

'Ik ben op een olifant aan het rijden.' Eén, twee, drie. 'Ma-am?'

'Ja?'

'Wat ben je aan het doen?'

Ze viel in slaap, mij lukte dat niet. Het wilde maar niet stil worden in mijn hoofd.

Angst is iets vreselijks. Het is anders dan goeie, ouderwetse bezorgdheid, het is veel erger. Het is onbestendiger, het is schadelijker. Het vreet aan je, het wordt een deel van je, het neemt bezit van je leven. Je weet niet waar je moet beginnen, wat je als eerste aan moet pakken, want het lijkt alsof alles even dringend is en onmiddellijk opgelost moet worden, nu direct. Al je problemen maken deel uit van elkaar, ze klonteren aan elkaar vast als één groot kankergezwel dat groeit in je buik. 'Maar als ik dit doe, dan gebeurt er dat. En als ik dat niet doe, gebeurt er dit.' Er is geen uitweg. Angst is een soort gekte, een verraderlijke soort, het soort dat je niet kunt zien.

Het gaat nooit weg, het is er altijd. Dus probeer je te ontsnappen. Je zoekt je toevlucht in de wijnfles, de joint, de man, het weekendje weg in een vakantiehuisje van een bezorgde vriendin, het kuuroord dat je je niet kunt veroorloven, je kunt het zelfs grootschalig aanpakken en verhuizen, maar dan nog kun je er niet aan ontsnappen. En zelfs als je het geluk hebt dat je een tamelijk goede dag hebt, herinner je je ineens iets akeligs dat je abrupt tot stilstand doet komen en je weer terugsmijt tegen die muur. Gevangen, wanhopig, begin je met andere ogen naar je vrienden te kijken, begin je je een voorstelling te maken van hun makkelijke leventjes, razend als ze durven te klagen. Je weet dat niemand ooit zal begrijpen hoe zwaar het is voor jou. Ze zeggen misschien van wel, maar dat is niet zo. Niet dat je hun overigens ooit om hulp zou vragen. Je hebt deze situatie aan jezelf te danken, en je kunt er verdomme ook zelf wel weer uitkomen. Eigenzinnig als je bent, zou je iedereen die met adviezen komt wel een dreun willen verkopen.

Dus begin je creatief te worden. Je duikt dieper en dieper in de problemen, zoekend naar oplossingen. Ook al weet je dat je onder grote druk staat, je overtuigt jezelf ervan dat je de juiste beslissingen neemt. Je verzint weer een andere manier om ermee om te gaan, je denkt dat je het juiste doet. Dat is niet het geval. Maar dat weet je niet.

En dat is misschien wel de reden waarom ik dacht dat het geen kwaad kon om mijn slapende dochter van acht die dag thuis achter te laten, alleen, terwijl ik vlug even de deur uit ging om mijn nieuwste heldere ingeving uit te werken.

'Je boft, het is Happy Hour,' zei de grijnzende clown achter de toonbank.

'Wat houdt dat precies in?' vroeg ik. 'Het is pas tien uur 's morgens en dit is een internetcafé, geen cocktailbar, toch?'

Vervolgens begon hij vol vuur aan een vreselijk saaie uitleg, iets over als je vóór elf uur 's morgens binnenkomt of ná vier uur 's middags maar vóór zeven uur 's avonds, dan kost het maar vijftig pence per vijftien minuten en anders is het één of twee pond per dertig minuten, bla bla bla.

'Ja, ja,' zei ik snel, om hem duidelijk te maken dat ik een drukbezet iemand was die haast had, 'ik wil graag een kop koffie en een computer, als je het niet erg vindt.'

Hij pakte een viltstift en schreef een aantal getallen op een soort perspex fotolijstje. Met een air alsof ik precies wist waar ik mee bezig was, liet ik me door hem meevoeren naar de enige vrije stoel, pal naast iets wat eruitzag als Hugh Grant.

'Heb je hulp nodig?' vroeg de assistent, terwijl ik naar het scherm voor me tuurde. Hij stond iets te dichtbij naar mijn zin, een persoonlijke-ruimte indringer. Hij was onmiskenbaar Australisch, van het zonnige opgewekte irritante soort, compleet met schreeuwerig surfshirt en onverzorgde haren vol roos. Leuke twinkelende oceaanblauwe ogen, maar beslist niet knap. Hij had een open, jongensachtig gezicht maar gespierde, harige armen. Hij leek het soort jongen waar alle meisjes dol op waren, maar nooit verliefd op zouden worden – getver, dat was gewoon uitgesloten. 'Ik doe het graag, hoor,' zei hij grijnzend. Overdreven behulpzaam. 'Zal ik je even op weg helpen?'

'Nee!' snauwde ik, wat niet echt mijn bedoeling was, maar het was al te laat. 'Ik red me wel. Echt waar.'

Glimlachend zette hij de perspex standaard naast de monitor neer. Hij had de tijd erop geschreven – aha, oké. 'Ik zal een kop koffie voor je halen,' zei hij. 'Melk? Suiker? Of biologische Australische honing, wat dacht je daarvan?' Hij was duidelijk dol op het themagebeuren; aan de muren hingen zogenaamde Aboriginal kliederwerken (maar die zagen er meer uit als een bekladde IRA-campagne), en overal stonden didgeridoos in allerlei soorten en maten te pronken, een beetje zoals de gitaren in de Hard Rock cafés, maar dan net niet.

Nadat ik al die vragen naar mijn beste vermogen had beantwoord, ging ik aan de slag. Ik had uiteraard weleens mensen op een computer zien werken, dus ik wist hoe ik de muis moest vasthouden en moest klikken.

Vijf minuten later was ik genoodzaakt om Hugh Grant op de schouder te tikken en te zeggen: 'Neem me niet kwalijk, weet jij toevallig hoe je op het internet moet komen?'

Hij keek naar me. God, hij was verrukkelijk! Hij was veel knapper dan Hugh Grant. Ik onderging de merkwaardige sensatie van het opstarten van mijn roestige oude seksuele apparaat, dat na een lange winterslaap hortend en stotend weer in beweging kwam. 'Eh, ja, maar misschien kun je beter aan die jongen vragen of hij het je wil laten zien.' Hij keerde weer terug naar zijn scherm.

'Heb je hulp nodig?' Oz stond al naast me voordat je 'afgewezen' kon zeggen.

'Nou, eh...'

Hij keek naar mijn scherm en grijnsde. 'Zo te zien heb je jezelf een beetje in de nesten gewerkt hier,' zei hij tegen me, alsof ik dat zelf niet wist. 'Maar maak je geen zorgen, we hebben je er binnen de kortste keren weer uit en op het net.'

Ik leunde achterover op mijn stoel en liet hem zich een weg klikken uit mijn ellende. Hugh Grant ging helemaal op in zijn computer. Hij wist echter dat ik naar hem zat te kijken, want hij wierp me een heimelijke blik toe over zijn schouder, voordat hij glimlachend keek naar iets wat zojuist met een 'ping' op zijn scherm was verschenen.

'Ziezo!' zei Oz, triomfantelijk.

'Oké, dus dat is alles?' zei ik.

'Jep.' Hij glimlachte. 'Weet je nou hoe het verder moet?'

'Ja hoor,' zei ik, te luidruchtig. 'Ja, ja, ja.' En omdat ik aardig over wilde komen met het oog op Hugh, zei ik ook nog 'dank je wel.'

Vijf inactieve minuten later liet Oz me zien hoe ik een e-mail-account moest aanmaken, ook al wilde ik alleen maar uitzoeken waar Sabrina en ik op vakantie konden gaan. 'Welke naam wil je gebruiken?' vroeg hij.

'Ik heb geen idee,' zei ik, kijkend naar Hugh, die zijn jas en das aantrok, en ook nog een leuke wollen muts opzette.

'Wat dacht je van mooieogen@hotmail.com?' zei Oz.

'Wat dacht je van rotopenvaldood.com?' zei ik, afwezig, terwijl ik Hugh zag bukken om zijn rugzak te pakken – lekker kontje – en hem de deur uit zag gaan.

Oz begon keihard te lachen, hij vond het hilarisch. Hij had kennelijk niet in de gaten dat ik het meende.

'Komt die man hier vaak?' vroeg ik, hem nakijkend door het raam van het café terwijl hij de straat overstak.

'Jazeker, bijna elke dag, hij is een van onze vaste klanten,' antwoordde Oz. 'Ziezo, nu ben je helemaal geïnstalleerd. Kan ik je verder nog ergens mee van dienst zijn?'

Uiteindelijk bleek het hartstikke leuk te zijn. Na een één uur durende les van de hyperattente Oz, zat ik vrolijk te klikken en dubbelklikken, behoorlijk trots op mezelf omdat ik iets nieuws had geleerd. Misschien kon ik een computerbaan nemen in het nieuwe jaar.

Opgewekt verliet ik het Down Undernet Café (ja, echt) met een uitdraai van de winterzonvakantie die ik online had geboekt in mijn hand om aan Sabrina te laten zien. Ik wipte nog een paar winkels binnen om er wat rond te snuffelen naar kerstcadeaus, kocht in plaats daarvan een paar pasteitjes, en neuriede zelfs ongemerkt mee met het koor dat kerstliedjes stond te zingen voor het goede doel terwijl ik op de bus naar huis stond te wachten.

Pas toen ik onze straat in liep, dacht ik eraan. Ik was zo in gedachten verzonken geweest dat ik gewoonweg was vergeten dat Amber niet naar school was vandaag. Ik had mijn dochter alleen thuisgelaten.

Nadat ik mijn maagdelijkheid was kwijtgeraakt aan Imogens stiefbroer, kreeg ik prompt bericht van Moeder Natuur dat ik nu officieel Een Vrouw was – een ernstige blaasontsteking. Onverschrokken nam ik het besluit om op zoek te gaan naar De Perfecte Relatie, en dat betekende dat ik iemand zover moest zien te krijgen om langer dan één nacht bij me te blijven.

Ik slaagde erin om acht maanden aan één en dezelfde jongen te blijven hangen, totdat hij 'werd overgeplaatst' naar Parijs. Dus ging ik om het andere weekend naar hem toe, hetgeen een bak geld kostte, maar in mijn ogen was het een investering in mijn toekomst. Totdat ik hem op een vrijdagavond verraste, en hij mij. Hij lag met een of ander Frans meisje te kronkelen op de bank. Ik was uiteraard overstuur, maar ik besloot dat als dat was waar hij zich prettig bij voelde, oké, prima – dan zou ik zijn maîtresse wel accepteren, zolang zij maar begreep dat ze niet meer was dan zijn *pièce à la côté*. Ik liet hem beloven dat we zouden trouwen zodra hij weer terugkwam naar Londen. Hij zit er nog steeds, voor zover ik weet.

Ik bleef echter wel mijn ogen openhouden. Ik wilde wat al mijn vriendinnen gaandeweg kregen – het grote huis, de grote auto, de lieve man en de schattige kindertjes, en een van die industrieel uitziende Dualit-broodroosters voor zes sneetjes brood. (Om de een of andere reden werd het een obsessie voor me om zo'n ding te bezitten – niet alleen omdat het een designklassieker was, maar ook omdat het het concrete bewijs zou zijn dat dit een familiehuis was met heel veel kinderen, 'we' aten een heleboel geroosterd brood.) Ik verdiepte me in de kunst van het verleiden, ik leerde alle technieken om elke man die ik maar wilde te veroveren. En hoewel ik de mannen inderdaad wel wist binnen te halen, kon ik ze maar niet zover kregen dat ze ook bleven.

Het was een pijnlijke periode. Ik kan me herinneren dat ik mannen die me hadden afgewezen achtervolgde en eiste dat ze me zouden vertellen waarom ze niet geïnteresseerd waren. Zonder naar het antwoord te luisteren, beloofde ik vervolgens dat ik mijn gedrag zou veranderen, en smeekte ik hun tijdens lange huilerige telefoongesprekken om me nog een kans te geven.

De 'aardige' exemplaren deden dat dan, enkel om tot de ontdekking te komen dat ik helemaal niet veranderd was, en dat ze de benen hadden moeten nemen toen ze de kans hadden. Tegen de tijd dat ze er uiteindelijk in slaagden om zich uit de relatie los te worstelen, had ik hen zorgvuldig ontdaan van ieder restje eigendunk. 'Mislukkeling!' riep ik dan, 'en trouwens, je bent waardeloos in bed/mijn vrienden hebben je nooit aardig gevonden/vergeet niet aan je persoonlijkheid te werken!' – wat hun grootste angst ook was, ik wist er altijd achter te komen, en dan sloeg ik hen ermee om de oren.

De 'gemene' exemplaren lieten me gewoon aan mijn lot over.

Ik was buiten adem van het rennen; mijn hart bonsde luid. Heel zachtjes deed ik de voordeur open, hopend dat Amber er niet wakker van zou worden. Ze lag waarschijnlijk nog steeds te slapen, zei ik tegen mezelf, ze zou niet eens gemerkt hebben dat ik er niet was.

'Mam!' Een zeer ontdane Amber kwam de woonkamer uit stuiven en klampte zich vast aan mijn benen. 'Waar ben je geweest? Ik heb je gemist.' Ze begon weer te huilen. 'Ik wist niet waar je was, mam, waar was je nou? Waarom heb je me hier alleen achtergelaten?' Ze begon jammerlijk te snikken.

De tv stond aan, veel te hard; ik liep de woonkamer in om hem uit te zetten. 'Het spijt me heel erg, Amber, ik vind het echt heel, heel –' Ik kwam abrupt tot stilstand.

Sabrina zat op de bank, met kaarsrechte rug, en staarde me aan. Ze was gekleed voor haar werk, haar laptop stond opengeklapt op de salontafel.

'Dag schat,' ik probeerde luchtig te klinken, 'hoe gaat ie?'

'Wat is dit verdomme voor stunt?' antwoordde ze.

'Sorry?' zei ik, geschokt.

'Dat lijkt me wel op zijn plaats, ja.' Ze zag wit van woede. 'Wat heb je in godsnaam uitgevoerd?'

'Onze vakantie geboekt, om precies te zijn,' zei ik, in mijn overvolle handtas graaiend naar de internetpagina's die ik had uitgeprint. 'Ik heb een fantastisch hotel gevonden in –'

'Heb je enig idee hoe het voelt om wakker te worden en tot de ontdekking te komen dat je moeder er niet is? Niet te weten wanneer ze terugkomt? Of ze wel terugkomt? Weet je wel hoe beangstigend dat is voor een kind?' Ze ging staan, haar handen op haar heupen. 'Nou?'

'Maar ik ben maar heel eventjes de deur uit –'

'Ik ben hier al' – ze keek op haar horloge – 'iets meer dan twee uur. Dat is niet bepaald "eventjes", vind je wel?' beet ze me toe. 'Er had van alles kunnen gebeuren – het huis had af kunnen branden, of er had iemand in kunnen breken –' Amber begon weer te huilen. 'Ze had zichzelf kunnen elektrocuteren, noem maar op!'

'Ja, maar dat heeft ze niet gedaan, of wel soms?' Geen sterk punt, ik geef het toe.

'DAAR GAAT HET NIET OM!' Ik had Sabrina nog nooit zo meegemaakt, ze stond letterlijk te trillen van woede. 'Je hebt haar in de steek gelaten, je hebt haar alleen achtergelaten! Hoe háál je het in je hoofd?'

Ik begon te begrijpen dat dit misschien niet alleen maar over mij ging. Sabrina praatte nooit over haar vader, misschien was dat het. Het leek me verstandig om van onderwerp te veranderen. 'Wat dacht je van de Dominicaanse Republiek?' zei ik, opgewekt genoeg om het verleidelijk aantrekkelijk te laten klinken. Sterker nog, ik wou dat ik er nu al was.

'Ik wil niet meer met jou op vakantie met de kerst.' Ze klapte haar laptop dicht en borg hem op in een leren hoes met rits.

Stilte. Rits, rits.

'Wat, vanwege dit?' vroeg ik, verbijsterd. Nee, dat kon ze niet menen. Of wel? 'Luister, het is de eerste keer dat ik zoiets heb gedaan, normaal gesproken zou ik het nooit doen, maar –'

'Nee, dat is niet de reden, hoewel ik moet zeggen dat ik niet weet of ik het prettig zou vinden om op vakantie te gaan met een vrouw die van mening is dat ze haar kind zonder problemen alleen thuis kan laten.' Ze keek in de spiegel boven de schoorsteenmantel en woelde met haar handen door haar haren. Zich omdraaiend om weg te gaan, zonder zelfs maar de moeite te nemen om me aan te kijken, zei ze: 'Bill neemt me mee naar een luxueus kuuroord op Mauritius, vandaar. Ik probeer je al dagen te bellen om het je te vertellen, maar ik kreeg je maar niet te pakken. Daarom ben ik vanmorgen even langsgekomen, voordat ik naar mijn werk ging.' Ineens keek ze me aan, haar ogen tot spleetjes geknepen. 'Amber heeft me alles verteld over haar bezoekje aan het ziekenhuis; het klinkt afschuwelijk. Had je haar gisteravond ook alleen gelaten?'

'Nee, nee!' protesteerde ik, maar ze was de kamer al uit gebeend. Voorovergebogen om Amber een kus te geven, die snikkend op de onderste tree van de trap zat, overhandigde Sabrina mijn dochter een visitekaartje en zei zachtjes in haar oor: 'Bel me maar als je me nodig hebt, liefje, oké?'

'Oké,' zei Amber, met een glimlach die normaal gesproken voor mij was voorbehouden.

Sabrina richtte zich op, draaide zich met een ruk om en zei: 'Charlotte. Als ik je ooit nog een keer op zoiets betrap, bel ik de kinderbescherming, begrepen?'

Maar voordat ik antwoord kon geven, was ze al vertrokken.

Zonder erbij na te denken richtte ik mijn woede op Amber. 'Je weet toch dat je de deur niet mag opendoen voor vreemden?' riep ik uit, me er heel goed van bewust dat ik haar dit nooit met zoveel woorden had verteld, maar dat deed er nu niet meer toe, ik was razend.

'Maar Sabrina is geen vreemde,' zei ze zacht. 'En ik wist niet waar je naartoe was...' Ze keek naar me op. 'Ik was bang, mama.'

Ik ging naast Amber op de trap zitten om te proberen het uit te leggen, maar ze rende naar boven, naar haar slaapkamer, en smeet de deur met een klap achter zich dicht.

Ik hield mijn handen tegen mijn oren om me af te sluiten voor haar gehuil. Ik had zojuist via het internet de aanbetaling – geen restitutie mogelijk – voor onze vakantie gedaan met het laatste restje bestedingsruimte van mijn nieuwe creditcard-voor-noodgevallen, die ik pas een paar maanden had. Ik was zojuist mijn beste vriendin kwijtgeraakt. En nu zou ik de kerst helemaal alleen moeten doorbrengen. Ik begroef mijn hoofd tussen mijn knieën, krulde me heel stevig op, maar ik kon me ook voor mijn eigen gehuil niet afsluiten.

Het was dat akelige gedeelte in de dienst dat iedereen ineen doet krimpen. '...wil eenieder die een gegronde reden kan aanvoeren waarom zij niet in de echt verbonden mogen worden nu naar voren treden, of er voorgoed het zwijgen toe doen.'

Mensen schoven ongemakkelijk op hun stoel heen en weer in de abdijkerk, er werd gekucht, een van de bruidsmeisjes giechelde nerveus. Ik verwachtte half dat Gladys Knight naar voren zou komen stuiven, luidkeels 'It should have been me!' zingend, met The Pips in haar kielzog, die de rest van de aanwezigen vermaakten met wat behendig voetenwerk.

Maar niemand zei iets.

Mijn jurk zat veel te strak, hij had van het begin af aan, vanaf de eerste keer dat ik hem paste, al niet prettig gezeten. En het ding op mijn hoofd voelde als een doornenkroon, wat wel toepasselijk was, neem ik aan, voor iemand die het huwelijk als een marteling beschouwde.

'Wilt u als uw wettige vrouw uit Gods hand aanvaarden...'

Gus keek opzij, zijn gezicht vol liefde en aanbidding, terwijl er een flauwe glimlach om zijn lippen speelde. 'Ja,' zei hij.

Dat was het. Eén simpel woordje. Zo eenvoudig was het.

'...belooft u dat u hem trouw zult blijven in goede en kwade dagen, in rijkdom en armoede, in ziekte en gezondheid, totdat de dood u scheidt?'

'Ja,' zei Imogen.

Natuurlijk zegt ze ja, dacht ik bij mezelf, niemand anders zou haar willen hebben. En toch waren er drie bruidsmeisjes voor nodig geweest, waar ik er één van was, plus haar vader en de koetsier van de door paarden getrokken koets om haar de kerk binnen te duwen, omdat ze 'bang' was. Waarvoor?! Ze had juist te vroeg moeten komen, voor het geval Gus van gedachten veranderde!

De receptie werd gehouden in een van hun landhuizen, en dat betekende dat er voldoende plekken waren om me te verstoppen voor Jonty, en Gus' flatgenoot, en alle andere mannen die ik via Imogen had ontmoet en met wie ik vervolgens naar bed was geweest. Het huis was honderden jaren oud en daarom was roken er niet toegestaan, aangezien één achteloos afgetikt bergje as zou kunnen betekenen dat de hele boel binnen een paar seconden in lichterlaaie stond. Na het huwelijksontbijt en een reeks eindeloze speeches van mensen die zo bekakt waren dat ze het gebruik van medeklinkers volledig hadden gestaakt, snakte ik naar een peuk. Het was te guur om naar buiten te gaan, en mijn bruidsmeisjesoutfit bood geen enkele bescherming tegen de Engelse landhuiskou, ook al was het juli. Uiteindelijk, na een hoop dwalingen, vond ik in de westelijke vleugel een soort kleine studeerkamer, die ook een zilveren dienblad bevatte met glinsterende kristallen karaffen, gevuld met verrukkelijk gevaarlijke dranken. Perfect! Zodoende hing ik feitelijk uit een van de boogramen toen hij binnenkwam.

'Wauw!' zei hij, 'dat is een lust voor het oog!'

Schuldbewust gooide ik mijn peuk weg (en miste op een haar na een pauw die onder het raam door liep) en perste me achterwaarts weer de kamer in.

Wat is het toch met mannen in uniform? Nee serieus, wat is dat toch? Goed, oké, hij had niet bepaald het tenue van een gevechtspiloot aan, maar hij droeg een rokkostuum, wat nog een graadje beter was dan een gewoon kostuum, en tien graadjes beter was dan een spijkerbroek en T-shirt. Maar dat geheel terzijde.

'Jij bent een van de bruidsmeisjes, hè?'

'Nee, zo zie ik er altijd uit,' antwoordde ik, waarschijnlijk uit nervositeit.

Hij glimlachte om mijn flauwe grapje, dus ik vond hem meteen aardig. 'Waar ken jij deze mensen van?' Hij liep naar de citadel van alcohol en schonk een groot glas cognac voor zichzelf in. Hij bewoog zich moeiteloos, elegant bijna, hij had een vloeiende souplesse en een heel lekker kontje. De krachtige straal zonlicht die door de antieke ruitjes filterde gaf hem een zonnige glans, en ik was verkocht.

Hij was hierheen gesleept door een collega, wier partner het op het laatste moment had laten afweten. Het kostuum was niet eens van hem. Hij had Imogen nog nooit ontmoet, en Gus evenmin. Hij had een hekel aan bruiloften, net als ik.

'Liefde is voor losers!' We klonken met onze zware, geslepen glazen en brachten een toost uit op het ongelukkige paar. Hij was een buitenstaander, en ik voelde me een buitenstaander. Niemand kwam ons zoeken. En we namen niet de moeite om hen te zoeken. We bleven in die kamer, kletsend en drinkend en lachend, de rest van de middag, en de avond, en de nacht.

Hij heette Joe. Hij was vijf jaar jonger dan ik, en hij had geen vriendin (of vriend, dat controleerde ik ook maar meteen); hij woonde in een soort studentenhuis in het zuiden van Londen, hij was eigenlijk muzikant maar had momenteel een kantoorbaan, puur om de rekeningen te betalen. Toen hij negen was, waren zijn ouders met veel ellende gescheiden, hij had een oudere zus die een alleenstaande moeder was en aan het eind van haar Latijn; zij maakte een zondagse lunch voor hem klaar en in ruil daarvoor nam hij na afloop de kinderen mee naar het park. Hij vond bleekselderij niet te eten, hij vond *Coronation Street* geweldig. Hij was geen klassieke schoonheid, maar hij was mooi in zijn hartstocht. Hij zag er veel beter uit dan ik. Hij had een bepaalde foute-mannen-uitstraling over zich, maar als hij over zijn muziek praatte, dan lichtte zijn hele gezicht op. Ik vond dat hij mooie handen had, hij vond dat ik mooie ogen had.

We hadden geen seks, daar waren we allebei te dronken voor. Maar dat hoefde ook niet, nog niet. Toen ik me tegen hem aan nestelde op die grote zachte bank die bedekt was met oude dekens met Schotse ruit en witte hondenharen, wist ik gewoon dat we samen op een dag iets heel moois zouden creëren.

En dat deden we ook. Amber.

'Ziezo, dat is alles?' vroeg mijn vader, en hij smeet de kofferbak van de auto dicht.

'Ja, dat is alles,' antwoordde ik, terwijl ik mijn armen stijf over elkaar sloeg en met mijn benen wiebelde om warm te blijven, het was steenkoud daar buiten op de stoep. 'Dat is alles wat ik heb,' wilde ik zeggen, kijkend naar Amber die met een opgewonden gezichtje in de gordel zat op de achterbank, maar ik deed het niet.

'Mooi zo.' Hij wilde het portier aan de bestuurderskant opendoen, maar keek ineens op naar mij. 'Red je het wel?'

Godallemachtig. 'Ja, ik ben een grote meid, hoor, pap. Ik heb me zelfs helemaal alleen aangekleed vanmorgen.'

Hij glimlachte. 'Nee maar.'

Ongemakkelijke stilte.

'Nou, dan gaan we je moeder maar eens naar het vliegveld brengen. We zouden niet willen dat ze kou vat, nietwaar?'

'Nee, nee, stel je voor,' zei ik, huiverend. Ze had geen woord gezegd sinds ze waren gearriveerd; ze was kennelijk boos dat ik geen kerstkaarten had gestuurd naar haar kennissen. Dus was ze in de auto blijven zitten.

'Bellen op eerste kerstdag, is dat de afspraak?' vroeg hij, terwijl hij zich op de bestuurdersstoel liet zakken.

'Ja, pap, dat is de afspraak.' Dat weet je donders goed. Hoepel nou maar op. 'Moeten jullie niet gaan? Je weet dat mama er een hekel aan heeft om te laat te komen...'

'Ja, oké –' Hij sloeg het portier dicht, startte de motor en draaide het raampje naar beneden. 'Vrolijk kerstfeest dan maar, Charlotte,' zei hij.

'Vrolijk kerstfeest, pap,' zei ik, door de onverklaarbare brok heen die zich aan het vormen was in mijn keel.

'Vrolijk kerstfeest, mama!' zei ook Amber, 'en dank je wel dat je me laat gaan!' Ze blies me een heleboel kusjes toe, een heleboel lieve afscheidskusjes.

'Laat ik je gaan of word je ontvoerd?' wilde ik zeggen. Maar ik deed het niet. 'Veel plezier, liefje!' wist ik haar nog toe te roepen terwijl de auto in beweging kwam.

Ik zal haar gezichtje nooit vergeten, parmantig en opgewonden terwijl ze naar me zwaaide door het raampje op de achterbank van de auto van mijn ouders, tot het laatst aan toe, tot het moment dat ze uit het zicht verdwenen. Ik bleef nog een poosje staan, daar buiten op de stoep, starend naar de plek waar ze waren verdwenen. Ik stond aan de grond genageld, niet omdat ik het koud had, maar omdat ik niet naar binnen wilde. Ik kon het niet. Ik voelde me alsof ik in een poel met sneldrogend beton stond.

Het was alsof ik wist dat er iets verschrikkelijks te gebeuren stond, en dat ik absoluut niet bij machte was om het tegen te houden.

4

'De waarheid over de liefde is dat als je elkaar op de eerste plaats zet, er vanzelf een soort balans ontstaat. Ik denk dat ik hierin geloof, maar je moet wel zeker weten dat hij jou ook op de eerste plaats zet.'

Jill Robinson en Stuart Shaw, *Falling in Love When You Thought You Were Through*

In eerste instantie vond ik Joe leuk omdat hij niet was zoals alle anderen bij wie ik aansluiting had gezocht. Hij was niet op kostschool geweest, hij kwam uit Twickenham, maar zijn familie maakte er niet de dienst uit, hij werd niet gemotiveerd door geld of status. Hij was een muzikale dichter, zo zou je het kunnen noemen, woorden en cadans en ritme waren zijn ding. Hij was een begiftigd musicus, hij had een uitzonderlijk talent. Hij had een hekel aan diners en borrels en steeplechase en polo en al dat soort andere bekakte pleziertjes – en ik eerlijk gezegd ook. Ik wilde in een andere wereld leven, en die verschafte Joe me. Het was makkelijk om je in zijn wereld te storten en je eigen wereld te vergeten. Ik kon maar niet geloven dat hij me leuk vond, het leek te mooi om waar te zijn.

Na Imogens bruiloft waren we onafscheidelijk. We brachten ieder moment dat we konden samen door en we sliepen elke nacht lepeltje lepeltje. We zagen niemand anders, omdat we dat niet wilden. Ik stopte briefjes in zijn zakken die hij in de loop van de dag zou vinden, hij bracht zijn hele lunchpauze door met zoeken naar de perfecte aardbei voor mij. Wat wij hadden, was speciaal, heel speciaal.

We brachten een heel weekend dronken en stoned in bed door, twee hele dagen en drie verrukkelijke nachten, poedelnaakt, met zijn gitaar en mijn vergeefs rinkelende telefoon als enige gezelschap.

We bedachten allebei een ziekte voor onze werkgever, zodat we om de haverklap vrij konden nemen voor 'onderzoeken'.

Hij lachte om mijn grapjes, ik huilde om zijn liedjes.

Voor het eerst van mijn leven was ik – en ik gebruik dit woord niet lichtvaardig – gelukkig. Ik voelde me beter met hem dan zonder hem. Hij was vriendelijk, hij was lief, hij had een goed hart, hij leefde zijn leven zoals hij dat zelf wilde – en hij maakte dat ik wilde dat ik was zoals hij. Mijn zoektocht was voorbij, ik kon me ontspannen. Ik had mijn wederhelft gevonden.

Een maand later kwamen Imogen en Gus terug van hun huwelijksreis, en moest ik verkassen. Dus trok ik in bij Joe, in zijn piepkleine slaapkamer in Alexandra Palace, wat een tikje krap was. De medebewoners hadden overigens heus niet zo hoeven mopperen, want ik zorgde er in ieder geval voor dat het schoon en opgeruimd was in huis.

We hadden een paar kleine meningsverschillen in die tijd, waarschijnlijk omdat we zo op elkaars lip zaten, soms letterlijk – dus vond ik een eigen onderkomen voor ons dat ietsje dichter bij de beschaving lag, in Swiss Cottage. De huur was hoger dan in het studentenhuis, maar ik wist dat het dat waard zou zijn.

Ik huurde een busje en verhuisde ons in mijn eentje, aangezien Joe had beloofd om de kinderen van zijn zus mee uit zwemmen te nemen die dag.

Ik werkte drie avonden in de week in de plaatselijke wijnbar om financieel mijn steentje bij te dragen. Joe's band stond op het punt een platencontract te krijgen, dus hij moest repeteren. Ik vond het prima, ik wilde helpen, ik wilde het beste voor hem.

Uiteindelijk adviseerde de manager van de band (iemand die ze hadden ingehuurd, puur omdat hij eruitzag als Danny de drugsdealer in *Withnail and I*) hen om al hun nevenactiviteiten op te geven, zodat ze zich konden concentreren op het schrijven van liedjes.

Dit betekende dat onze piepkleine flat dag en nacht vergeven was van drinkende en drugsgebruikende musici en hun gitaren. Dan kwam ik thuis van een lange werkdag met een maaltijd voor twee in een plastic tasje, en dan moest ik het zien op te rekken tot een maaltijd voor zeven, zonder krenterig te lijken.

Ik probeerde er Iets Van Te Zeggen, maar Joe beschuldigde me ervan dat ik burgerlijk was en bekrompen en saai. Hij begreep het wel, natuurlijk begreep hij het wel, maar of ik het alsjeblieft nog ietsje langer vol kon houden, want ze konden nu elk moment doorbreken...

Ik schaamde me dat ik had geklaagd. Natuurlijk zou ik hem steunen, dat was het minste wat ik kon doen. En daarna, als hij eenmaal Sting was, zou hij mij steunen. Zo werkt het nou eenmaal.

Toch?

Dus Amber was echt vertrokken, het was nu echt zover. Ik deed de voordeur achter me dicht en leunde er met mijn rug tegenaan, zoals ze doen in soapseries, maar ik nam niet de moeite om de Gekwelde Blik te doen, want er was toch niemand die het zou zien.

Goed.

Oké dan.

Goed.

Wat nu?

Wat word je geacht te doen als je dochter naar het buitenland is vertrokken met de rest van je familie, je geen baan hebt, geen geld, geen toekomst en, nu we het er toch over hebben, geen vrienden? Daar heeft nog niemand een zelfhulpboek over geschreven, of wel soms? Er bestaat geen *Zinloos leven voor Dummies*, voor zover ik weet, geen *Kippensoep voor Nutteloze Mensen*.

Zo voelde ik me. Nutteloos. Zonder doel. Waar was ik nou helemaal goed voor? Ik had niemand om voor te zorgen, niets te doen. Niemand die voor mij zorgde, ook. Geen vrienden, geen familie. Allemaal vertrokken zonder mij. Niemand.

Ik had nu geen excuus meer. Dit zou het perfecte moment zijn om zelfmoord te plegen, dacht ik bij mezelf. En aangezien het Kerstmis was, zou ik pas gevonden worden als het al ruimschoots te laat was. Amber was veilig opgeborgen in Amerika, de nieuwsgierige nachtzuster aan de overkant zou de politie waarschuwen...

Ja, dat zou ik doen. Het was perfect. Pff, wat een opluchting om eindelijk een degelijk plan te hebben. Maar ik wilde het niet egoïstisch aanpakken, ik kon alles maar beter netjes achterlaten. Tja, maar waar begin je dan?

Ik wist het al, ik zou een wasje kunnen draaien. Iets schoonmaken. Opruimen. Het huis van alle troep ontdoen. De logeerkamer heroveren! Van onder tot boven behangen! De boel verkopen, naar

Australië verhuizen, zonnebaden, een echtgenoot ontmoeten op het strand, lang en gelukkig leven... Nee, nee, dat is niet het plan. Het Plan is om hen te verlaten, zodat zij nog lang en gelukkig kunnen leven. Tijd om aan mijn stutten te trekken.

Er zat een briefje op de wasmachine geplakt. Er stond op: 'Hoi mam, ik hoop dat ik goed heb geholpen, x x Amber.' Ze had er een was in gedaan, de lieve schat. Die berg witte was die nu al dagen naast de machine lag, en ze had de trui van haar lievelingspop er ook bij gedaan. En die was rood.

Het zijn de kleine dingen, nietwaar? Ik had geen zin om er nu naar te kijken, het was niet belangrijk. Dus pakte ik de lading ROZE natte was en flikkerde alles gewoon door de achterdeur naar buiten. Ik wilde het niet meer in huis hebben.

De keuken was ook bezaaid met TROEP. Onnodig. Ik smeet het allemaal de tuin in, ik hield alleen de dingen over die ik nodig had tot ik dood was, en verder niets. Eén steelpan, één mes, één vork, één lepel. Eén blikopener, één kurkentrekker, één houten lepel, één vleesmes. Eén glas, en een mok. De rest kon allemaal DE KLERE KRIJGEN.

De eetkamer/studeerkamer/fietsenstalling/vuilnisbelt beneden zag er geweldig uit nadat ik alles door de openslaande tuindeuren naar buiten had gegooid. Ik trok het tapijt er ook uit, dat gaf de kamer een CLAUSTROFOBISCH tintje, het moest er allemaal uit. Het was een tikje weerbarstig, maar op de een of andere manier kreeg ik het voor elkaar. Eruit, eruit, eruit. ERUIT! Het voelde goed om eindelijk de controle te hebben.

Buiten lag alle troep uit mijn leven over de bevroren grond verspreid. Overal lagen papieren, facturen, drukwerk, brieven van de bank, laatste aanmaningen, parkeerboetes. Honderden bonnetjes en rekeningen waaiden door de kleine tuin, fladderend boven bergen ringbanden met niets erin, stapels brochures over een eigen zaak beginnen, tarot leren leggen, jezelf opnaaien. Er lagen talloze Kunstwerken die Amber had geschilderd, en talloze kranten die ik had bewaard. Een lamp die het niet deed, dat fotolijstje dat gerepareerd moest worden. Mijn moeders oude naaimachine, mijn vaders oude bierpullen. Die stukjes eettafel die ik bij Ikea had gekocht en had afgeschreven, die verschrikkelijke oude kringloopwinkelstoelen die ik voor twintig pond had gekocht en nog steeds niet had geverfd.

Rotzooi. Troep. Rommel. Het zat me allemaal in de weg, ik moest er vanaf. HET MOEST ERUIT.

We vonden het heerlijk om samen te zijn, maar dat kwam bijna nooit voor. Hij was de hele nacht weg, ik was de hele dag weg. We brachten de weekenden nog steeds in bed door, maar dan slapend, herstellend van de excessen van de week. We waren chagrijnig, we waren uitgeput, we voelden ons niet meer sexy. We werkten allebei keihard, voor het welzijn van de ander, althans, dat dachten we. In feite waren we bezig om steeds verder van elkaar verwijderd te raken.

Ik dacht dat we zouden trouwen en een kind krijgen.

Hij dacht dat we de wereld zouden gaan bekijken door een rock-'n-roll bril.

We dachten allebei dat we onszelf wel weer aan elkaar konden lijmen.

Ik weet niet hoe laat het was, maar na deze uitbarsting van intense activiteit, vond ik dat ik wel een peuk en een borrel had verdiend. Ik beende vastberaden naar de winkel van Sandip.

'Blijf alsjeblieft van de tijdschriften af,' smeekte hij. (Ik had sinds kort de gewoonte om al die irritante losse foldertjes die ze erin stopten eruit te halen, die ik dan over de vloer van zijn winkel verspreid achterliet. Het was nog steeds een eenvrouwsactie, maar ik redeneerde dat als alle kioskhouders in het land hierover zouden klagen, de tijdschriftenuitgevers er vanzelf wel mee op zouden houden.)

'Een pakje Silk Cut.'

Hij gaf het me, ik kan me herinneren dat zijn hand beefde.

'Ik heb geen geld, zet het maar op mijn rekening,' deelde ik mee. 'En ik neem een fles wijn mee.' Ik griste er eentje met een stervormige, fluorescerend oranje sticker met £ 3.99 erop van de plank. Plus de fles die erachter stond. 'Twee, om precies te zijn.' Wat kon mij het ook schelen, ik stond op het punt om zelfmoord te plegen, ik zou het hem toch nooit meer kunnen betalen. 'Drie. Tot ziens.' Hij sprak me niet tegen, ik denk dat hij bang voor me was.

Ik dronk de eerste fles in één keer leeg, opgesloten in de plee beneden, pakte datzelfde nummer van *Elle Wonen*, scheurde het bladzijde voor bladzijde kapot. Ik nam de tweede fles mee naar boven, we zouden samen de logeerkamer onder handen nemen.

De band kreeg een platencontract.

Ik werd zwanger.

We hadden het te druk om fatsoenlijk te trouwen, dus deden we het op een regenachtige zaterdagmiddag op de plaatselijke afdeling van de burgerlijke stand.

Het schijnt dat mijn moeder daar nog steeds wel om kan janken.

Het was een zogenaamde dozenkamer, alleen stonden er geen dozen in. Op eentje na. De doos die ik moest vinden. Ik had een missie.

De deur kon maar een klein stukje open. Toen ik er eenmaal in was geslaagd om mijn hoofd naar binnen te steken, kon ik precies zien met hoeveel obstakels ik moest afrekenen. De rommel stond tot aan mijn middel, in de hoek stonden dingen helemaal tot aan het plafond opgestapeld. Onverschrokken klauterde ik over de vormeloze bergen naar het raam en probeerde het open te doen.

Het zat op slot, of klem, of allebei. Er was gewoon geen beweging in te krijgen. Maar er was werk aan de winkel. Ik zou me niet laten dwarsbomen door een Victoriaans schuifraam. Ik greep een van de splinternieuwe maar te grote schaatsen die ik een eeuwigheid geleden voor Amber had gekocht bij een kofferbakverkoop en stopte die in een vergeelde kussensloop die al jaren rond lag te slingeren, wachtend tot er iets zou gebeuren.

Het is heel bevredigend om een raam stuk te slaan; het maakt een heerlijk geluid. Ik sloeg de onbenullige stukjes hout er ook uit, om een groter gat te creëren. Er stond een ijskoude decemberwind, die ik stimulerend vond.

Ik nam niet de moeite om alles uitgebreid te bekijken. Ach, als het er al zó lang staat, weet je feitelijk niet eens meer dat je het hebt, nietwaar? Wat betekent dat je het niet nodig hebt. Dus ging het eruit.

Bundel na bundel met ondefinieerbare kleding, een doucheslang uit de badkamer die lang geleden was gescheurd, een kluwen metalen kleerhangers die zich angstig aan elkaar vastklampten – alles werd naar buiten gesmeten door het gat dat ooit het raam was geweest.

Uiteindelijk begon het bed in zicht te komen. Boeken die ik nooit had gelezen en ook nooit zou gaan lezen, restantjes tapijt voor het geval dat, een ingedeukte lampenkap met een brandgat erin. Dat Dualit broodrooster voor zes sneetjes brood, nog in de doos. Waarom bewaarde ik al die troep? Eruit, eruit, ERUIT!

Ik haalde het dekbed van het bed en smeet dat ook naar buiten; eronder, zorgvuldig uitgespreid op het matras, lagen Ambers babykleertjes; rompertjes, kruippakjes, piepkleine roze vestjes en mutsjes en bijpassende slofjes. Een hip T-shirtje met 'Papa's kleine meid' erop in glitterletters. Ongedragen. Een piepklein rood pakje, dat was toch zeker te klein voor een menselijk wezen? Onder het bed vond ik haar babybadje, met daarin die verdomde sterilisator, de flesjes, de spenen, de hele babyuitrusting die je denkt nodig te hebben – wat dus niet zo is. En haar Mozesmandje, nog altijd bekleed met witte broderie anglaise, gevuld met haar lakentjes, haar fopspenen, haar knuffelbeesten. Haar muziekdoosje dat John Lennons 'Imagine' speelde, dat ik gebruikte om haar in slaap te sussen. Haar piepkleine ziekenhuispolsbandje, van toen ze geboren werd. Het zachte, donzige dekentje waar ik haar in had gewikkeld om haar mee naar huis te nemen...

Het moest allemaal WEG, op de grote BERG ROTZOOI in de tuin die mijn leven was geworden. Tevreden over de ruimte die ik voor mezelf had gecreëerd, ging ik op het bed zitten en nam een grote slok wijn uit de fles. Er was nog één ding dat ik moest doen, en daarna kon ik rusten.

Ik bleef gewoon werken, tot de laatste minuut.
Hij ook.
Ik dacht dat mijn hippie was veranderd in een geldwolf.
Hij dacht dat ik onze baby probeerde te vermoorden.
Het werd een wedstrijd om te zien wie de ander het beste leven kon geven.

Hij stond onder het bed, weggestopt achter het babybadje, bijna volledig aan het zicht onttrokken. Bijna, maar niet helemaal. Ik wist precies waar hij stond, het was alsof er een rood zwaailicht zat op deze doos, een zendertje dat dag en nacht een biep-biep geluid naar mijn hersens zond. Soms vergat ik hem, als ik maar dronken genoeg kon worden. Maar dat duurde nooit lang.

Ik sleepte hem onder het bed vandaan en staarde er een poosje naar. Er stond 'Salta Grapefruit' op de zijkant, en hij zag er heel onschuldig uit. Toen ik hem had dichtgeplakt, had ik er geen label op gedaan, omdat ik besefte dat ik altijd zou weten wat erin zat.

Ik dronk nog wat wijn.

Ik ging naar de plee, en toen ik terugkwam, stond de doos er nog steeds.

Ik ging op het bed zitten en zei tegen mezelf: 'Vooruit.'

Ik verroerde me niet.

'Vooruit!' Ik zei de woorden zelfs hardop en mijn stem weerklonk in de lege kamer. 'Gooi hem weg!'

'Ik kan het niet,' zei mijn hoofd.

'Dat kun je wel,' zei mijn mond. 'Je moet.'

Ik ging op de grond zitten.

We staarden elkaar aan, de doos en ik, een hele tijd. Hij had iets uitdagends over zich, alsof hij wist dat hij de touwtjes in handen had. Hij was brutaal, die doos.

Ik wist wat ik moest doen, uiteraard. In geval van twijfel, neme men een bad. Ik ging naar de badkamer en zette de kraan open. Omdat ik het zonde vond als ze niet gebruikt zouden worden, leegde ik al die laatste restjes badschuim uit dure geschenkverpakkingen onder de stromende hete kraan. Het was een aanslag op de neuspapillen; het schuim stond al tot aan mijn middel tegen de tijd dat ik de badkamer verliet.

Ik duwde met mijn teen tegen de doos. Er zat geen enkele beweging in. Te zwaar. Klootzak.

Ik slaagde er met moeite in om het matras het raam uit te krijgen. Het bed was te groot.

Nu was de doos aan de beurt.

De doos was het enige wat nog over was.

DE DOOS MOEST ERUIT. Dan zou ik helemaal klaar zijn.

Ik was uitgeput. Ik was moe, ik was zwak, ik was maar gewoon een mens die zijn uiterste best deed om een stukje controle terug te veroveren op de rest van de wereld. Maar op de een of andere manier, op de een of andere manier vond ik de kracht om die doos met beide armen op te tillen en er de laatste paar stappen naar het raam mee te lopen.

Terwijl ik dat deed, viel de bodem er onder vandaan en stortte de inhoud eruit, over mijn voeten heen.

Ik glimlachte. 'Hey, Joe,' zei ik.

'Is het waar dat je moeder met Jimi Hendrix naar bed is geweest?' vroeg de knappe jonge verslaggeefster die op mijn bank mijn thee zat te drinken.

'Ja,' zei Joe, naar haar glimlachend op de manier waarop hij voorheen altijd naar mij glimlachte.

'Wauw,' zei ze, zichtbaar onder de indruk.

Danny de Manager verzon al dat soort dingen om hen interessanter te laten lijken. 'Je moet een invalshoek hebben,' had hij gezegd, telkens weer, 'er een draai aan geven, er een UPA van maken.' Kennelijk stond dit voor een Uniek Punt van Aanbeveling.

Mijn UPA was dat ik een baby zou krijgen en dat niemand het in de gaten scheen te hebben. Behalve mijn vader – hij betaalde de waarborgsom voor het huis in Fulham. 'Het kind moet toch een fatsoenlijke start kunnen maken,' zei hij, terwijl hij naar mijn dikke buik keek.

Mijn moeders blik sprak boekdelen.

Het was er allemaal. Alle brieven en kaarten en foto's en de maffe prullaria die alleen betekenis hebben voor de mensen die ze bewaren. Ieder bitterzoet moment, een leven samen, gevangen in een foto of een voorwerp of alleen maar een zin. Nu niet meer in de doos, echter, maar erbuiten. Voor me uitgespreid op de grond, als een plattegrond van ons leven. Joe en ik, ik en Joe. Wij.

Ik moest ernaar kijken, ik moest wel. Op vakantie op Cyprus. Het Chinese afhaalmenu met 'ik hou van je' erop geschreven in zijn kriebelige handschrift, tussen de kroepoek en het zeegras in geperst. Een cassettebandje met het eerste liedje dat hij voor mij had geschreven – het was tamelijk slecht, maar daar ging het niet om. De champagnekurk met een muntje van 20 pence erin gestoken, en de woorden 'één maand, één liefde' met balpen eromheen geschreven. Een lok van zijn haar die ik had gestolen toen hij lag te slapen. Een foto van mij waarop ik mijn positieblouse omhoogkield om het lachende gezichtje te laten zien dat hij met lippenstift op mijn dikke buik had getekend. Een briefje met daarop 'Sorry dat ik boos was op dinsdag 14 oktober,' toen ik ongeveer vier maanden zwanger was van Amber.

En toen een foto van ons drieën. In het ziekenhuis. Ik glimlachend, zij slapend, hij gedeprimeerd. Triest. Het viel me voor het eerst op dat Joe er triest uitzag op die foto. Gekweld. Alsof het zijn leven was dat op het punt stond verwoest te worden, niet het mijne. Ach, had je het er een beetje moeilijk mee? Klootzak!

Ik voelde de oude woede weer opwellen in mijn binnenste, wit-heet, pompend door mijn aderen. Mijn borst was samengetrokken, mijn kaken op elkaar geklemd. Ik was weer terug bij af, klaar om te doden. Vastbesloten, sterk, krankzinnig.

Ik stond op het punt om HEM ERUIT TE GOOIEN, ook het raam uit, maar toen zag ik het, dat laatste briefje. Het briefje dat ik had aange-troffen op de keukentafel toen ik Amber en al die bloemen in een taxi had moeten zetten, mijn hart vervuld van haat, omdat hij niet was ko-men opdagen in het ziekenhuis om ons mee naar huis te nemen.

'Ik kom terug,' stond erop. 'J,' en drie kusjes, een voor ieder van ons.

Hij kwam niet terug. Niet die avond, en niet de volgende dag.

Ik had een keizersnee gehad, ik werd niet geacht iets te tillen wat zwaarder was dan een waterkoker. Ik voelde me alsof ik in tweeën was gezaagd door een mislukte goochelaar, die bij wijze van verrassing een baby tevoorschijn had getoverd, waar ik nu voor moest zorgen. Maar ik wist niet hoe; de eerste baby die ik ooit in mijn armen had gehouden, was mijn eigen baby.

Ik verhuisde mijn dekbed naar de bank beneden, zodat ik hem zou kun-nen horen als hij thuiskwam. Ik deed geen oog dicht, en Amber ook niet.

Op de derde dag kwam hij terug, moe en vreselijk onbeholpen. Ik vroeg niet waar hij was geweest, ik wilde het niet weten. Ik was alleen maar blij dat hij thuis was.

Maar toen ik de volgende ochtend wakker werd, was hij alweer ver-trokken.

'Dat was acht jaar geleden en we hebben je sindsdien nooit meer ge-zien!' schreeuwde ik tegen het briefje. 'En ik wacht nog steeds! Waar zit je, Joe?' Ik verfrommelde het tot een propje en gooide het uit het raam. Terwijl ik keek hoe het in slow motion naar beneden dwarrelde, bovenop de vuilnisbelt in de tuin, schreeuwde ik: 'Je hebt me alleen achtergelaten met haar! Je hebt mij er gewoon mee opgescheept. Je werd geacht *me te helpen*, je werd geacht *voor me te zorgen*!' Ik draaide me met een ruk om en schopte hem door de hele kamer heen. 'Egoïstische klootzak! Klootzak!' Ik trapte hem tegen de grond, ik stampte hem in zijn gezicht. 'Klootzak!'

Ik rende de trap af om te controleren of het er nog lag. Het lag er, op de gebruikelijke plaats achter de radiator in de gang, vlak naast de voordeur. God helpe hem als hij ooit terug zou komen, ik was erop voorbereid.

Er klonk een enorme klap. Kennelijk was het plafond van de keuken niet bestand tegen het bad dat voor de derde keer overstroomde. Het was grotendeels naar beneden gestort, op de tafel eronder. Ik weet nog dat ik te moe was om er iets aan te doen, ik had geen puf om overstuur te raken. Het kwam niet bij me op om weer naar boven te gaan en de kraan dicht te draaien.

Ik was inmiddels allang vergeten dat ik geacht werd zelfmoord te plegen. In plaats daarvan ging ik op de bank tv liggen kijken.

Ze scoorden één hit, met nummer zeven als hoogste notering.
Een excentrieke band.
Niet bepaald iets waarvoor je je vrouw en kind verlaat, nietwaar?

Ant en/of Dec kondigde de band aan, hun aanwezigheid daar een zeer welkome onderbreking van hun moordende festivalschema. Het was de gebruikelijke flauwekul, een kinderliedje met een beat eronder, een kind dat voor andere kinderen stond te zingen over dingen die ze nog niet hadden meegemaakt.

'Ik ben een lief klein ding,' zong een tienermeisje in de pornoversie van een schooluniform, haar achtergrondkoor uitgedost als onderwijzers.

'Ze is een lief klein ding,' zong de gitarist, met een schoolpetje scheef op zijn hoofd. Joe! Het was Joe! Hij leek precies op Joe! Ouder, grijzer, maar Joe!

Aan de kant, dom wicht, ik wil hem nog een keer zien. 'Opzij!' schreeuwde ik naar de tv. Was het Joe?

Het scherm werd zwart. Ik greep de afstandsbediening, drukte op alle knoppen. Rukte het waardeloze frontpaneeltje van de televisie eraf, draaide en morrelde aan alle knoppen. De videorecorder begon 00:00 te knipperen, er verscheen een rood lichtje 'BATT'. Stroom uitgevallen. Dat kwam vast door het bad en de elektriciteit of zoiets. Ik zou nooit weten of hij het was. Smeet de afstandsbediening naar de televisie. Hij ketste terug. Wat irritant. Ik had willen zien dat het ding een tekenfilmvorm van de klap zou achterlaten.

Ik staarde naar het plafond, in het grijze schemerlicht van de vroege avond. Was hij het? Waarom was hij ons niet komen opzoeken? Tranen vulden mijn ogen en stroomden over mijn slapen in mijn haar. Wat had ik gedaan dat hem op de vlucht had doen slaan? Het was een vraag die ik mezelf, nadat hij ons had verlaten, elke dag had gesteld, maar ik wist het antwoord nog steeds niet.

'Wil hij zijn dochter niet eens zien?' vroeg ik.

'Hij heeft het druk,' antwoordde zijn zus. 'Hij is niet eens in het land. Hij zit in Duitsland om de nieuwe single te promoten.'

'Maar –'

'Het spijt me.' Ik kon haar kinderen horen krijsen op de achtergrond.

'Ligt het aan mij? Heb ik iets verkeerd gedaan?'

'Ik weet het niet, lieverd, hij praat er niet over.'

'Nou, kun je het hem dan niet vragen?' Ik kon er niets aan doen dat mijn stem een geïrriteerde klank kreeg. Ik had geprobeerd om geduldig te zijn, eerlijk waar.

'Luister,' zei ze met een zucht. 'Ik heb al genoeg op mijn bord. Dit is iets tussen jou en hem, ik heb er niets mee te maken.'

'Ja, dat weet ik wel, maar –'

'Dag, lieverd.' En ze hing op, pats boem.

Ik was er maar één keer geweest, maar ik wist nog waar ze woonde. Ik stond onaangekondigd bij haar op de stoep, in Twickenham, met Amber in de kinderwagen. Ik hoopte dat de aanblik van zijn schattige dochtertje zijn hart zou doen smelten, maar er was niemand thuis.

Dus bleef ik daar op de deur staan bonzen tot een buurvrouw me vertelde dat ze waren verhuisd.

En sindsdien hebben we hem nooit meer gezien. Hij stuurde weleens een ansichtkaart vanuit luxe oorden over de hele wereld, maar daar stond nooit veel op. Enkel dingen als 'liefs, Joe xxx' of 'Het is hier steenkoud!' Ongeveer twee jaar geleden kwam er eentje uit Tokio waarop stond 'Kom jullie opzoeken zodra we terug zijn.' Maar hij kwam nooit. De ansichtkaarten waren echter blijven komen, vanuit alle vier de windstreken, en op iedere kaart stond minder dan op de vorige. Op de laatste paar stond helemaal geen boodschap, alleen mijn naam en adres. Niet eens een kusje.

Klootzak.

Bam bam!

Ik moest in slaap zijn gevallen. Door het raam van de woonkamer kon ik zien dat het buiten sneeuwde. De straatlantaarns maakten dat de stille vlokken er groot en oranje uitzagen, als sinaasappels.

Bam bam bam!

Er klopte iemand op mijn voordeur.

'Donder op!' riep ik. Hoe laat was het?

'Charlotte?' zei een mannenstem.

Hij was het! Hij kwam me halen! Ik wist het!

Ik kroop op handen en voeten naar de deuropening en keek de gang in. Ik was precies op tijd om een mannengezicht door de brievenbus te zien kijken.

'Mag ik binnenkomen?' zei het.

Ik stond op en liep zo normaal mogelijk de gang in, griste met één hand het mes achter de radiator vandaan en deed langzaam de deur open met de andere hand.

'Waarom zit je in het donker?' zei hij, van achteren verlicht door het buitenlicht van het huis aan de overkant. Hij kreeg er bijna een halo door.

Ik gaf geen antwoord, het ging hem niks aan. Achter mijn rug verplaatste ik het mes van de ene hand naar de andere.

'Luister, ik ben gekomen omdat het kerstavond is en ik deze toestand gewoon idioot vond, ik kon er niet meer tegen,' zei hij. 'Hier,' hij stak me iets toe in een tas van Marks & Spencer, 'een zoenoffer.'

Ik pakte het niet aan, ik had geen hand meer vrij. Hij bukte zich en zette het op de grond, net binnen de deur. Ik kon de sneeuwvlokken zien smelten op zijn jas. 'Zal ik binnenkomen?' vroeg hij.

'*Nee!*' zei ik, verstijfd. Na al die jaren, nu het moment daar was, wist ik niet wat ik moest beginnen. Ik stond van top tot teen te trillen. 'Blijf daar!' zei ik.

'Oké, oké.' Hij hief zijn handen in de lucht. 'Het is gewoon –' hij verplaatste zijn gewicht naar zijn andere voet, 'nou ja, ik heb je gemist.'

'Echt waar?' zei ik, mijn greep op het heft van het mes verstevigend, 'nou, ik heb jou ook gemist. En,' zei ik, 'Amber ook.'

'Ach, de schat,' zei hij neerbuigend. 'Hoe is het met haar?'

'Uitstekend,' antwoordde ik, 'maar dat is niet bepaald aan jou te danken.'

'O. Nou ja, er zit een klein cadeautje voor haar in de –'

'Een klein cadeautje? Is dat alles?' Ik lachte. 'Je bent me d'r eentje!' Ik voelde dat mijn hand inmiddels zweterig begon te worden. 'Denk je dat je zomaar ons leven weer binnen kunt walsen met "een klein cadeautje" en dat alles dan wel goed komt, denk je dat? Waar heb je verdomme gezeten?'

'Luister, Charlotte, ik –' Hij deed een stap dichterbij.

'Waag het niet om bij me in de buurt te komen!' Ik liet hem het mes zien. '*Waag* het verdomme niet!'

Ik hoefde het echter geen twee keer te zeggen. Hij draaide zich om en maakte zich uit de voeten. Merkwaardig genoeg deed hij het hekje achter zich dicht.

Verdomde lafaard, dacht ik bij mezelf, terwijl ik het mes teruglegde achter de radiator. Ik had hem met het mes moeten steken. God, wat was ik een mislukkeling, zelfs dat kon ik niet. Waar was die derde fles wijn eigenlijk gebleven?

Ik hoop dat Amber niet een van die gestoorde idioten is die zich hun babytijd kunnen herinneren. Ik hoop dat ze zich mijn eindeloze tranen van woede en pijn en verdriet niet zal herinneren, dat ze zich niet zal herinneren hoe afschuwelijk ik het vond om haar vaders gelijkenis te zien in haar ogen, dat ze zich mijn onvermogen om voor mezelf te zorgen niet zal herinneren.

In plaats daarvan hoop ik dat ze zich zal herinneren dat ik haar alles heb gegeven wat ik kon. Het was niet veel, maar het was alles wat ik had.

Daarna verloor ik alle besef van tijd. Ik denk dat ik wat kerstochtend moet zijn geweest heb doorgebracht met het leeghalen van de woonkamer. Ik smeet de meeste van onze bezittingen naar buiten, in de besneeuwde voortuin, en de rest op de stoep, bovenop geparkeerde auto's, bovenop voetgangers die voorbijkwamen, ik had overal lak aan. Het deed me goed om te zien dat de nachtelijke sneeuwdeken alle troep in de achtertuin volledig had bedekt, het was nu onzichtbaar, weggevaagd, uitgewist. En ik weet nog dat de telefoon onafgebroken rinkelde, maar dat stoorde me niet echt.

Ik weet niet wie de politie heeft gebeld, maar het schijnt dat ze me liggend op mijn rug onder de kerstboom hebben gevonden, met een lege portfles en een half opgegeten stuk Stilton naast me. Ik had zorgvuldig alle sneeuwpoppen van snoep, die ik voor Amber had gekocht, in de boom gehangen – ik wilde dat hij er mooi uit zou zien als ze thuiskwam.

Ik weet nog wel dat ik omhoog lag te staren naar de takken, terwijl ik alsmaar de stem van die stomme au pair door mijn hoofd hoorde galmen. 'Jai hebt kain liefde,' zei ze telkens weer, 'jai hebt kain liefde.'

'Ik heb geen liefde nodig,' antwoordde ik telkens weer, 'ik kan dit wel in mijn eentje af.'

Krankzinnig.

5

'Het is altijd weer triest om met nieuwe ogen te kijken naar
dingen waar je al je eigen aanpassingsvermogen in hebt gestopt.'

F. Scott Fitzgerald, *The Great Gatsby*

'Mag ik even bij haar gaan zitten?' vroeg Arthur.

'Ja, natuurlijk,' zei de Zuid-Afrikaanse verpleegster met een glimlach. De goedkope kerstslinger die ze om haar kapje had gewonden
glinsterde feestelijk en er was een lichte sherrygeur in haar adem. 'Ik
ben op de verpleegsterspost als u me nodig hebt.'

Arthur ging zitten op de comfortabele stoel naast het bed. Charlotte lag bijna comateus op haar zij, haar rug naar hem toe gekeerd
en haar ogen dicht, met haar gezicht naar het raam. 'Het is hier wel
mooi, hè?' zei hij terwijl hij het zich gemakkelijk maakte. 'Gebloem-
de gordijnen, vloerbedekking, tv, privé-badkamer; een beetje alsof je
een zenuwinzinking hebt gekregen in het Holiday Inn!'

Niets. Misschien moest hij er geen grapjes over maken, misschien
was ze voor de verandering een tikje gevoelig. Ja, vast.

'Ik weet dat je niet slaapt, Charlotte Small, mij kun je niet voor de
gek houden.'

Niets.

'Oké, dan moet je het zelf maar weten.' Hij haalde een tijdschrift
uit het plastic tasje dat hij had meegebracht en begon erin te blade-
ren. 'Ach, de Beckhams vieren Kerstmis met de hele familie op Bec-
kingham Palace; de Windsors vieren Kerstmis op Buckingham Palace, en twee queens zijn herenigd in Crystal Palace.' Hij glimlachte om
zijn eigen grap. Hij was goed in vorm op het moment, hij was altijd

grappiger wanneer hij verliefd was. 'Charlotte? Snapte je 'm? Jimmy en ik zijn weer bij elkaar. Is dat niet geweldig?'

Niets.

'En allemaal dankzij jou! Als jij onze hond niet had vermoord, zou ik Jimmy nooit gebeld hebben om het hem te vertellen, zouden we nooit hebben afgesproken om elkaar te ontmoeten om ons verdriet te delen, enkel om ons te realiseren hoezeer we elkaar hadden gemist en tot de ontdekking te komen dat McQueen weliswaar dood was, maar onze liefde niet.' Zelfs nu nog voelde hij dat zijn hart een slag oversloeg van vreugde, hij zag de toekomst weer vol opwinding tegemoet. 'Dus hij gaat weg uit die bouwval in Crystal Palace en komt bij mij wonen in het hippe cellenblok in trendy Oost-Londen, is dat niet fantastisch?'

Stilte. Je zou toch denken dat ze blij voor hen zou zijn. Misschien niet.

Arthur stond op en liep naar het raam. 'Hij zit buiten in mijn auto te wachten, de schat. Eigenlijk staan we fout geparkeerd. Werken parkeerwachters ook met de kerst?' Hij tuurde door de jaloezieën naar de koude grijze Londense straat. 'O ja, kijk, daar zit hij!' Hij begon enthousiast te zwaaien. 'Ik geloof niet dat hij me kan zien.' Zijn ogen vulden zich met tranen. 'Ik hou zoveel van die jongen, weet je. God, wat is de liefde toch machtig en sterk, vind je niet? Ik wou maar dat jij iemand had om – nou ja.' Hij slikte zijn woorden nog net op tijd in, hij wilde haar niet weer van streek maken. Arthur wierp een nerveuze blik op Charlotte in het bed. Haar ogen waren open nu, maar van haar gezicht was verder niets af te lezen.

Hij glimlachte naar haar.

Ze glimlachte niet terug.

'Jimmy en ik maken ons grote zorgen over je, Charlotte.'

Ze knipperde zelfs niet met haar ogen.

'Nou ja, ík maak me grote zorgen over je.' Arthur deed zijn uiterste best om zich in te houden, hij wist dat ze het afschuwelijk vond als hij huilde. 'Waag het niet om op te geven, Charlotte Small – we hebben veel te veel meegemaakt samen om nu zomaar het bijltje erbij neer te gooien.' Hij lachte vreugdeloos. 'Luister, het is de afgelopen maanden niet eenvoudig geweest om je vriend te zijn, je bent monsterlijk geweest. En ik weet, zelfs al weet jij het zelf niet, dat die krengerige nachtmerrie van een vrouw diep vanbinnen een van de vriendelijkste, meest zorgzame mensen is die ik ooit tot mijn vriendinnen heb mogen rekenen. Dus schei verdomme uit met die flauwekul en, zoals je altijd tegen mij zegt, stel je niet zo aan, meid!'

Nee, het werd hem allemaal te veel, daar kwamen de tranen. Arthur huilde in stilte terwijl hij een aantal tissues uit de doos op haar nachtkastje trok. Hij bette zijn ogen en snoot zijn neus.

'Voor het geval je je afvraagt hoe je hier bent gekomen, overigens,' zei hij in de tissue, 'ik heb de politie gebeld. Het spijt me, ik weet dat het gemeen was om zoiets te doen, en ze hebben je voordeur vreselijk toegetakeld, maar het was het enige wat ik kon verzinnen. Ik bedoel, je was gewoon helemaal niet goed, weet je. Je gezicht zag er verschrikkelijk uit, je haar was helemaal vervilt, je had jezelf vreselijk verwaarloosd. Werkelijk waar, schat, het was een beetje *Planet of the Apes*.'

Dat zou toch zeker wel een reactie uitlokken? Was haar gevoel voor humor al net zo aangetast als haar verstand?

'En toen je met dat mes op me afkwam, tja...'

Zijn stem stierf weg. Misschien kon ze zich dat niet meer herinneren. Lieve help, hij wilde het ook graag vergeten, hij was van zijn leven nog nooit zo bang geweest. Misschien was het het beste om dat gedeelte voorlopig maar buiten beschouwing te laten.

'Het schijnt dat je telefoon onafgebroken rinkelde toen ze de deur forceerden. Het waren je vader en Amber die belden om je een vrolijk kerstfeest te wensen. Godzijdank had je vader connecties in het gekken –' hij onderbrak zichzelf precies op tijd, 'de geestelijke gezondheidszorg, dus hij heeft een of ander duur doktersvriendje van hem gebeld, en die heeft de politie zover gekregen om je hierheen te brengen. Weet je, je hebt ontzettend geboft dat je vader hier het geld voor heeft – als je naar een gewoon ziekenhuis had gemoeten, was je waarschijnlijk op een zaal vol Napoleons terechtgekomen.'

Er was een minuscule trilling, misschien was het een zenuw die trok. Arthur zuchtte, hij wilde zijn vriendin terug.

'Hoe dan ook, dat was gisteren, en nu komt het allemaal weer goed met je, nietwaar?!' Stilte. 'Ik ben hier natuurlijk alleen maar voor het geval je broer je komt opzoeken. Ik weet gewoon dat het liefde op het eerste gezicht zal zijn, en dat hij daarna naar geen enkele vrouw meer zal kijken – o, Charlotte, stel je voor, dan word je mijn schoonzus!'

Niets.

'Het is tweede kerstdag vandaag!' verkondigde hij, bij gebrek aan andere gespreksstof. Arthur bekeek zijn kapsel in de spiegel boven de wastafel, fatsoeneerde het en liep weer terug naar de stoel. 'We hebben het zo fijn samen, Jimmy en ik – we hebben zelfs een club gevonden in een pakhuis in de East End die op eerste kerstdag open was, we waren vanochtend pas om half vijf thuis! Het was gewoon krankzinnig!'

Godzijdank is ze totaal van de wereld, dacht hij bij zichzelf; ik lijk wel niet wijs, om 'krankzinnig' te zeggen tegen iemand op een psychiatrische afdeling.

Gered door de zuster. 'Zo, Charlotte,' zei ze opgewekt. 'De BA is er, voor je onderzoek van vandaag.'

'BA?' vroeg Arthur.

'Behandelend Arts,' zei de knap uitziende man achter de zuster. Arthur herkende hem onmiddellijk op een manier van o-mijn-god, zoals het iemand met wisselende contacten betaamt. Hij verliet het gebouw zo snel mogelijk, voordat de BA zich zou herinneren wat ze hooguit een paar weken geleden met elkaar hadden gedaan.

'Het komt wel goed met haar,' zei hij tegen Jimmy toen hij wegreed, een tikje rood aangelopen. 'Ik weet toevallig dat ze in heel goede handen is.'

Het was als kijken naar een oude zwart-wittelevisie waarvan het geluid gedempt klinkt. Maar om de een of andere reden vond ik het niet storend dat ik kon kijken zonder te zien, kon horen zonder te weten. Ik genoot van het verlamd zijn, het betekende dat ik niet hoefde te bewegen. Ik hoefde niet meer mee te doen. Het was geweldig.

Als je een zielenknijper moest casten voor een B-film, zou je deze man beslist hebben gekozen. Hij was op sommige plekken klein, maar op andere plekken groot. Hij was klein, tenger gebouwd en had een lichte bochel. Zijn expressieve handen waren benig maar sterk, zijn ogen waren piepklein maar pienter, en op zijn gok van een neus stond een reusachtige Buddy Holly bril met een zwart montuur. Zijn zilvergrijze golvende haar was met brillantine glad naar achteren gekamd, en zijn pak hing vormeloos om zijn brede gebogen schouders, zijn stropdas wapperde in de wind. Hij zag eruit als een Midden-Europese intellectueel, en dat was ook precies wat hij was.

'Goedemorgen, Charlotte, ik ben de dienstdoende psychiater hier, mijn naam is dokter Lichtenstein. Sommige patiënten noemen me Edwin. Hoe wil jij me noemen?'

Niets.

'Hoe lang is ze al zo?' vroeg hij aan de magere verpleegster die naast hem stond aan het voeteneind van Charlottes bed.

'Weet niet, mijn dienst is nog maar net begonnen.' Ze gaapte. 'Ik werk liever 's nachts, dan is er minder te doen.'

Hij zuchtte. 'Ga de hoofdzuster voor me halen, wil je?'

Ze zuchtte en verliet de kamer.

'Zo, Charlotte Small,' hij legde haar dossier op het tafeltje boven het bed, 'hoe denk jij dat we je weer op de been kunnen krijgen?' Hij liep naar de wastafel en begon zijn handen te wassen. 'Wat is jouw drijfveer, hm?'

Hij verwachtte geen antwoord, en dat kreeg hij ook niet. Hij droogde zijn handen af aan de kleine handdoek terwijl hij praatte.

'Ik ben verantwoordelijk voor jou, weet je, zolang je hier bent. Het is mijn taak om je weer enigszins op te lappen, en het is jouw taak om je tegen al mijn pogingen te verzetten. In feite is het een strijd tussen jou en mij. Het is alleen niet echt een eerlijk gevecht; ik heb personeel en medicijnen en dwangbuizen en gecapitonneerde isoleercellen tot mijn beschikking; jij hebt enkel je koppigheid.'

Hij ging aan het voeteneind van het bed staan en liet het kleingeld in zijn zak rinkelen.

'Wat ook zeer effectief kan zijn, uiteraard. Alleen is dat voor jou niet zo heel leuk, want hoe koppiger je bent, hoe langer je hier moet blijven. Wat ik prima vind, want hoe langer je blijft, hoe meer kans ik heb om te winnen. Ik zal namelijk al je zwakke plekken ontdekken. Het is mijn taak om je achilleshiel te vinden.'

En die zat bij deze wel erg goed verstopt, dacht hij bij zichzelf. Daar zou hij weleens een zware dobber aan kunnen hebben. Mooi zo, die vond hij het leukste.

'Maar goed. Het enige wat je niet mag doen, is zelfmoord plegen, want dat is vals spelen.'

'Kopje thee, dokter?' vroeg een grote zwarte zuster met een brede glimlach toen ze de kamer binnenkwam.

'Aha, zuster Ellen, ik hoopte al dat jij het zou zijn!'

'Hebt u een leuke kerst gehad?' vroeg ze, terwijl ze zich bukte om Charlottes felgekleurde dekbed glad te strijken, binnensmonds afkeurend mompelend. Strak ingestopte dekens hoorden in ziekenhuizen thuis, dekbedden niet.

'Ja, uitstekend, dank je – jij?'

'Prima, dokter, prima. Mijn zus Millicent is gekomen en we hebben een groot Caribisch feestmaal bereid, mijn man is voor de tv buiten westen geraakt na de toespraak van Hare Majesteit, en de kinderen waren nergens te bekennen – zoals gebruikelijk!' Haar gezichtsuitdrukking veranderde. 'Hoe is het met Mrs. Lichtenstein?'

'Ja, eh, aardig dat je ernaar vraagt, ja, ze is – eh – aan de beterende hand, dank je.'

'Dat is nog eens goed nieuws.' Zuster Ellen straalde. 'Ik ben zo blij om dat te horen! En de kleinkinderen?'

'Zeer veeleisend, zoals gewoonlijk. Ik was blij dat ik vanmorgen weer aan het werk mocht, wel zo rustig!'

Charlotte draaide zich op haar rug en staarde naar het plafond.

'Enfin, zuster, er is werk aan de winkel. Hoe lang is ze al catatonisch?'

'Sinds ze is binnengebracht, geloof ik, dokter.' Ellen reikte naar de kaart aan het voeteneind van het bed. 'Ja, ze heeft nog geen woord gezegd sinds ze op eerste kerstdag is binnengebracht. De enige informatie die we hebben, zijn de observaties van de BA – we weten zelfs nog niet eens wie haar huisarts is.' Ze snoof minachtend. 'Ze heeft niets gegeten, geen kruimeltje.' Ze liet haar stem dalen. 'En er is sprake van bedwateren, dokter.'

'Hm, dat is behoorlijk indrukwekkend. Al drie dagen lang in staking.' Hij keek neer op Charlottes gezicht. 'Knap werk!'

Ze deed haar ogen dicht.

'Bezoekers?'

'Nee. Alleen één man op de eerste dag, daarna niemand meer.'

'Partner?'

93

'Het schijnt van niet, volgens de BA...'

'Oké. Ik heb de vader van deze patiënte beloofd dat ik haar er zo snel mogelijk bovenop zou helpen.' Hij schraapte zijn keel. 'We gaan onze campagne een tandje hoger zetten, zuster. Ik neem aan dat je wel weet wat dat betekent?' Hij knipoogde naar haar.

Ze knipoogde terug. 'Jazeker, dokter.' Ze keek neer op de patiënte, wier ogen nu stijf dichtgeknepen waren. 'Is dat echt nodig?'

'Ja, zuster,' zei hij op zeer ernstige toon. 'Ik vrees van wel.'

Ze glimlachten over het bed heen naar elkaar en verlieten de kamer.

Ik had geen zin om terug te komen.

'Zo, Charlotte, tijd voor een bad!'

'De zuster heeft me gevraagd om wat bananenvla voor je klaar te maken. Zal ik het maar gewoon hier neerzetten?'

'We komen je lakens verschonen – je zult uit bed moeten komen, vrees ik.'

'Zal ik je de keuken laten zien, dan kun je zelf een kopje thee zetten als je daar zin in hebt.'

'Vind je het goed als ik even kom stofzuigen hier?'

'Hier is je antidepressivum. Geen slaappil vanavond, vrees ik – doktersvoorschrift.'

'De zuster heeft een nieuwe nachtjapon voor je gekocht, en een ochtendjas, en een paar pantoffels bij Marks & Spencer. Je bof maar weer!'

'Onderhoud. Ik kom de tv weghalen, routine inspectie. Er staat er nog eentje in de gemeenschappelijke woonkamer, aan de andere kant van de afdeling.'

'Je vader heeft gebeld om te horen hoe het met je gaat. Je dochtertje mist je heel erg.'

Maar ik wist dat ik niet voorgoed weg kon blijven.

'Hoi! Jij bent nieuw hier, hè?' Een jonge spraakzame Aziatische vrouw kwam de keuken binnen en deed een kastje open. 'Ik ben Amira, ik zit in de kamer tegenover jou, ik heb gezien dat je werd binnengebracht. Hoe heet jij?'

Charlotte gaf geen antwoord. Ze reikte in haar zalmroze met groen gestreepte ochtendjas naar een papieren zakdoekje en snoot haar neus.

'Ach, verdomme, kijk nou toch, weer geen schone mokken! Neem me niet kwalijk.' Charlotte drukte zich tegen de muur aan terwijl de jonge vrouw naar de gootsteen liep. 'Werkelijk waar, het feit dat mensen mentaal ziek zijn betekent toch nog niet dat ze de afwas niet kunnen doen, of wel soms?'

De waterkoker begon een borrelend geluid te maken.

'Waarom ben jij hier?' vroeg Amira, terwijl ze de mouwen van haar roze huisjas oprolde. Ze was knap, tenger, als een vogel met grote bruine ogen en lange donkere wimpers en een vleugje lipgloss op haar lippen. Het soort vrouw dat je met haar vriendinnen in de rij ziet staan voor de deur van een nachtclub, hyperopgewonden, gillend.

Charlotte gaf geen antwoord.

Amira draaide zich om en keek naar haar terwijl de gootsteen langzaam volliep met water. 'Ach, ben je een beetje verlegen?' Ze trok haar neus op. 'Geeft niks hoor,' ze had een vaag Midlands accent, 'ik was net zo toen ik hier voor het eerst kwam. Verschrikkelijk is het, hè? Je voelt je zo stom, je denkt "Wat doe ik hier in vredesnaam?" Vervolgens denk je "Ze zijn niet goed wijs" en dan realiseer je je dat jij degene bent die niet goed wijs is!' Ze lachte hardop terwijl ze de kopjes begon af te wassen. 'Ik was, en jij droogt,' besloot ze, wijzend naar een vergrijsde theedoek die aan een haakje hing onder een etiket waar 'theedoek' op stond.

De waterkoker werd nog luidruchtiger. Amira ook.

'Ben je al naar een van de therapiesessies geweest?' Zonder op antwoord te wachten, vervolgde ze: 'Ik denk het niet, hè, want ik heb je er niet gezien. Ze zijn niet zo erg als je denkt – soms zijn ze zelfs heel erg grappig. Werkelijk waar,' ze lachte weer, nog harder dit keer, 'sommige van de idioten die hier zitten, de dingen waar sommige mensen mee aankomen...'

Een verpleegster stak haar hoofd om de deur. 'Alles in orde?'

Tot Charlottes verwarring begon Amira als een gek laatjes open en dicht te doen. 'Ik ben alleen maar op zoek naar een heel scherp mes, zuster, heb je dat voor me? Toe, toe?'

'Haha, Amira, erg grappig,' kwetterde de zuster. 'Over vijf minuten begint de sessie, dus ik hoop dat je lekker scherp bent vandaag.'

'Scherp,' gierde Amira, 'dat is erg grappig!'

En ze begonnen allebei hysterisch te lachen, als een stel geflipte idioten. De zuster ging weg, Charlotte drukte zich nog dichter tegen de muur aan. 'Ik heb mijn zus met een mes gestoken, snap je,' biechtte Amira op terwijl ze naar een horecaverpakking met koffie reikte, 'ik kreeg echt de zenuwen van haar, weet je wel?' Ze zag Charlottes gezichtsuitdrukking. 'O, wees maar niet bang, ik heb haar niet vermoord of zo! Maar ze heeft er wel een lekker groot litteken op haar arm aan overgehouden.' Amira zei dit alsof het iets goeds was, sterker nog, ze klonk zelfs een tikje jaloers.

De waterketel sloeg af. 'Laat mij maar!' Amira schepte niet één maar twee volle lepels instantkoffie in elke mok. 'Je hebt een heleboel suiker nodig als je nieuw bent,' zei ze, en ze deed er drie klontjes in. 'Om op krachten te komen, weet je.'

Ze overhandigde Charlotte haar mok. Het smaakte naar warme stroop. Weerzinwekkend.

'Zo, zullen we dan maar?' Amira stak haar arm enthousiast door die van Charlotte, zodat de koffie over de rand van haar mok heen gutste en haar met ruches versierde nylon nachthemd bijna smolt. 'Het is beneden in de kelder, je zult het enig vinden! Het is beter dan alles wat je ooit op televisie zult zien, Jerry Springer is maar slappe hap vergeleken met dit stelletje bij mekaar...'

Ik weet nog dat ik werd overmand door paniek toen ze me meevoerde naar de kelder. Ik wilde nergens naartoe met deze griet, ze was duidelijk niet goed bij haar hoofd. Maar ze wilde me niet loslaten, ze had me heel stevig vast. En hoe meer ze me vertelde over wat er daar beneden zou gebeuren, hoe harder ik weg wilde rennen. In een kring zitten met volmaakte vreemden? Luisteren hoe ze eindeloos bleven doorzeuren over hun saaie problemen? En erger nog, het ergste van alles, over mezelf praten in hun bijzijn? Abso-zeker-weten-luut niet.

'Papa was bankier, mama was aan de drank.'

Een vrouw van middelbare leeftijd zat te praten tegen een kleine groep mannen en vrouwen in wat een vergaderzaal had moeten zijn, alleen was het handig vermomd als therapieheiligdom, compleet met geluiddichte panelen aan de muren. De patiënten zaten in een kring op van die industriële comfortabele stoelen die je alleen maar in instellingen ziet. In het midden van de kring stond een salontafel met een klein bloemstuk van kunstbloemen erop, en niet één maar twee dozen tissues.

Dokter Lichtenstein had Marjorie gevraagd om ongeveer vijftien minuten voor de groep te spreken, om hun te vertellen wat er was gebeurd en waarom ze hier was.

'Mijn moeder dronk dag en nacht, wat betekende dat papa veel tijd op zijn werk doorbracht, grotendeels bovenop andere vrouwen, terwijl ik werd opgevoed door een hele reeks kindermeisjes, de een nog dommer dan de ander.'

Hoewel ze halverwege de vijftig moet zijn geweest, praatte Marjorie als een klein meisje. En ze deed ook erg haar best om voor een klein meisje te worden aangezien – haar lange, dunne haar dat achterover werd gehouden met een haarband, was ooit zacht honingblond geweest, maar was inmiddels nicotinegeel geworden. Ze was gekleed in een onfatsoenlijk doorschijnend negligé met eigeel-vlekken dat te veel van haar verweerde decolleté liet zien; dit werd gecompleteerd door een licht zalmroze, met kant afgezette badjas; peuken en een aansteker van Cartier in de ene zak, een grote plastic fles met water in de andere. Ze had op enig moment in het verleden een enorme lading robijnrode lippenstift aangebracht, kippig als ze was, en het gaf haar de tragikomische mond van een clown. Haar lichtblauwe troebele ogen werden omlijnd door klonterige wimpers en zwarte oogleden; ze was duidelijk niet het soort vrouw dat haar make-up 's avonds verwijderde, maar van het andere soort, dat er 's morgens een nieuwe lading overheen aanbrengt. Haar oogwit was geel, net als haar tanden, en toch had ze de uitstraling van een vrouw die zichzelf een grote schoonheid vindt. Misschien was ze dat geweest, ooit. Nu zag ze er echter uit als Bette Davis in *Whatever Happened to Baby Jane*.

'Ik kom uit een zeer gegoede familie, moet je weten,' vervolgde ze. 'We zijn een tak van een internationaal befaamde brouwersfamilie. Zal ik zeggen welke?' vroeg ze aan dokter Lichtenstein, overdreven knipperend met haar grote ogen.

'Nee, Marjorie, alsjeblieft niet,' zei hij vriendelijk glimlachend, 'daar zijn we hier niet voor.'

'O. Oké.' Ze keek teleurgesteld, ze was duidelijk gewend om mensen te imponeren met haar onberispelijke afkomst; deze uit te buiten, zelfs.

(De rest van de groep probeerde in de daaropvolgende minuten natuurlijk voor zichzelf uit te vogelen welke familie het dan wel was, dus ze luisterden niet echt naar het volgende gedeelte.)

'Ik ben opgevoed met de gedachte dat vrouwen er mooi uit moesten zien en dat mannen overal voor moesten betalen. Papa vond het heerlijk als ik er mooi uitzag, hij zei altijd: "Daar ben je voor gemaakt, lieverd."' Ze bloosde bij de herinnering, als een schuchtere maagd. Belachelijk op haar leeftijd. 'Ik weet nog dat ik als tiener verrukt was toen ik me realiseerde dat ik nooit saaie dingen zou hoeven doen als naar kantoor gaan, want ik gaf veruit de voorkeur aan het idee om de hele dag te spenderen met me opdoffen voor feestjes! Zoveel leuker, vinden jullie niet?'

Ze keek op om bevestiging te krijgen van de groep, maar die bleef uit. Ze merkte het echter niet eens. Marjorie genoot duidelijk van deze gelegenheid om over zichzelf te praten. En het publiek was niet alleen geboeid, het kon geen kant uit.

'Dus dat deed ik. Als twintiger hing mijn leven van feesten aan elkaar, ik genoot met volle teugen van het leven en haalde alles eruit wat erin zat. Ach, het was een fantastische tijd,' mijmerde ze. 'We vonden het de gewoonste zaak van de wereld om in het vliegtuig naar Zuid-Frankrijk te springen voor een diner, of er vandoor te scheuren in iemands sportwagen naar St. Moritz voor oudjaar. In de weekends hielden we wilde feesten bij mensen thuis, het was werkelijk geweldig. Ik had bakken met geld, en enorm veel lol. Ik wist destijds niet hoe gelukkig ik was, ik dacht dat het eeuwig zou duren...'

Verscheidene mensen knikten.

'En toen kwamen de zestiger jaren en werd alles verpest. Ik heb me er volledig door laten overvallen; ik gebruikte allerlei rare drugs, ik dronk alles wat ik maar kon vinden, ik sliep met iedereen – je kunt het zo gek niet verzinnen of ik heb het gedaan. Papa deed altijd alsof hij vreselijk boos op me was wanneer moeder erbij was, maar heimelijk vonden we het allebei vreselijk grappig.' Ze zuchtte. 'Ik zou jullie er alles over willen vertellen, maar ik kan me er niet veel van herinneren, het is allemaal één grote waas. Het enige wat ik weet, is dat ik ergens halverwege de jaren zeventig wakker werd en dat iedereen ondertussen een partner en kinderen had en een gezapig getrouwd leven leidde, en dat ik was overgebleven. Nou, je kunt je wel voorstellen dat ik razend was! Die verdomde saaie meiden hadden alle spannende mannen voor mijn neus weggekaapt, er was niemand meer over voor mij. En degenen die nog beschikbaar waren, nou ja, dat was eerlijk gezegd niet veel soeps – ze waren of te arm, of niet knap genoeg, of sociaal niet zo sterk. Ik had wel zo mijn aanbidders, natuurlijk,' ze streek haar kroezige haren glad met haar handpalm, 'maar ik vond ze geen van allen leuk. Ik haat het als ze zo gretig en wanhopig zijn, weet je wel?' Ze giechelde meisjesachtig. 'Ik vond alleen degenen leuk die mij niet leuk vonden.'

Een paar vrouwen keken op, dit klonk bekend.

'Hoe dan ook, ik realiseerde me vrij snel dat het geen enkele zin had om te blijven rondhangen tot er mensen gingen scheiden. Maar ik had ADS een man nodig ('als de sodemieter,' fluisterde een heel magere griet luidruchtig tegen een heel dikke) – papa wilde niet eens nadenken over de mogelijkheid dat ik zou gaan werken, hij wilde gewoon dat ik zo snel mogelijk zou trouwen met een rijke en machtige man. Dus eigenlijk werd ik er min of meer toe gedwongen. Ik had geen andere keus – ik moest andermans echtgenoot afpakken!'

Haar oude verschrompelde gezicht kreeg de uitdrukking van een valse intrigante.

'Ik genoot van dat gedeelte, het was enig. Eerlijk waar, als ik denk aan wat ik heb gedaan met wie en waar...' Haar gezicht lichtte op van opwinding, niet van schaamte. Ze wist echter wel hoe ze zichzelf moest verdedigen. 'En trouwens, hun echtgenotes liepen altijd over hen te klagen – ik dacht dat ik iedereen een dienst bewees.'

Ze leunde achterover in haar stoel.

'Alleen pakte het heel anders uit. Weet je, ik denk dat de meeste van die mannen me gewoon gebruikten, ze wilden alleen maar seks. Ik bedoel, ze kochten juwelen voor me en dat soort dingen, een van hen nam me zelfs mee naar Monte Carlo voor de zomer, maar ze leken niet te begrijpen wat ik van hen verlangde.' Ze zuchtte. 'Toen raakte ik zwanger. Totaal per ongeluk, natuurlijk, het was echt een ongelukje. Eerlijk waar.' De mensen van de groep keken naar haar, en, terwijl ze de dop van de waterfles draaide en een grote slok nam, wisten niet of ze haar wel konden geloven.

'Nu was het in die tijd zo, of in onze sociale kringen in ieder geval, dat je onmiddellijk ging trouwen als je een baby verwachtte. Er was geen sprake van dat een man zijn zaad maar overal kon deponeren waar hij wilde om haar vervolgens aan haar lot over te laten met de baby, o nee. De man moest het allemaal netjes regelen, dat was zijn plicht.'

De emoties stonden op haar gezicht af te lezen, haar hals werd rood. 'Maar de vader van mijn kind was van adel, lid van het Hogerhuis én van het parlement. Ik was ontzettend verliefd op hem,' ze wachtte heel even, een zachte, waterige blik in haar ogen, het was duidelijk dat dit geen leugen was, 'en hij beloofde dat hij me financieel zou steunen, maar de afspraak was dat ik het geheim moest houden – het schandaal zou kennelijk niet te overzien zijn geweest.'

De daaropvolgende jaren van bitterheid en haat hadden hun sporen achtergelaten, en op Marjories gezicht stond die hardheid af te lezen die enkel voorkomt bij de chronisch teleurgestelden.

'Ik had een abortus kunnen laten doen, jazeker,' ze stak uitdagend haar kin naar voren, 'maar ik besloot het niet te doen. Ik was vastbesloten om de dingen op mijn manier te doen. Eigenlijk dacht ik dat hij wel zou bijdraaien als de baby eenmaal geboren was. Maar dat deed hij niet, en de kranten wilden het schandaal niet publiceren. Ze stonden óf aan zijn kant, óf aan die van papa – het was het tijdperk van ouwe-jongens-krentenbrood. Ik zou het nooit hebben gedaan, maar de vader weigerde te betalen, en inmiddels was papa ernstig ziek, en mijn moeder was bezig zichzelf kapot te drinken, dus ik had het geld nodig.

En ik wilde uiteraard graag een baby.' Maar dat was beslist een latere toevoeging. 'Welke vrouw wil dat nou niet?'

De groep was nu vol medeleven, alleen niet voor Marjorie, maar voor haar kind.

'Papa stierf vlak nadat mijn dochtertje werd geboren. Mijn moeder, met haar dronkenmanswijsheid, besloot dat dit een goed moment was om me te onterven. Ze beweerde dat ze mijn hachelijke situatie afgrijselijk vond, dat ze walgde van mijn gedrag. (Ze was altijd een vreselijk sociale klimmer geweest, mijn oma noemde haar altijd het revuemeisje.) Maar ik wist dat het was omdat ze jaloers was op papa's liefde voor mij, dat was altijd al zo geweest. Trut!' Ze spuwde het woord uit. Uiterst onaantrekkelijk.

'Hoe dan ook, na een lange juridische strijd, waar al het geld dat papa me had nagelaten aan op ging, moest ze wel een piepklein flatje voor me te kopen in Kensington, maar ze heeft nooit meer een woord tegen me gesproken. Nu is ze dood, godzijdank, net goed.

Dus nu ben ik helemaal alleen op de wereld. Ik heb een broer die me geld geeft wanneer hij daar zin in heeft, maar ik moet hem er eerst om smeken. Sterker nog, mijn broer betaalt voor mijn verblijf hier; heel gul van hem als je bedenkt dat hij leeft van wat mijn erfenis had moeten zijn. Persoonlijk denk ik dat het is omdat zijn afschuwelijke vrouw weigerde me met de kerst te ontvangen na het debacle van vorig jaar.'

Ze barstte in snikken uit. 'Het is zwaar geweest, weet je. Echt verdomde zwaar. Ik heb mijn dochter in mijn eentje moeten grootbrengen, terwijl ik ondertussen mijn best deed om een vaderfiguur voor haar te vinden. Het ondankbare kind begreep dat niet, natuurlijk, zij dacht dat ik constant de deur uit ging om plezier te maken. Ze is zo'n carrièrevrouw nu, bikkelhard, geen greintje sympathie in haar lijf.

Het is haar egoïsme dat me zo van streek maakt. Weet je, ik heb geen enkel moment van geluk meer gekend sinds de dag dat zij is geboren. Het is een permanente strijd geweest om mijn hoofd boven water te houden, en dit is mijn eerste inzinking. Zij heeft het makkelijk, ze is uit huis nu, ze heeft me in de steek gelaten – ze heeft een zeer goedbetaalde baan en, nou ja –' dit was duidelijk te veel voor Marjorie, 'ze heeft onlangs een fantastische man ontmoet die oprecht van haar lijkt te houden!' Ze snoof minachtend. 'Hoewel geen mens weet hoe lang dat zal duren.'

Zelfmedelijden, jaloezie, hebzucht, allemaal heel akelig op het gezicht van een vrouw. Ten overstaan van de hele groep was Marjorie veranderd in een lelijke vrouw.

Dokter Lichtenstein gaf haar een tissue. Terwijl ze haar ogen bette, vroeg ze aan de rest van de groep: 'Wat moet er van mij worden? Zal er ooit iemand van me houden? Ik woon nu alleen in diezelfde armoedige flat, de centrale verwarming is kapot, ik kan geen werk vinden aangezien ik nergens voor ben opgeleid, ik heb geen vrienden, mijn dochter wil niet meer met me praten, ik drink mezelf elke avond in slaap, ik heb alle mogelijke klinieken en behandelcentra en alternatieve therapieën en contactbemiddelingsbureaus geprobeerd, maar niets lijkt te werken. Ik ben nog steeds overstuur door wat me is overkomen, en ik ben als de dood voor wat me hierna weer te wachten staat.' Ze had net zo goed het woord SLACHTOFFER op haar voorhoofd kunnen laten tatoeëren. 'Het enige wat ik nodig heb, is iemand die voor me zorgt, en dan komt het allemaal wel goed.'

Het was een triest verhaal, maar er was niemand die half zoveel medelijden met Marjorie had als zijzelf. Eén van de groepsleden, echter, had aan haar lippen gehangen alsof haar leven ervan afhing.

Nu wist ik hoe Scrooge zich voelde toen hij bezoek kreeg van de geest van de kerst van de toekomst. Mijn verleden was niet bepaald hetzelfde als dat van Marjorie, maar ze had me beslist geholpen om mijn toekomst te zien.

Ik wilde niet moederziel alleen eindigen, vol wrok jegens Amber, verdrinkend in een zee van zelfmedelijden. Ik wilde geen slachtoffer zijn van mijn eigen waanideeën. Sterker nog, ik wilde mijn leven niet meer.

Ik wilde evenmin in een kliniek zitten met een stel mafkezen en me langzaam een weg terug vechten naar geestelijke gezondheid. Maar ik zat hier nu eenmaal, dus ik kon net zo goed luisteren naar wat ze te zeggen hadden.

Er moest iets veranderen, en wel nu meteen.

6

'En hoe krankzinnig deze mensen ook mogen zijn, het is nu
ook weer niet zo dat ik me niet kan herkennen in wat ze zeggen. Ik kan me er eigenlijk wel min of meer in herkennen.
Eigenlijk helemaal.'

Augusten Burroughs, *Dry*

De eerste aan wie ik mijn verhaal vertelde, was Amira.

Het was één uur 's nachts, en we zaten in het donker in de rook-
kamer, waar we hadden afgesproken elkaar te zullen ontmoeten
voor een peuk. Het was volkomen illegaal, natuurlijk, om uit je bed
te komen nadat de lichten uit waren gedaan, maar hé, we waren re-
bellen.

Het duurde een hele tijd – om de een of andere reden vond ik dat
ze werkelijk alles moest weten – maar ik gooide het er allemaal uit.

'Goh,' zei een verbaasde Amira toen ik klaar was, 'wat afschuwelijk voor je. Niet te geloven zeg, dat je zomaar gedumpt wordt door
de vader van je baby. Je moet wel ronduit monsterlijk zijn geweest!'

'Ik?! Ik heb niets gedaan, híj is degene die ervandoor is gegaan!'

'Sst! Niet zo schreeuwen.' Amira nam een trekje van haar peuk.
'Zo worden we nog betrapt.' Ze blies haar rook naar het plafond.
'Heb je hem ooit nog gezien?'

'Nee,' zei ik, 'ik weet niet waar hij naartoe is gegaan. Eens in de
zoveel tijd kreeg ik nog weleens cryptische ansichtkaartjes van hem
uit alle delen van de wereld, maar ik denk eigenlijk nooit meer aan
hem.'

Ze keek me aan.

'Oké, oké – ik denk voortdurend aan hem.'

'Is het een obsessie voor je?' vroeg ze.

Ik knikte.

Ze glimlachte, met zo'n blik van ik-weet-precies-wat-je-bedoelt. 'En wat zeg je tegen je dochtertje wanneer ze naar haar vader vraagt?'

'We hebben het er nog nooit over gehad,' zei ik.

'Wat, nog nooit?!'

'Nee. Het is alsof hij nooit heeft bestaan.'

'Wat idioot,' zei Amira, die haar peuk uitdrukte op de zool van haar pantoffel. 'Het spijt me, maar dat is echt idioot. O, shit!' Ze begon op één been door de kamer te hinken. 'Hij is er dwars doorheen gegaan! Au, help, het brandt!'

Het was voor het eerst sinds tijden dat ik weer lachte. Dokter Lichtenstein zei dat weer te kunnen lachen het eerste teken was dat je beter werd.

Vrij snel nadat ik in de kliniek was gearriveerd, begon ik iets te ervaren wat ik nog nooit eerder had gevoeld.

Het begon 's ochtends vroeg, voordat ik wakker werd. Ik wist nog voordat ik mijn ogen open had gedaan dat het op het voeteneind van mijn bed zat, als een grote adelaar, flapperend met zijn enorme vleugels, klaar om me te lijf te gaan met zijn snavel.

Het flapperde voor mijn gezicht als er iemand naar me keek, als ik iets moest zeggen, als ik de waarheid moest vertellen. Het krijste in mijn oren als ik moest luisteren naar wat er werd gezegd. Het sloeg zijn klauwen in mijn schouders en probeerde me letterlijk weg te trekken bij alles wat ik wilde doen.

Maar het grootste deel van de tijd flapperde het rond in de kooi van mijn lichaam, waar het zich wanhopig een weg naar buiten probeerde te krabben.

Andere patiënten praatten er veel over, aangezien ze er het grootste deel van hun leven mee hadden moeten leven. Ik had het mezelf nog nooit in deze mate toegestaan. Uiteindelijk leerde ik het een naam te geven. Angst.

'Goedemorgen allemaal! Mijn naam is Debbie, en ik ben aangewezen als jullie alternatief therapeute, alleen voor vandaag. Grapje!' Ze had zo'n heldere schoonheidsspecialistenlach.

Ze had ook een ontzettend irritante sissende 's'. (Ondanks de lessen over liefde en vrede en al die flauwekul daar, was ik niet van de ene op de andere dag tolerant en verdraagzaam geworden, zoals je kunt begrijpen.) Ik probeerde Amira's blik te vangen, maar die had het te druk met kijken naar een smulpaap die zich van haar ontbijt aan het ontdoen was en haar zakken stond te legen in de prullenbak in de hoek.

'En dat wordt het thema van de sessie van vanmorgen – Alleen Voor Vandaag. Inderdaad, mensen, we gaan het hebben over hoe het is om bij de dag te leven. Heeft iemand daar misschien iets over te zeggen?'

'Vandaag niet, nee,' zei een gokverslaafde mijnwerker die alles kwijt was geraakt behalve het joggingpak dat hij aanhad, 'maar mag ik daar morgen op terugkomen?' Zijn trouwe volgelingen giechelden, Amira en ik keken elkaar even aan.

Onze dagen waren ingedeeld volgens een strak schema. We werden gewekt met een kopje thee op bed – het eerste en laatste aangename moment van de dag. Daarna het ochtendgebed en meditatie om 8.30 uur, als je daar zin in had – ik niet – gevolgd door een bedwelmende combinatie van groepstherapie of één-op-één counseling door dokter L., of als je pech had allebei. Soms werden we getrakteerd op een praatje door een oud-patiënt, wat altijd interessant was, aangezien zij er over het algemeen nog veel slechter aan toe waren geweest dan wij en het konden navertellen. Niemand miste deze sessies, we waren dankbaar voor het contact met de buitenwereld, ook al waren het zonder uitzondering opgewekte, blije mensen. Dit was soms bemoedigend en soms om razend van te worden, het hing ervan af hoe ik me die dag voelde.

De lunch was niet veel beter dan kantinevoer, maar we werden geacht zoveel mogelijk te eten aangezien veel van ons hun gezondheid de afgelopen tijd hadden verwaarloosd, en dat is nog zacht uitgedrukt. Na de lunch hadden we een uur vrij, waarin de meeste mensen een dutje deden – onze reis naar de kliniek was lichamelijk meestal net zo uitputtend geweest als geestelijk, we waren nog steeds erg moe. Ik ging altijd patience spelen, ik kon mijn hersens niet voldoende uitschakelen om te kunnen slapen.

In de middagen waren we meestal overgeleverd aan de genade van

Debbie en haar 'team' (Amira en ik noemden hen The Debettes) die meedogenloos waren in hun vastbeslotenheid om ons op te vrolijken. Persoonlijk vond ik dit verschrikkelijk, hoewel anderen er baat bij hadden. We werden onderworpen aan kunsttherapie, of yoga, of dramatherapie (waarbij je werd aangemoedigd om je innerlijke kind naar buiten te brengen, ik verstopte me achter de bank tijdens *Dr. Who* omdat dat het enige was wat ik kon bedenken) of mijn minst favoriete van allemaal: vrij bewegen. Dit hield in dat je op je blote voeten door de kamer rende terwijl er zweverige new age muziek uit Debbies gettoblaster sijpelde. Ronduit verschrikkelijk. Iets wat 'danstherapie' heette, was van het rooster geschrapt – daar was ik dankbaar voor.

Na het avondeten hadden we schriftelijk huiswerk te doen. Dit kon van alles zijn, van een opstel over 'Tot waar reikt mijn controle,' wat een angstaanjagende openbaring was, tot 'Vijftig dingen die geweldig zijn aan mij,' wat veel moeilijker was dan je zou denken. Ik kwam niet verder dan zeven.

Toen ik eenmaal over mezelf begon te praten, kon ik niet meer ophouden. Begrijp me niet verkeerd, ik had psychiatrie en de 'praattherapieën' (ik bedoel, *werkelijk*) altijd beschouwd als genotzuchtige nonsens, prima voor Woody Allen maar niet voor mensen zoals ik. Het feit dat ik ieder zelfhulpboek dat ooit was uitgegeven had gekocht en dat ze nog steeds in mijn boekenkast stonden, ongelezen, zegt genoeg. Ik wist dat er iets mis was, maar ik wilde er niets aan doen. Dat hoefde ook niet. Zo was ik nou eenmaal; ik wist het altijd beter, beter dan een ander, beter dan de deskundigen. Het blijkt dat ik – nou ja, fout zat. (Ik heb nog steeds moeite met het 'f'-woord.)

Het was zo'n opluchting om al die zooi uit mijn hoofd te krijgen en op tafel te leggen.

Maar het was niet makkelijk – sterker nog, het was het moeilijkste wat ik ooit heb gedaan, maar ook het meest zinvolle, denk ik. Ik huilde en huilde en huilde. Het was alsof ik al die jaren van bevroren gevoelens langzaam aan het ontdooien was. Het was verschrikkelijk, maar het was wel goed.

Ik lachte ook heel veel, en ik schreeuwde wat, en ik was beslist niet een van die types die moeite hebben om hun woede te uiten. Ik zat in een emotionele achtbaan vanaf het moment dat ik wakker werd totdat mijn hoofd 's avonds bezweek en ik eindelijk mocht gaan slapen.

Grappig genoeg voelde ik me daar helemaal thuis. Het was een beetje alsof ik weer op kostschool zat. Alleen in plaats van je gevoelens te moeten onderdrukken, moest je ze juist de vrije loop laten. En we hadden geen aardrijkskunde.

'Geloof je in God, Charlotte?'

'Nee.'

'Daar lijk je heel stellig in.' Dokter Lichtenstein raapte een blaadje op dat op de een of andere manier de turbulentie van de wisselende seizoenen had weten te overleven. De één-op-één sessie van vandaag vond plaats in Hyde Park; dokter L. zei dat het me goed zou doen om even een frisse neus te halen, om te zien waar de rest van de wereld mee bezig was. Voor zover ik kon zien, was de rest van de wereld in Hyde Park – het was er stervensdruk, ik had er nog geen woord Engels gehoord, het waren allemaal toeristen.

'Heb je ooit enige spirituele overtuiging gekend?'

Dus vertelde ik het hem.

Toen ik nog te klein was om mijn mond te kunnen houden in de kerk, gaven mijn ouders me een boek met de titel 'Waar is God?' Er stonden mooie plaatjes in van een klein meisje in een blauwe jurk dat bloempotten ondersteboven keerde en onder kussens naar hem zocht, dat onder het bed kroop en in de brievenbus op straat tuurde, terwijl ze steeds dezelfde vraag stelde: 'Waar is God?'

Ik zat altijd aandachtig naar elke bladzijde te staren, nam alle details van de illustraties in me op, als een berg opziend tegen het moment waarop ik bij de laatste keer zou komen dat ze vroeg: 'Waar is God?' omdat het antwoord dat haar moeder haar gaf, en dat natuurlijk de climax was van het hele boek, 'God is overal' was. Daar werd ik altijd boos om, heel erg boos, omdat het nergens op sloeg. Ik was blij dat ik werd afgevoerd naar zondagsschool in de hal van de kerk, vlak voordat de dienst begon, dankbaar voor de gelegenheid om nog meer plaatjes van kamelen en lammetjes in te kleuren, en waarom kon Jezus geen roze gewaad aan hebben?

Voordat ik naar kostschool werd gestuurd, van mijn zesde tot mijn achtste, ging ik naar school in een klooster in de buurt dat werd gerund door angstaanjagende nonnen die allemaal Zuster Maria zus-en-zo heetten. Ze zaten vol duistere verhalen over religieuze terreur, zoals wat er gebeurde met mensen die geen gebed zeiden voordat ze doodgingen. Ik lag er 's nachts wakker van, bang dat ik van een klif af geduwd zou worden en niet de tegenwoordigheid van geest zou hebben (of zelfs maar de tijd) om een vlug Weesgegroetje te prevelen voordat ik op gruwelijke wijze te pletter sloeg op de rotsen beneden, wat betekende dat ik zeker naar de hel zou gaan en daar voor eeuwig aan een spit geroosterd zou worden.

We kregen ook een vergeelde luchtfoto te zien van een bergketen. Als je het gezicht van Jezus erin kon zien, was je een Ware Gelovige. Zo niet – ach, dat deed er niet toe, want iedereen zag het.

We moesten bidden voor de arme gehandicapte kinderen die in het voorgeborchte van de hel zouden eindigen (of de waarborg, zoals ik het jarenlang abusievelijk noemde). We vergaten al snel onze kinderlijke dromen over trouwen of, ambitieuzer zelfs, een eigen bedrijf runnen – we wilden allemaal de heilige Bernadette worden als we groot waren.

Religie speelde een belangrijke rol op mijn beide kostscholen. Een heel populair tijdverdrijf op de eerste was het knielkussen thee-uurtje, dat plaatsvond op zaterdagmiddag. Het was geheel vrijwillig, en wij lieve filantropische meisjes gaven bereidwillig onze vrije tijd op om hoesjes te borduren voor de knielkussens van de schoolkapel. Het feit dat we ook roomtaartjes en chocoladekoekjes en warme broodjes met boter erbij kregen, was slechts een klein bijkomend voordeel van het uitvoeren van Gods werk, en zeer zeker niet de enige reden waarom we onze diensten vrijwillig hadden aangeboden.

Op de volgende school was het de regel dat de zondagse preek van de bezoekende geestelijke minimaal vijfentwintig minuten moest duren. Dit was ondraaglijk lang voor ons (vijf minuten zou al te veel van het goede zijn geweest, vergis je niet) dus daarom speelden we altijd het preekspel, vele jaren geleden ontwikkeld door vroegere leerlingen die zich net zo moesten hebben verveeld als wij.

Het idee was dat je aandachtig luisterde tot je een woord hoorde dat begon met een 'a', vervolgens eentje dat begon met een 'b', enzovoort, helemaal tot en met 'z', waarop je je gebedenboek liet vallen ten teken dat je het spel had uitgespeeld.

Het onderwijs dat we genoten was zo erbarmelijk slecht dat we daadwerkelijk dachten dat dit mogelijk was (welk religieus woord begint er nou met een 'x'?) en altijd aandachtig zaten te luisteren in onze banken, terwijl we ons realiseerden dat de tijd begon te dringen en we pas bij de 'k' waren. Meestal begon ik tegen die tijd in gedachten een lijst te maken van 'Dingen Die Ik Nu Liever Zou Doen'.

Je zult dan ook begrijpen dat we verrast waren toen een kanunnik, jawel, zijn preek begon met 'Als er in de Bijbel wordt gerept over Christus als De verlosser...' en deze binnen slechts een paar minuten besloot met '...en daarom Viert men sindsdien overal ter Wereld Kerstmis, of "X-mas" (we konden onze oren niet geloven) zoals de Yankees het noemen (de spanning was ondraaglijk), van Australië tot (ja, ja?) Zwitserland!'

Nadat de echo van bijna 400 gebedenboeken die met een klap op de vloer van de abdijkerk vielen was weggestorven, vervolgde hij: 'Mooi! Nu het preekspel afgelopen is en ik jullie volle aandacht heb, zal ik verdergaan.' We voelden ons bedrogen; zijn vrouw bleek een oud-leerlinge van de school te zijn.

Daarna deed ik geen moeite meer om me met religie bezig te houden, omdat het niet meer hoefde. Het was eind jaren zeventig, toen de anglicaanse kerk zijn vrijheid-blijheid fase doormaakte, wat inhield dat jonge mannen en vrouwen met jampotglazen en verstandige schoenen met groot enthousiasme op gitaren tokkelden en op tamboerijnen sloegen, terwijl ze liedjes zongen met moderne titels als 'God is toch zo'n mieterse kerel.'

In Amerika waren ze bezig aan een wedergeboorte, ze gooiden zich achterover in doopmeren en gaven al hun geld aan tv-dominees, maar dat alles met een grote glimlach, want hé, Jezus houdt van mij. Wat betreft pr waren de jaren zeventig een uiterst beroerde tijd voor de westerse religie.

Sindsdien kwam ik alleen nog voor bruiloften en begrafenissen in de kerk. Maar dan ging ik enkel vanwege het feest na afloop.

'Ik heb het niet over georganiseerde religie, Charlotte,' zei dokter Lichtenstein, terwijl hij de patronen op de achterkant van het blad nader bestudeerde. 'Ik heb het over God.'

'Wat, die oude man met een baard in een lange witte jurk die daarboven op een wolk zit te beslissen over leven en dood en er meestal faliekant naast zit, die God? Nee, in hem geloof ik zeer zeker niet!' De wending die het gesprek nam, beviel me helemaal niet. Misschien had ik me wel bij een sekte aangesloten en was de kliniek niet meer dan een dekmantel voor de Moonies. 'En ik hoop dat een man van de wetenschap als u evenmin in al die flauwekul gelooft!'

Hij glimlachte, we liepen verder. 'Wie is er dan de baas over het universum, hm, Charlotte?'

Ik wist dat hij verwachtte dat ik zou zeggen dat ik dat was, dus dat deed ik niet.

'Wie heeft er volgens jou de touwtjes in handen? Wie heeft dit blaadje ontworpen, wie heeft tegen dit blaadje gezegd wanneer het van de boom moet vallen, wie beslist er over wat er nu met jou gaat gebeuren, wie heeft je ervan weerhouden om zelfmoord te plegen?'

'Wat?' Het type vragen begon me te irriteren, bij etentjes was ik altijd weggelopen zodra ze in deze fase belandden. Dronken Zeikopolie had ik het altijd genoemd. 'Luister, ik wil hier niet meer over praten, oké?' Ik bleef staan, ik wilde me omdraaien en teruggaan naar de beschutting van de kliniek.

'Prima, praat dan maar niet, luister alleen maar.' Ik had geen keus, ik moest verder lopen met hem. 'Ik mag jou wel, Charlotte, en ik wil graag dat je beter wordt. Normaal gesproken wacht ik tot mijn patiënten ruimdenkend of wanhopig genoeg zijn om te luisteren naar wat ik te zeggen heb, maar ik denk dat jij er klaar voor bent om dit nu al te begrijpen. En je bent intelligent genoeg om het meteen te snappen, als je die watten maar eens uit je oren wilde halen en ze in je mond wilde stoppen.'

Ik negeerde zijn grofheid; er had nog nooit eerder iemand tegen me gezegd dat ik intelligent was. Ik hoopte dat dit niet al te lang zou gaan duren; het was steenkoud, en Amira's minuscule designerjas zat niet bepaald als gegoten rond mijn middel.

Dokter L. vervolgde: 'Een oude vriend van me zegt dat religie is voor degenen die niet naar de hel willen gaan, en spiritualiteit voor degenen die er al zijn geweest.'

Heel slim. We ontweken een klein wankel jongetje op rolschaatsen, duidelijk een langverwacht kerstcadeau. Ik bleef staan om een schattige mopshondpup te aaien, in de hoop dat ik dokter L. daarmee misschien kon afleiden van zijn preek. Niet dus.

'Net als jij vond ik vroeger alleen al de gedachte ondraaglijk om de controle over mijn leven uit handen te geven – vooral aan iemand of iets wat ik niet kon zien. Voor mij was de vraag of ik in God geloofde net zoiets als de vraag of ik in tovenarij geloofde. Het wilde er bij mij gewoon niet in.'

We liepen langs een clubje Japanse toeristen dat bezig was een groepsfoto te nemen; ik trok een gek gezicht op de achtergrond, iets wat ze enkel zouden waarderen zodra ze weer thuis waren.

'Weet je, ik dacht vroeger altijd dat het mijn taak was om de hele wereld te runnen, en dat heb ik ook een poosje gedaan. Maar het werd steeds moeilijker, aangezien ik tot de ontdekking kwam dat ik er geen volledige controle over had. Mensen bleven maar dingen doen die ik niet wilde. Dingen gebeurden zomaar. Het was behoorlijk angstaanjagend, dus deed ik nog meer mijn best. En hoe meer ik mijn best deed, hoe oncontroleerbaarder de wereld werd. Uiteindelijk raakte ik zo uitgeput dat ik zelfs mijn eigen leven niet goed meer kon hanteren, wat inmiddels piepklein was geworden, aangezien dat de enige manier was waarop ik het nog enigszins beheersbaar kon houden.'

Er begon een oorverdovend luide bel te rinkelen in mijn hoofd. Ik besloot het geluid te negeren en glimlachte naar een schattig knulletje op een wel heel erg nieuwe driewieler.

'Maar dat akelige gevoel van geen controle hebben bleef maar terugkomen.' Hij dempte zijn stem en keek om zich heen, alsof er een mogelijkheid bestond dat we werden gevolgd door de geheime dienst. 'Niet iedereen weet dit, maar ik dronk te veel, ik gebruikte te veel drugs, ik zat achter de vrouwen aan, ik gaf geld uit dat ik niet had, ik at te veel, ik at niets. Ik deed zo'n beetje alles om weg te rennen voor mijn gevoelens over wat er gebeurd was, wat er nu gebeurde, wat er in de toekomst zou kunnen gebeuren.'

Ik probeerde me dokter L. dronken voor te stellen op een feestje, heroïne spuitend in de badkamer terwijl hij een blondine neukte, het hele buffet naar binnen werkte en het er vervolgens weer uit gooide, maar slaagde er niet in.

'Uiteindelijk rende ik, net als jij, tegen een stenen muur aan en werd ik gedwongen om mezelf onder de loep te nemen. Ik bleek totaal niet geschikt om ergens de leiding over te hebben. Hoe meer ik te weten kwam, hoe minder ik wist.'

En hoe meer hij praatte, hoe minder ik hem mocht. Hij was duidelijk een of andere wedergeboorte-idioot. Jammer, ik had hem tot nu toe tamelijk verstandig gevonden.

'Maar ik moest iets of iemand vinden om het van me over te nemen, om voor de wereld te zorgen nu ik wist dat ik het niet kon. Uiteindelijk, na lang zoeken, opperde iemand die vergelijkbare problemen had gekend dat ik het moest loslaten en erop moest vertrouwen dat degene of datgene wat tot nu toe voor me had gezorgd dat gewoon zou blijven doen. Een grote stap, vind je niet?'

'Ik zou het niet weten; ik heb van mijn leven nog nooit iemand vertrouwd. Mensen zijn, over het algemeen, volstrekt onbetrouwbaar.' Dus kunnen we het nu alsjeblieft ergens anders over hebben?

'Precies. Nou, het goede nieuws voor een controlfreak als ik was dat ik zou mogen kiezen wie of wat dat dan was – alhoewel hij het woord 'God' gebruikte, hoefde het niet de man met de baard uit jouw jeugd te zijn, en het hoefde ook niet de 'God' uit de mijne te zijn. Het moest gewoon een macht zijn die naar mijn mening sterker was dan ikzelf, dat is alles.'

'Maar dat is krankzinnig, je kunt niet –'

'Ik weet het.' Hij stond stil en keerde zich naar me toe. 'Ik gaf hem minstens twintig redenen waarom dit niet mogelijk was, en hij ging zitten en luisterde geduldig naar alles wat ik zei. Toen vroeg hij kalmpjes hoe het me tot nu toe was bevallen om voor alles en iedereen verantwoordelijk te zijn, was ik gelukkig met mijn leven zoals het nu was?'

Hij glimlachte. 'En toen dacht ik bij mezelf: misschien moest ik het maar eens proberen met dat nieuwerwetse idee. Een poosje maar, hoor – als het niet werkte, zou ik mijn oude strategie van volledige controle, vierentwintig uur per dag, zeven dagen per week, weer oppakken.' Hij begon weer te lopen, terug in de richting waar we vandaan kwamen.

'En?'

'Het heeft mijn leven veranderd. Ik heb nooit meer ergens de verantwoordelijkheid voor hoeven dragen.'

Ik zou niet willen zeggen dat hij saai was, maar dokter Lichtenstein bleef maar doordrammen over God, de hele weg terug naar de ingang van het park, en zelfs de hele weg terug naar de kliniek. De taxichauffeur is waarschijnlijk het klooster in gegaan nadat hij ons had afgezet.

Hij was er zelfs nog steeds over bezig toen we de trap op liepen naar de receptie.

'Mama!'

Amber vloog van de bezoekersbank af en stortte zich in mijn armen. Ik had me niet gerealiseerd hoe erg ik haar had gemist, ze rook naar ons. Ik omhelsde haar stevig; te stevig, ze rukte zich los. 'Gaat het goed met je?' Ze keek heel ernstig voor iemand die nog zo klein was.

'Ja hoor, prima...' Mijn vader doemde op in mijn blikveld. Ik rechtte mijn rug. 'Wat doen jullie hier? Wat is er aan de hand?'

'Tijd om mee naar huis te gaan, Charlotte. Moeder zit buiten in de auto te wachten.' Hij keek gegeneerd, schichtig zelfs. 'Schiet maar gauw op!'

Ik realiseerde me dat hij waarschijnlijk nog nooit eerder in een psychiatrisch ziekenhuis was geweest. Amber trouwens ook niet. 'Waarom heb je haar in vredesnaam mee hiernaartoe genomen?' siste ik.

'Dat had ik hem opgedragen,' gaf dokter Lichtenstein toe. 'Amber moest weten waar je was. Je was ziek, en dus moest je naar het ziekenhuis –'

'– en nu ben je weer beter!' Amber sprong opgewonden op en neer. 'Ik heb Minnie Mouse ontmoet, mam! Ik heb zelfs een foto van mezelf met haar, een echte foto, in een lijstje en alles! En ik heb Ariël gezien, en Don Duck!' Ik glimlachte, dit was een grapje tussen ons tweetjes sinds ze het als kleuter een keer verkeerd had gezegd.

'Maar ik kan nog niet naar huis, ik ben niet klaar –'

'Helpen met inpakken?' vroeg papa.

'Ik help je wel,' zei dokter L., en hij voerde me mee naar de lift terwijl mijn vader Amber nog wat extra muntjes gaf voor in de parkeermeter.

Ik had uiteraard niets in te pakken, alleen de plastic tas met het nachthemd en de ochtendjas waarvan zuster Ellen zei dat ik ze mocht houden. Joepie.

Dokter Lichtenstein ging op het bed zitten. 'Tijd om verder te gaan met je leven, Charlotte. Je vader belde me gisteren, en ik kon geen enkele goede reden aanvoeren om je hier nog langer te houden.'

113

'Maar ik wil helemaal niet naar huis!' jammerde ik. 'Ik vind het hier fijn, ik voel me hier veilig. Ik ben er nog niet aan toe om met De Buitenwereld te worden geconfronteerd.'

'Je doet het fantastisch. En bovendien, het is hier niet goedkoop, hoor.'

'Kan ik geen studiebeurs krijgen?'

Hij lachte. 'Nee.'

'Maar ik kan het niet aan, ik ben...'

'Ja?'

'...bang.'

'Bravo, Charlotte!'

Bij het afscheid zei hij tegen me dat ik dankbaar moest zijn dat mijn familie voor me wilde zorgen, vooral als ik het gevoel had dat ik dat zelf nog niet goed zou kunnen. 'Laat het los en laat God toe,' fluisterde hij, terwijl hij een snikkende Amira van me los wrikte.

Ja, nou, al dat godsdienstige gedoe mocht voor hem dan misschien wel werken, maar ik twijfelde er geen seconde aan dat dat voor mij niet het geval zou zijn.

7

'Afhankelijkheid van de innerlijke schepper is in feite vrijheid van alle andere afhankelijkheden. Paradoxaal genoeg is het ook de enige weg naar echte intimiteit met andere mensen. Bevrijd van onze vreselijke verlatingsangst, zijn we in staat om met meer spontaniteit te leven. Bevrijd van onze constante vraag naar meer en meer geruststelling, zijn onze naasten in staat om onze liefde te beantwoorden zonder dat het voelt als een belasting voor hen.'

Julia Cameron, *The Artists Way*

Ik was ervan uitgegaan dat ze me meenamen naar hun huis. Ik was geschokt toen ik me realiseerde dat we richting Fulham reden. 'Eh,' zei ik voorzichtig vanaf de achterbank, 'ik denk dat mijn huis – nou ja, niet de beste plek is om naartoe te gaan. Ik geloof dat ik het een beetje rommelig heb achtergelaten...'

'Nonsens!' antwoordde mijn vader. Hij legde omslachtig uit, als aan een kind van vijf, dat mijn moeder en hij, toen ze eenmaal terug waren uit Amerika en Amber weer naar school moest, het huis 'opnieuw hadden ingericht' als verrassing voor mij. 'Dus daarom is je arme moeder nu zo moe.' (Ze was zo blij om me te zien dat ze op de passagiersstoel in slaap was gevallen.)

'Mama, ik ben helemaal in mijn eentje naar huis gevlogen! Ik was een alleenreizend kind, net als Remi,' jubelde Amber, met haar onbegrensde fantasie. Ze zat de hele weg naar huis vrolijk te kwetteren, terwijl ik me zorgen begon te maken over wat ze met mijn huis hadden gedaan. (Op dat moment kon ik me niet alle details meer herinneren van mijn huishoudelijke vernielingen, maar ik was nog steeds zelfverzekerd genoeg om te denken dat de toestand waarin ik het had achtergelaten allicht beter zou zijn dan alles wat zij eraan zouden kunnen doen.)

We besloten mijn moeder in de auto te laten zitten aangezien het zonde zou zijn om Doornroosje wakker te maken (in dit geval was honderd jaar nog niet lang genoeg) en papa morrelde met zijn sleutel in het slot, dat, zo constateerde ik, nieuw was. Het Victoriaanse gebrandschilderde glas in de voordeur, compleet met vuilniszakornament, dat ik eroverheen had geplakt op de dag dat McQueen werd overreden, was vervangen door een modernere versie van sierglas, hetgeen beslist niet hetzelfde was. Het was afzichtelijk. De moed zonk me in de schoenen bij de gedachte aan wat me aan de andere kant van de deur te wachten stond.

Toen zag ik dat mijn schriele (zij het ongesnoeide) rozenstruiken met wortel en al uit de piepkleine voortuin waren gerukt en waren vervangen door een of andere saaie liguster. Papa zag me vol ontzetting naar de nieuw aangelegde bloembedden kijken. 'De rozen waren een beetje in de verdrukking gekomen,' meldde hij bij wijze van verklaring, 'ze zouden de winter niet hebben overleefd.'

'Aha.' Ik voelde een rauwe mengeling van schaamte en woede, denk ik. (Ik voelde in ieder geval íéts; dokter L. zou trots op me zijn geweest.)

'Toe nou, opa, schiet op!' piepte Amber, 'ik wil mama laten zien wat jullie met mijn slaapkamer hebben gedaan!' Ik meende me te herinneren dat ik er ook zo het een en ander mee had gedaan; had ik echt haar geliefde verzameling poppen uit het raam gesmeten? Ik kreeg ineens een flashback van de grote roze plastic strandauto waar Barbie en Ken zoveel plezier van hadden gehad, bovenop een grote berg troep in de achtertuin.

Amber rende langs ons heen, rechtstreeks naar boven. Er lag geen tapijt in de hal, alleen kale planken, die iemand duidelijk had geschuurd en gelakt.

De woonkamer was de eerste kamer die ik zag. Hij vertoonde geen enkele gelijkenis met de armoedige kamer die ik had achtergelaten; het was een warme comfortabele kamer vol met smaakvol op elkaar afgestemd meubilair en een weelderig roomkleurig vloerkleed. 'Dit

116

moet jullie een fortuin hebben gekost!' riep ik uit, vol ontzetting. Hoe moest ik hun dat ooit terugbetalen?

Papa glimlachte. 'Spullen zijn van Matt, heeft de hele boel in de opslag gedaan toen hij naar Amerika vertrok. Zei dat jij er wel op mocht passen voor hem, totdat je weer helemaal de oude bent.'

'Maar dit kan ik onmogelijk aannemen,' sputterde ik – ik vond het verschrikkelijk om op wat voor manier dan ook bij mijn broer in het krijt te staan – 'wat als ik er iets op mors?'

'Ja. Dacht wel dat je boos zou worden,' papa grijnsde, tot mijn ergernis. 'Aan mij de taak om je te vertellen dat je hem een klein fortuin bespaart aan opslagkosten. Is verdomme schaamteloze oplichterij! Bewijzen elkaar over en weer een dienst, zo is iedereen tevreden.'

Mijn broers eettafel oogde volmaakt in mijn eetkamer, en mijn moeder had de keuken duidelijk bijna dood geboend, de verf was hier en daar helemaal verdwenen. Ik herkende geen enkel glas of kommetje of zelfs maar het dessin op de borden die op Matts dressoir stonden, het was alsof ik in het huis van iemand anders was.

Ik zag ertegenop om naar boven te gaan, aangezien ik me het badkamerfiasco nu heel duidelijk herinnerde. 'Hele boel was toch verrot,' zei papa, bij wijze van uitleg, 'moest er allemaal uit. Er is een aardige kerel gekomen, scheen al eerder wat karweitjes voor je te hebben opgeknapt, maar je was vergeten hem te betalen. Nu allemaal rechtgezet.' Hij gaf me een klopje op mijn rug en loodste me Ambers kamer binnen.

'Kijk eens naar mijn nieuwe spullen, mam! Op school zijn ze allemaal stikjaloers!' Uitgespreid om haar heen lag de inhoud van een grote roze koffer; pennen en stickers en nieuwe Barbies en op elkaar afgestemde outfits en make-up en hippe setjes ondergoed en een donzig handtasje en een kakelbonte maillot en kortom alles wat een klein meisje zich maar zou kunnen wensen. 'De januari-uitverkoop,' zei papa zachtjes toen we de kamer verlieten, 'je moeder heeft het uitstekend gedaan.'

Verrassend genoeg stond de dozenkamer vol dozen, keurig opgesteld langs de muren, voorzien van een etiket met de inhoud erop in mijn moeders onmiskenbare handschrift. 'Alles wat we nog konden redden,' verklaarde mijn vader. Het raam was vervangen en geschilderd, de gordijnen waren fel rood-wit geblokt, de muren waren fris hemelsblauw. Op het blankhouten eenpersoonsbed lagen helderwitte lakens, en het dekbed en de kussens waren zacht en donzig, wachtend op een vermoeid hoofd. De stijl was die van een mediterraan gastenverblijf met een Zweeds sausje. Ik meende de hand te herkennen van –

'– Verrassing!'

Ja, ik had gelijk. Arthur zat op me te wachten in de grote slaapkamer, die een absolute triomf was. Hij had echt alle remmen losgegooid, het zag eruit als een schitterende dubbele pagina in *Homes and Gardens*. Mijn broers prachtige mahoniehouten bed was bedekt met een sprei van nepbont, de gordijnen aan de muur waren weelderig, de lampen naast het bed waren gigantisch en gaven de kamer Een Zekere Gewichtigheid, zoals die stilisten-eikels het noemden. Er was geen spoor meer te bekennen van mij – of van Joe.

'Werkelijk waar,' zei Arthur terwijl hij mijn vader een glas champagne overhandigde uit de koeler die op een soort sokkel in de hoek stond, 'het is hier net *Extreme Home Makeover* geweest, nietwaar, Bob? We zijn ik weet niet hoe vaak die trap op en af geweest – ik moet zeggen, Charlotte, je broer heeft een uitstekende smaak, maar dat verbaast me niets... o, voordat ik het vergeet, raad eens wie Arthurs behulpzame knechtje is geweest?'

Hij liep naar de kast en klopte erop. De deur ging open en Jimmy maakte zijn entree, drapeerde zich met dramatische bewegingen om me heen, bijna alsof hij niet wist dat ik hem nooit had gemogen.

'Nu heb je alles gezien, Bob,' zei Arthur tegen mijn vader terwijl ze van hun champie nipten, 'zelfs een homo die uit de kast komt!'

Mijn arme vader keek hoogst ongemakkelijk, waardoor ze alleen nog maar harder moesten lachen.

Ik was totaal overdonderd, ik wist niet wat ik moest voelen. Ik weet niet of het de plotselinge roes van hun champagne was die me naar het hoofd steeg, of dat mijn emotionele firewall uitgeschakeld was, maar tot mijn afgrijzen barstte ik in tranen uit.

'Dank jullie wel – snuf – o god,' snikte ik, 'sorry. Sorry dat ik zo moet huilen, sorry hoor.'

'Je zou het vaker moeten doen,' zei die akelige kleine Jimmy, 'het staat je goed.'

Arthur gaf hem een por in zijn ribben en kwam naar me toe om zijn armen om me heen te slaan. Hij rook naar zweet en terpentine en Givenchy aftershave, en meestal was omhelzen niet mijn ding; maar dit keer aanvaardde ik het gebodene en verstopte me zolang mogelijk in zijn omhelzing.

Wat niet zo heel lang was, en dus vluchtte ik de kamer uit om alle slaapkamers en de badkamer nog een keer te gaan bekijken, me verbazend over al het harde werk dat iedereen had geleverd. Een half uur later gingen Arthur en Jimmy weg, tevreden dat hun inspanningen niet voor niks waren geweest. Ik zwaaide hen uit met een laatste 'dank je wel' en leunde tegen de binnenkant van de voordeur. Ineens voelde ik me uitgeput, leeggezogen, emotioneel en lichamelijk uitgewrongen. Beneden zat mijn vader Disney Trivial Pursuit te spelen met Amber aan de eettafel.

'Ik wil niet onbeleefd zijn of zo, hoor pap, maar gaan jullie zo naar huis? Ik denk dat ik Amber voor de tv neerpoot en een dutje ga doen in mijn nieuwe luxe slaapkamer.'

Mijn vader schraapte zijn keel. 'Het zit zo, Charlotte –'

'Dat is jouw slaapkamer niet meer, mam!' Amber zag eruit als een minitravestiet, ze had al haar nieuwe make-up uitgeprobeerd. 'Jij gaat in de kleine kamer slapen. Opa en oma wonen hier nu, is dat niet cool?'

Ik kreeg het er inderdaad helemaal koud van.

'Alleen tot je weer op de been bent,' zei mijn vader schaapachtig; dit was duidelijk niet zijn idee geweest. 'Dachten dat je wel wat hulp kon gebruiken.'

'Hulp? Hulp?! Niet van jullie!' wilde ik tegen hem schreeuwen, maar ik had er de kracht niet voor. In plaats daarvan wist ik op de een of andere manier kalm uit te brengen: 'Bedankt, pap, maar ik denk dat ik me wel red.'

'Dat is het 'm nou juist,' antwoordde hij, merkwaardig stoutmoedig. 'Denken niet dat je je zult redden, gaan niet weg voordat alles op rolletjes loopt. Hebben je lang genoeg aan je lot overgelaten,' hij pakte de dobbelsteen en schudde hem in zijn hand, 'de hulptroepen zijn er nu. Groen, mooi zo!'

Ik wist dat het zinloos was om met hem in discussie te gaan – hij werd gedreven door een kracht die veel sterker was dan wij allebei.

Maar snapten ze dan niet dat dit *mijn* huis was, *mijn* slaapkamer, *mijn* leven? Ik kon wel janken, maar ik wilde niet dat Amber zou zien dat ik overstuur was.

Dus draaide ik me om en marcheerde min of meer naar de gang, net op tijd om te zien hoe mijn moeder door de voordeur naar binnen kwam – met haar eigen sleutel. Ik rende de trap op en gooide me op mijn 'nieuwe' bed, waarbij ik met mijn hoofd tegen de muur sloeg – er was niet eens genoeg ruimte voor een fatsoenlijke driftbui.

Ik huilde tranen van verdriet en woede en ongeloof – hoe had dit kunnen gebeuren? Waarom werd ik gevangen gehouden in mijn eigen huis, dat er niet eens meer uitzag als mijn eigen huis?

Het zou redelijk zijn om te zeggen dat ik bij lange na niet zo dankbaar was voor de hulp van mijn ouders als gepast zou zijn geweest. Ik wilde mijn oude spullen terug, ik wilde op mijn eigen bank liggen. Mijn verdomde broer was me voor de zoveelste keer te hulp geschoten. Ik bedacht voor de zoveelste keer dat ik hem haatte.

Het was alsof ik bevroren was. Schijndood. Ik kon niet van de bank af komen, ik kon niet opstaan. Het was dezelfde bank waar ik het laatste deel van mijn zwangerschap op had doorgebracht, waar ik had liggen wachten tot Joe me lekkere hapjes en roddels van de buitenwereld kwam brengen. Maar nu was hij er niet meer, en in plaats van hoopvol te zijn voor de toekomst, was ik bevreesd. Doodsbang, in feite, alleen wist ik destijds niet dat het dat was. Dus kwam het eruit als withete woede, ik was razend op mezelf. Dit was absoluut mijn schuld, dat wist ik, ik had iets verkeerd gedaan. Maar wat?

We woonden op die bank, Amber en ik. Voor de bevalling was het mijn favoriete plekje geweest, ik was als een opgewekte gestrande walvis geweest. Ik denk dat ik redeneerde dat als ik daar bleef, ik misschien iets van die opgewektheid terug zou krijgen.

Inmiddels kwam ik nergens anders meer. We werden wakker op de bank, we kwamen er enkel vanaf voor korte perioden om luiers en melk in te slaan voor haar en peuken en wijn voor mij, we vielen erop in slaap.

Het klinkt idioot, maar ik was te bang om naar boven te gaan, vooral 's avonds. Ik was bang voor de herinneringen, de pijnlijke schaduwen uit een vorig leven. Het bed zou van nu af aan altijd koud zijn, want hij lag er niet in. Er lag een onderbroek van hem op de vloer in de badkamer, op precies dezelfde plek waar hij hem weken geleden had achtergelaten; ik kon het niet aan om het ding aan te raken.

Het ergste was dat ik nog steeds geen idee had waarom hij het had gedaan. Waarom was hij weggegaan? Wat had hem zomaar pats boem doen opstappen? Hoe kon hij me verlaten terwijl hij beweerde dat hij zoveel van me hield? En Amber, zijn eigen vlees en bloed, door hem zelf verwekt? Deze vragen lieten me niet los, ze bleven maar door mijn hoofd malen, zodat ik nooit een minuut rust had. Waarom, waarom, waarom?

Dat was wat er vanbinnen gebeurde, althans. Aan de buitenkant deed ik net alsof er niets aan de hand was. Ik wilde niet dat mijn ouders zouden weten dat hij vertrokken was, want dan zouden ze het liedje van zie-je-wel hebben gezongen. Als er iemand belde voor Joe, zei ik dat hij net even de deur uit was, of dat hij in bad zat, of aan het repeteren was. De melk kookte over, kon ik straks terugbellen? Ik probeerde een lijst bij te houden van wat ik tegen wie had gezegd, maar dat was niet te doen. Uiteindelijk hielden ze op met bellen, hij moest het zijn vrienden en kennissen hebben verteld. Maar ik vertelde het de mijne niet, ik wilde niet dat iemand zou weten dat ik was gedumpt. In de steek gelaten.

Ik weet niet hoe lang ik het dacht geheim te kunnen houden, maar uiteindelijk ging het niet meer.

Klop klop! Klop-klop-klop!

Ik lag te slapen. Wat was dat, verdomme? Rot op.

Ik probeerde terug te gaan naar mijn droom, die ging over het vermoorden van Joe met een lege injectiespuit door een luchtbel in zijn bloedbaan te brengen die naar zijn hart moest gaan. (Dit was de beste strategie die ik kon bedenken om hem te vermoorden zonder gepakt te worden – ik zou met plezier de gevangenis in zijn gegaan omdat ik hem had vermoord, maar er was niemand die ik de zorg voor Amber wilde toevertrouwen.) Mijn plan was om de naald in zijn been te steken, gewoon als ik hem op straat tegenkwam, nonchalant als je wilt. Geen enkele bewakingscamera zou dat registreren. Niemand zou weten hoe hij gestorven was, ze zouden nooit in staat zijn om zo'n minuscuul speldenprikje op te sporen.

Maar hoe moest ik hem op straat tegenkomen? Ik wist niet eens waar hij was. Ik was hem kwijtgeraakt. Zijn sporadische ansichtkaarten kwamen elke keer uit een ander land, en er stond steeds minder op.

Iemand riep mijn naam, gedempt, als van achter glas.

Uiteindelijk kwam ik toch telkens weer terug bij het mes achter de radiator in de gang. Ik zou hem nooit vinden, maar misschien zou hij op een dag ineens op de stoep staan. En dan zou ik er klaar voor zijn en hem opwachten, reken maar.

'Charlotte!' Er stond *inderdaad* iemand mijn naam te roepen door het glas heen. Matt was over de muur voor het huis geklommen en stond nu met zijn gezicht tegen het raam van de woonkamer gedrukt, het gat opvullend tussen de gordijnen op de plek waar deze niet goed meer wilden sluiten. Volledig machinewasbaar, ja hoor!

De baby lag te slapen op mijn borst, ik tilde haar er voorzichtig af en legde haar naast me neer, en wikkelde haar in het warme dekbed.

Verdomme nog aan toe, dacht ik terwijl ik stijfjes naar de gang strompelde, wat moet hij van me? Hoe laat is het? Mijn horloge moest ermee opgehouden zijn, het stond op half zes. Was dat 's morgens of 's middags vroeg ik me af, terwijl ik de deur opendeed.

Hij ging schuil achter de grootste teddybeer die ik ooit had gezien. Het beest had bijna net zo'n brede grijns als hijzelf en droeg een glimmend rood lint om zijn nek. Zo alledaags, zo niet-stijlvol. Je zou hem nog niet eens cadeau willen krijgen bij Toys R Us.

'Waar is mijn lievelingsnichtje nou?' zei hij, grinnikend op zijn luidruchtige buitenmens-manier.

'Je enige nichtje ligt te slapen in de woonkamer,' zei ik. 'Hou op met dat geschreeuw, je maakt haar nog wakker.'

'Kater?' informeerde hij toen hij gebukt door de deuropening stapte die was ontworpen voor minuscule Victorianen, niet voor uit de kluiten gewassen macho's.

'Nee, hoezo?' loog ik (ik had een permanente kater), terwijl ik hem voorging naar de keuken.

'Je ziet er niet zo goed ui —' Hij was rechtstreeks naar de woonkamer gelopen en bleef abrupt staan. Ik liep terug om te zien wat het probleem was.

Enige tijd later refereerde hij aan hetgeen hij had gezien als mijn Tracey Emin installatie — hij dacht dat ze op een dag langs mijn huis moest zijn gelopen, naar binnen had gekeken en haastig naar huis was gegaan met een geweldige ingeving. Mijn bank was een eiland in een zee van pizzadozen en zilverkleurige verpakkingen van afhaalmenu's en luiers (schone, dat moet ik er wel aan toevoegen – nou, goed, misschien lagen er ook nog een paar van de dag daarvoor) en wijnflessen en frisdrankblikjes en chocoladewikkels en huurvideo's en droge tissues en hier en daar een verdwaalde schoen en brochures over borstvoeding geven en een blik bruine bonen met de lepel er nog in en piepkleine babykleertjes, sommige nog in de verpakking en andere nog bedekt met babyspuug. Ik was van plan geweest om niet te roken wanneer Amber in de kamer was zodra ze eenmaal geboren was (ondanks het feit dat ik had gerookt als een schoorsteen toen ze nog in mijn buik zat – hoezo logica?) maar was er niet bepaald in geslaagd om me daaraan te houden – overal lagen sigarettenpeuken op en in en onder.

'Wat?' zei ik verdedigend. 'Wat?'

Uiteindelijk zwichtte ik en liet ik hem het roer overnemen. Hij moet zich geweldig hebben gevoeld, op en top een held die zijn grote zus kwam redden. Maar hij vertelde het tenminste niet aan papa en mama. De dokter zei dat ik een postnatale depressie had, dus ze schreef me antidepressiva voor. Ik neem aan dat ze werkten, want de moorddadige droom verdween naar de achtergrond en ik begon weer te functioneren. Ze mogen het dan gelukspillen noemen, maar ze maakten mijn leven er beslist niet gelukkiger op. Ik wist dat ik nooit meer gelukkig zou zijn.

Het was erger dan ik ooit had kunnen denken, bij mijn ouders wonen. Of eigenlijk woonden zij bij mij. Ik stond volkomen machteloos, al mijn rechten waren me ontnomen; ik stond permanent onder toezicht, werd constant nauwlettend in de gaten gehouden. Ook al haatte ik hen, ik deed zorgvuldig mijn best om het niet te laten merken; bij het geringste teken van enige spanning wisselden mijn ouders een 'blik' en wist ik dat het weer een dag langer zou duren voordat ze me alleen zouden laten. Het werd me volkomen duidelijk gemaakt dat als ik wilde dat ze weggingen, ik eerst zou moeten bewijzen dat ik in staat was om voor Amber te zorgen, en voor mezelf.

Gedurende die eerste paar weken had ik geen echte verantwoordelijkheden, het was net alsof ik weer een tiener was. Ik bleef laat op om oude films te kijken op televisie of te lezen; vervolgens werd ik rond het middaguur wakker, nam ik een lang warm bad, kleedde me aan en ging naar beneden voor de lunch, die mijn moeder godzijdank niet zelf had klaargemaakt – het was altijd soep uit een pakje en een hapje van het een of ander op een rechthoekig stuk karton dat knäckebröd heet in de volksmond, gevolgd door een bekertje waterige, kunstmatig gezoete, magere yoghurt die ooit een keer vluchtig met een aardbei in aanraking was geweest.

Daarna ging ik een tijdschrift lezen of een of andere geestdodende quiz op televisie kijken totdat het tijd was om Amber op te halen van school. Meestal wipten we op weg naar huis even bij Starbucks binnen voor een beker warme chocolademelk en een stiekeme snack zodat we qua voedsel niet volledig waren aangewezen op mijn moeders weerzinwekkende kookkunst.

Niet dat we het in ons hoofd haalden om dat tegen mijn moeder te zeggen – ik durfde het niet, en Amber wilde het niet. Tijdens mijn 'afwezigheid' hadden zij een band gekregen, een heel hechte band. Ze waren altijd al maatjes geweest, maar nu wisselden ze veelbetekenende heimelijke blikken, namen ze het voor elkaar op en deden ze van alles samen. Ik kon zien dat mijn moeder oprecht van Amber hield, en wat nog veel erger was, Amber hield ook oprecht van haar. Ze slokte gewoon alle aandacht op. Voor mij voelde het alsof ze heulde met de vijand. Ik weet dat het niet eerlijk is, en iemand met een liever karakter zou blij zijn dat Amber een degelijk vrouwelijk rolmodel in haar leven had blablabla; maar ik was gekwetst en jaloers en vastbesloten om mijn dochter terug te winnen.

In eerste instantie behandelde Amber me als een invalide, praatte ze heel langzaam en hard tegen me, zoals je zou doen tegen een dove buitenlander; maar al snel realiseerde ze zich dat haar moeder er ergens daarbinnen nog gewoon was. We werden creatiever met ons happy hour; we werden lid van de plaatselijke bibliotheek, we verzonnen namen voor denkbeeldige huisdieren, één keer liepen we de hele weg naar huis vanaf de bushalte achteruit.

Vreemd genoeg merkte ik dat ik me oprecht begon te verheugen op deze gestolen tijd met haar. Wat ooit als een vervelend klusje had gevoeld, was op de een of andere manier het hoogtepunt van mijn dag geworden.

Niemand vertelt je dit. Zodra je aankondigt dat je zwanger bent, beginnen andere ouders te glimlachen en zeggen ze dingen als 'het heeft mijn leven totaal veranderd.' Vertel mij wat.

Dit is het geheim waarvan ze niet willen dat je het weet: HET IS AF-SCHUWELIJK OM KINDEREN TE HEBBEN. Tuurlijk, ze zijn mooi en fascinerend en de moeite waard en je kunt er niets aan doen dat je van ze houdt, ze soms zelfs aanbidt, aangezien ze gewoonweg schitterend zijn en het hele gebeuren een wonder is en wauw, et cetera; maar dat weten we allemaal wel, het is de duistere kant waar ze nooit over praten. Het is een bron van vreugde, natuurlijk is het dat, maar het is ook een verdomde nachtmerrie.

Ten eerste betekent het het einde van je persoonlijke vrijheid. Je zult nooit meer even een bioscoopje kunnen 'pikken,' laat staan een dagje kunnen gaan winkelen, laat staan ergens een snelle kop koffie kunnen gaan drinken. Voor jou zal er nooit meer zoiets zijn als 'snel.' Het spreekt vanzelf dat je je kind niet alleen thuis kunt laten – hoewel ik moet bekennen dat ik het er met een eveneens gedesillusioneerde kersverse moeder weleens over heb gehad om 's nachts een grote riem om het matras heen te doen. Hoewel zij het niet serieus meende, deed ik dat wel.

Dus voor je het weet, betaal je iemand om op jouw bank te zitten en naar jouw televisie te kijken en tegelijkertijd je leven te verwoesten; woorden als 'ze had nog geen slaap, dus ik heb haar wat langer op laten blijven' kunnen een moeder de stuipen op het lijf jagen, aangezien het wel een maand kan duren voordat je een ritme hebt gevonden, dat vervolgens in één avond om zeep kan worden geholpen. Het enige alternatief is om het kleine ettertje met je mee te nemen.

Dit houdt in dat je de kinderwagen moet volstouwen met flesjes sap en/of melk, soepstengels en/of worteltjes, een paar reserveluiers, vochtige doekjes plus een deodoriserende zak voor de volle exemplaren, een speciaal kinderwagendekentje, een regenhoes die ontworpen is door dezelfde mensen die meubilair ontwerpen dat je zelf in elkaar moet zetten, watervaste zonnebrandcrème met factor 60, een parasol op een knikstok die niet rechtop wil blijven staan, een kinderwagenspeeltje aan een stuk bungeejump-elastiek, een kartonnen boekje met afgekauwde hoeken – niet om te lezen maar voor als ze tandjes krijgen, dat uiterst dierbare favoriete speeltje van een obscure tante of dito winkel dat je elke keer dat je de deur uitgaat hartkloppingen bezorgt aangezien dit de dag zou kunnen zijn waarop je het kwijtraakt en je nooit meer een andere zult kunnen vinden, en dat vest dat je per ongeluk in een veel te grote maat hebt gekocht en dat nog steeds met bonnetje en al in de plastic tas zit, waar ze in dit tempo te groot voor zal zijn tegen de tijd dat je eraan toe komt om het terug te brengen naar de winkel. En dit alles nog voordat je zelfs maar bent begonnen haar in te pakken in honderden verschillende lagen kleding, voor het geval dat.

Je weet niet eens meer wat je aan moet trekken voor dit soort gelegenheden, sterker nog, je weet helemaal nooit meer wat je aan moet trekken, je bent inmiddels totaal vergeten wie je bent en waar je voor staat. Dus de volgende keer dat je in de hoofdstraat bent, heb dan medelijden met de kersverse moeder die een buggy duwt die eruitziet als een klein ruimtestation, en merk op dat ze slippers draagt, ook al is het half december, of een wollen muts in augustus. Houd in ieder geval de deur open voor haar en de kinderwagen wanneer je de winkel binnengaat; glimlach naar de baby om deze bezig te houden terwijl zij zich probeert te herinneren waarom ze hier ook alweer moest zijn als je dat leuk vindt; maar wat je ook doet, vraag haar niet, onder geen beding, hoe het met haar gaat, want ze zou weleens in tranen kunnen uitbarsten en het je precies vertellen.

Je zou dus denken dat ik heb genoten van deze nieuwe verantwoordelijkheidsloze dagen, waarin ik de tijd had om mezelf eindelijk eens te verwennen, nietwaar? Welnee. Je weet hoe ik ben. Ik had het te druk met bedenken wat er allemaal niet deugde in mijn leven, in plaats van te bedenken wat er wél deugde.

'Waarom zeg je niet gewoon tegen je vader en moeder dat ze moeten ophoepelen?' vroeg Sabrina, terwijl ze haar wijnglas nog een keer volschonk. 'Het is zo simpel als wat.'

'Ik weet het, ik weet het,' ik hield het mijne ook omhoog voor meer, 'maar op de een of andere manier lukt het gewoon niet. Telkens als ik probeer Iets Te Zeggen, geven ze het gesprek een andere wending. Het is een nachtmerrie, Sabrina, het is net alsof ik gevangen word gehouden in mijn eigen huis. Nee, neem me niet kwalijk, het is niet *net alsof*, het *is* zo! Ik mag niet eens het huis verlaten zonder eerst een formulier in drievoud in te vullen.'

'Maar je bent vanavond toch alleen op stap?' We zaten in onze plaatselijke wijnbar, Mr. Pickwicks, een van onze oude, favoriete ontmoetingsplaatsen. Sabrina en ik waren inmiddels weer vriendinnen, ze had gebeld zodra ze had gehoord van mijn ondergang; het schijnt dat mijn moeder haar een eeuwigheid aan de praat heeft gehouden en erop heeft gestaan om haar te ontmoeten. Sabrina moest me komen ophalen vanavond. Er was over en weer vriendelijk geglimlacht, behalve door mij. Ik geneerde me nog steeds heel erg voor het Home Alone incident.

Dit was onze eerste ontmoeting in levenden lijve, echter, en alles was nog een tikje afstandelijk. Ik denk dat ik probeerde onze hechte band te herstellen door haar alles te vertellen wat ik had meegemaakt; ik geloof dat ze een tikje geschokt was. Sabrina was niet zo van de inzinkingen.

'Ja, dat wel, ik ben nu wel alleen op stap, en begrijp me niet verkeerd, het is heerlijk om 's avonds even de deur uit te zijn. Maar ze zitten geheid op me te wachten als ik thuiskom. En dan krijg ik twintig vragen voor mijn kiezen over waar ik ben geweest, wie ik heb gezien, et cetera. Eerlijk waar, Sabrina, het is alsof ik de Gestapo in huis heb.'

Ze lachte, maar niet van harte. 'Misschien zijn ze gewoon geïnteresseerd in wat je doet! Ik zou het heerlijk hebben gevonden als mijn moeder zelfs maar had gemerkt dat ik 's avonds de deur uit ging, ze had het altijd zo druk met zichzelf dat ze geen flauw benul had waar ik mee bezig was.' Ze duwde met een cocktailprikker de olijven in het rond op hun vettige schaaltje. 'Bekijk het van de positieve kant, je hoeft in ieder geval geen oppas te betalen.'

'Ach ja. Maar het is geen interesse van voorbijgaande aard, ze zijn geobsedeerd door alles wat ik doe. Ze zijn gewoon ronduit nieuwsgierig.' Ik vond het maar niks dat Sabrina het voor mijn ouders opnam, ze snapte er duidelijk niets van. 'Weet je dat ze me zelfs de lust ontnomen hebben om contact te zoeken met al mijn andere vrienden sinds ik thuis ben!'

'Welke vrienden?'

'Ach, je weet wel,' ik kon zo snel even niemand verzinnen, 'gewoon – ik heb geen zin om elke keer te worden geconfronteerd met de Spaanse Inquisitie.'

'Ze lijken het anders goed te kunnen vinden met Arthur, toch?'

'God, ja, ze zijn allemaal dikke maatjes geworden toen ze bezig waren om het huis op te knappen – in feite zijn ze zelfs een beetje te goed bevriend geraakt, Jimmy en hij komen aanstaande zondag bij ons lunchen.'

'Nou, dat is toch leuk?'

'Ach, misschien ook wel; in ieder geval gaat Arthur koken, godzijdank.'

Sabrina's telefoon kondigde met blikkerig getrompetter de binnenkomst van een sms'je aan. 'En welke andere vrienden heb je dan nog niet gezien?' vroeg ze, haar mobieltje van de tafel pakkend.

'Nou, bijvoorbeeld –' ik kon werkelijk niemand verzinnen zo uit het blote hoofd, en ze had trouwens toch meer belangstelling voor haar telefoon dan voor mij, '– hoe is het op je werk?'

Ze keek glimlachend naar het berichtje, het was duidelijk iets obsceens. 'Geweldig, dank je, het gaat echt heel goed. Ik heb de salarisverhoging gekregen waar ik om had gevraagd, sterker nog, ik heb promotie gekregen, ik ben niet –'

'Over werk gesproken, je hebt zeker niets meer gehoord van je vriend Piers, de beroemde filmproducent, hè? Ik krijg nog steeds geld van hem, de kleine schoft.' Ik dronk mijn glas in één keer leeg.

'Nee, niets.' Sabrina ging rechtop zitten. 'Het gerucht gaat dat hij naar Amsterdam is vertrokken, maar het is waarschijnlijk alleen maar een roddel.' Ze dronk van haar wijn. 'En – heb je al een andere baan gevonden?'

'Nog niet, nee. Ik verveel me dood, het is echt oersaai om werkloos te zijn, weet je. De dagen duren eindeloos lang, het is afschuwelijk.'

'Heb je actief gezocht?'

'Wie ben jij, mijn moeder?' snauwde ik, zonder het te willen. Ze trok enkel haar wenkbrauwen op. Ik zuchtte. 'Nog niet, ik wacht tot ik me wat beter voel. Ik ben nog steeds erg zwak, begrijp je.'

Er viel een stilte. Sabrina zei niets, wat betekende dat ze mijn gedrag afkeurde.

'Ik slaap nog steeds heel veel, ik heb veel rust nodig, dat zeiden ze in de kliniek,' vervolgde ik. 'Soms word ik zelfs pas rond het middaguur wakker! Het is echt heel moeilijk, ik –'

Sabrina fronste. 'Wie brengt Amber dan naar school?'

'Mijn vader. Ze vindt het fantastisch, ze kunnen het heel goed vinden samen. Het verbaast me niets, hij is veel liever voor haar dan hij voor mij was toen ik die leeftijd had.' Ik pakte zonder te vragen een sigaret uit Sabrina's pakje. 'Hij verwent haar echt.' Ik hoopte dat het monster van de afgunst in mijn binnenste zich niet op mijn gezicht liet zien terwijl ik de peuk aanstak.

'Hij moest waarschijnlijk elke dag naar zijn werk toen jij klein was, nietwaar?'

Ik deed mijn mond open en weer dicht.

'Maar als je geen baan hebt, wat doe je dan voor de kost?'

Ik blies uit, genietend van de nicotinestoot in mijn longen. Het behoeft geen betoog dat ik thuis niet mocht roken. Mijn moeder scheen 'allergisch' te zijn voor sigarettenrook. 'Nou, op het moment hoef ik eigenlijk niets te doen, mijn vader en moeder betalen alles.'

Ze ging rechtop zitten. O god, nu zou je het hebben. Ik zou een van Sabrina's Speeches krijgen. 'Oké. Dus als ik het goed begrijp, hebben je ouders niet alleen duizenden ponden neergeteld zodat jij in een privé-kliniek kon worden behandeld, maar ze hebben ook je huis weer in orde gemaakt in de tijd dat je daar was. Bovendien hebben ze hun eigen leven volledig in de wacht gezet om voor jou en je dochter te zorgen in jullie eigen huis, en nu betalen ze alle rekeningen totdat jij lang genoeg van je luie reet af kunt komen om een baan te zoeken, is het niet?'

'Nou, zoals jij het zegt –'

'Als je het mij vraagt, Charlotte, heb je het behoorlijk getroffen. Het is werkelijk niet te geloven dat je zo ondankbaar bent.'

Ik was geschokt. Geschokt dat ze niet kon begrijpen hoe afschuwelijk het was voor mij. Ik besloot van onderwerp te veranderen. 'Hoe is het eigenlijk met – ach, hoe heet hij ook alweer, waar je mee op vakantie bent geweest met de kerst, die Amerikaanse vent?'

'Bill?'

'Ja, die, is dat uiteindelijk nog iets geworden?'

'We gaan binnenkort trouwen, aan het eind van de maand verhuis ik naar New York.'

'Wat?! Meen je dat?'

Ze knikte en drukte haar peuk uit.

Hoe kon ze uitgerekend nu naar een ander land verhuizen? En ik dan? En dat noemde zich mijn beste vriendin! 'Maar je hebt nooit gezegd...'

'Charlotte – je hebt er nooit naar gevraagd.'

Nee, nou ja, daar was ik gewoon nog niet aan toegekomen. Het leek me beter om van tactiek te veranderen, dus ik probeerde aardig te zijn over haar nieuws, ook al was het afschuwelijk. 'Wauw, niet te geloven. Bofkont, nou heb je eindelijk de man van je dromen gevonden.' Ze glimlachte met opeengeklemde lippen, ik zoog aan mijn sigaret. 'Werkelijk, waarom overkomt mij zoiets nou niet? Waarom heb ik geen fantastische vriend?'

Sabrina pakte haar mobieltje en liet het in haar handtas glijden. 'Ik wil niet onbeleefd zijn, Charlotte, maar je bent momenteel niet bepaald een goede partij, of wel soms?' Ze deed haar portemonnee open en legde een biljet van twintig pond op tafel. 'Dit eenvrouws-zelfmedelijden-feestje van je moet nou echt maar eens afgelopen zijn, die rol van onrechtvaardig behandeld slachtoffer is zeer onaantrekkelijk. Welke weldenkende man heeft er nou zin in zo'n klagende Katrien als jij?'

Dat deed pijn.

Ze stond op van de tafel. 'Zo, ik moet ervandoor. Ik bel je nog wel voordat ik vertrek, als ik tijd heb.' Ze schonk me een van haar beroemde glimlachjes, legde haar hand op mijn schouder. 'Luister, het spijt me als ik grof ben geweest, maar iemand moet het je vertellen. Je bent volledig geobsedeerd door jezelf; je moet ophouden met dat gemekker en eens goed om je heen kijken. Het wordt tijd dat je eens normaal gaat doen, Charlotte.'

En met die woorden stevende ze doodleuk de wijnbar uit, gevolgd door de wellustige blikken van de drie stamgasten, die ieder op een kruk aan de bar zaten, waarschijnlijk in de hoop dat ze voor de cast van *Cheers* zouden worden aangezien.

Op de een of andere manier slaagde ik erin om me uit de voeten te maken voordat de tranen kwamen. Trut! Het deed pijn, het deed echt pijn – want zelfs toen wist ik diep, diep, diep vanbinnen dat het waar was.

Toen ik eenmaal over de schok van Joe's vertrek heen was en had geaccepteerd dat hij niet meer terug zou komen, dacht ik dat ik wel een leuke vent zou ontmoeten die medelijden zou hebben met een in de steek gelaten vrouw en haar kind. Deze man zou niet mijn gebruikelijke type zijn, en ik zou waarschijnlijk niet verliefd op hem zijn, maar hij zou een goede man zijn en ik zou geleidelijk aan van hem gaan houden. (Hij zou uiteraard wel meteen verliefd worden op mij, ondanks het feit dat ik hem telkens weer afwees. Hij zou blijven terugkomen totdat ik zwichtte en hem toestond om van me te houden, snap je.)

Ik wist zelfs hoe hij eruit zou zien; lang, maar een tikje te zwaar, ietwat rood in zijn gezicht, met kort haar en een terugwijkende haargrens. Hij zou een vrolijk, open gezicht hebben en schone vingernagels. Hij zou het type zijn dat een gouden zegelring draagt, hij zou doordeweeks een kostuum moeten dragen en hij zou een comfortabele auto hebben, ook al was het er eentje van Britse makelij, niet van Duitse.

Hij zou goed geboerd hebben, in aanmerking genomen dat zijn vader het gezin had verlaten toen hij nog klein was. Hij aanbad zijn moeder, en was zwaar teleurgesteld door een vorige verloofde die waarschijnlijk Sue heette, die hem een paar weken voor de bruiloft had gedumpt. Hij werd altijd geplaagd door zijn vrienden in de kroeg dat hij homo was, aangezien hij sindsdien nooit meer met een vrouw was gezien.

Ik had het allemaal al uitgedacht.

Om de andere zondag zou hij met zijn moeder bij zijn zus moeten gaan lunchen en we zouden hier in eerste instantie waarschijnlijk ruzie over maken, maar hij zou duidelijk maken dat hij er niet mee op zou houden, voor niemand, en ik zou leren genieten van de tijd alleen met Amber. Uiteindelijk zouden wij ook mee gaan op familiebezoek, en Amber zou gezellig met haar stiefneefjes en -nichtjes spelen terwijl ik me zou koesteren in de liefde en goedkeuring van zijn vrolijke en evenwichtige familie.

Elke vrijdagavond zou hij bloemen voor me meebrengen en ik zou een heerlijk avondmaal voor hem bereiden (ik zou op wonderbaarlijke wijze in een uitstekende kok zijn veranderd) en daarna zou ik zijn arme pijnlijke schouders masseren en zou hij me naar boven dragen, naar de slaapkamer, en zouden we de meest liefdevolle seks aller tijden hebben.

Ik zou uiteraard graag willen gaan werken, maar hij zou het niet goed vinden, aangezien hij vond dat ik het al zwaar genoeg had gehad in mijn leven, en nu hij er was, hoefde ik niet meer te ploeteren, hij zou me alles geven wat mijn hartje begeerde. Hij zou uitblinken in doe-het-zelven en tuinieren, en zonder morren accepteren dat het zijn taak was om het vuilnis buiten te zetten en 's avonds af te sluiten en spinnen te vangen. Amber zou hem adoreren, en nadat hij haar officieel had geadopteerd, zouden we trouwen en nog lang en gelukkig leven. Zo simpel was het.

Ik heb hem nog niet ontmoet. Ik heb het akelige gevoel dat dat ook nooit zal gebeuren.

'Jai hebt kain liefde, jai hebt kain liefde!' De stem van die verdomde au pair achtervolgde me weer. Ik draaide mijn kussen om, dat hielp soms.

Het raam klepperde, de wind was koud, hij wilde binnenkomen. Ik draaide me om, trok het dekbed strak om me heen.

'Slachtofferrol... onaantrekkelijk,' zei Sabrina's stem telkens weer, als in een slechte B-film. En daarna mijn versie: 'Je bent lelijk, niemand zal je ooit leuk vinden, je zult er nooit komen, je bent saai, ik haat je, we haten je allemaal...'

Mijn voeten waren koud, ik moest sokken aantrekken.

'Zelfmedelijdenfeestje, laten we een zelfmedelijdenfeestje houden!' zei mijn krankzinnige brein. 'Uitsluitend voor klagende Katrienen...'

'Mam, mag ik op je feestje komen als Katrien Duck ook komt?' Verdomme nog aan toe, ik was weer gek geworden. Mijn hoofd deed pijn, ik wilde het niet meer horen.

Ik sprong uit bed en trok het nachthemd aan dat ik van de kliniek had gekregen bij mijn afscheid, en dat sindsdien aan een haakje hing aan de binnenkant van mijn Zweedse gastenverblijfdeur. Het zag eruit als de man met de zeis, geduldig wachtend tot het aanbreken van dit moment.

Ik sloop de trap af, de krakende treden overslaand zodat ik geen slapende wachters wakker zou maken.

De keukenklok – ja, ja, Matts keukenklok – zei dat het vijf over twee 's nachts was. Ik was thuisgekomen van de wijnbar en rechtstreeks naar boven gegaan, zonder hen welterusten te zeggen. Uit voorzorg had ik in plaats daarvan mijn slaapkamerdeur hard dichtgesmeten. Daarna had ik moeten wachten totdat ze naar bed gingen voordat ik naar de badkamer ging, voor het geval we elkaar op de overloop zouden tegenkomen. (Het is hard werken hoor, dit niet-met-je-ouders-praten gedoe, zoals elke tiener je ongetwijfeld kan vertellen.)

Kamillethee, dat was de remedie. Met een beetje honing, zodat het niet zo naar pis zou smaken. Nee, vergeet het maar – dit was zeer beslist een warm Ribena-moment. En misschien een boterham?

Mijn moeder stond afkeurend tegenover voorgesneden brood, ze zei dat het zonde was van je geld aangezien je het net zo goed zelf kon snijden; dus ik pakte het brood en de broodplank en het broodmes en sneed de schimmelige hoekjes van een stuk oude cheddar die het natuurlijke recht om langzaam in staat van ontbinding te geraken in de koelkast was ontzegd. Ik ging aan de keukentafel zitten en begroef mijn tanden in de dikke boterham die ik had klaargemaakt, de korst zo knapperig dat hij langs mijn gehemelte schraapte.

'Alles in orde?' zei een luide fluisterstem bij de deur.

Ik zuchtte. 'Hoi, pap,' zei ik, zonder de moeite te nemen om op te kijken.

'Plaats voor twee daarbinnen?' vroeg hij.

'Welja,' zei ik, hopend dat de toon van mijn stem hem zou ontmoedigen.

Zijn pantoffels maakten het sloffende geluid van oude mensen terwijl hij rondscharrelde in de keuken, en ineens realiseerde ik me dat hij geen thee voor ons aan het zetten was, zoals ik had gedacht, maar in plaats daarvan nachtelijke smokkelwaar aan het verzamelen was. Er zat een minibakje Ben and Jerry's ijs verstopt in een grote voordeelzak met voorgekookte pofaardappels; een half opgegeten reep extra pure chocolade tegen de binnenkant van de doos met zijn volkoren ontbijtgranen; en gruwel der gruwelen, een in een geluiddempende theedoek gewikkelde megafles whisky, achterin de la waarin de vuilniszakken werden bewaard.

'Pap!' Ik was ontzet.

'Sst!' Hij keek omhoog naar het plafond. 'Wil je moeder niet wakker maken. Jij ook wat?' Hij pakte twee mokken, geen glazen, uit de kast; om ontdekking te voorkomen, vermoed ik, hij had dit duidelijker vaker gedaan. 'Proost.'

We dronken in stilte, voelden de vurige amber een gloeiend pad branden achterin onze keel.

'Alles in orde?' vroeg mijn vader.

'Hm-m,' knikte ik. 'Prima. Met jou?'

'Jep, alles prima,' knikte hij. 'En met jou?'

'Hebben we mij niet al gehad?' vroeg ik.

'Is dat zo?' vroeg hij. 'O.' Ineens zag hij er heel moe uit – oud.

'Gaat het echt wel goed met je pap?' vroeg ik.

'Tuurlijk,' zei hij. 'En met jou?'

'Ja, prima. En met jou?'

'Prima. En met jou?'

We glimlachten om onze malligheid en trokken ons toen terug in ons eigen wereldje. Ik pakte het broodmes en begon afwezig de broodkruimels in het gootje langs de rand van de broodplank te schuiven.

Uiteindelijk stond mijn vader op. 'Jij ook eentje?' vroeg hij, reikend achter een bord dat als een museumstuk op de keukenkast stond.

'Pap! Sinds wanneer rook jij?!' vroeg ik, verschrikt en tegelijkertijd opgewonden vanwege dergelijke rebellie. Hij had de keukendeur geluidloos dichtgedaan en was nu bezig het gasfornuis aan te steken. 'Ik dacht dat je jaren geleden gestopt was!'

'Dat dacht ik ook,' zei hij, trekjes nemend van de beide sigaretten om ze aan te krijgen, 'maar het blijkt niet zo te zijn!' Hij haalde quasi-verbaasd zijn schouders op en overhandigde me mijn sigaret. 'Wat is het probleem?'

'Niets, pap, echt niet.' Ik begon met het broodmes over de broodplank te schrapen. Niets wat ik met jou kan bespreken, althans.

'Gekweld door nachtelijke demonen, hm?'

Ik knikte.

We zaten zwijgend te roken en te genieten.

Uiteindelijk stond mijn vader op.

'Misschien moet ik je dit toch maar laten zien,' zei hij, terwijl hij naar de kast schuifelde en de middelste la opendeed. Ik zag dat deze vol zat met enveloppen – het was me niet eens opgevallen dat ik geen post meer had gekregen sinds ik terug was uit de kliniek. O god, niet weer zo'n verdomde ansichtkaart van Joe, alsjeblieft. Nee, het was een brief. 'Die is gekomen toen je er niet was.' Hij overhandigde me de envelop. Ik herkende het handschrift onmiddellijk. Ik voelde me misselijk.

Hij was geadresseerd aan Amber, niet aan mij. 'Mejuffrouw Amber Newman,' had hij geschreven, maar zo heette ze niet. Ze heette Amber Small, ze hoorde bij mijn familie, niet bij die van hem.

'Hij is opengemaakt...' Ik keek naar hem op.

'Leek je moeder wel zo verstandig, wilde niet dat je voor onaangename verrassingen zou komen te staan.'

134

Ik was te onaangenaam verrast om daar nu boos om te worden, dus ik borg mijn woede op voor later. Ik kon niet bevatten wat ik in mijn hand hield. 'Wat staat erin?'

'Kijk zelf maar.' Hij kwam achter me staan, legde zijn hand op mijn schouder terwijl hij aan zijn sigaret zoog alsof het zijn laatste was.

In de envelop zat een kerstkaart, een goedkoop, smakeloos geval. Er stond een schriel roodborstje op met een glitterborst. Toen ik de kaart openmaakte, dwarrelde er een bankbiljet uit. Het was tien euro.

'Ongeveer zes pond,' antwoordde mijn vader, voordat ik het kon vragen.

'Voor Amber' stond erboven, en onder de voorgedrukte kerstwens stond 'liefs van papa xxx'.

Dat was alles. Geen 'sorry dat ik ben opgedonderd en je in de steek heb gelaten'. Geen 'ik denk voortdurend aan je'. Zelfs geen 'ik mis je'. Alleen drie kusjes. En geen woord over mij, uiteraard.

Het woord 'papa' was slordig geschreven, alsof het een woord was dat hij om de haverklap opschreef, alsof dit een van zijn vele kaarten aan zijn dochter was, nonchalant geschreven, de zoveelste kerstkaart van 'papa'. Papa! Ik was furieus. Hij had het recht niet om zich zelfs maar 'papa' te mogen noemen, laat staan om het zo terloops en nonchalant op te schrijven. Zelfs ik voelde me nog steeds een beetje raar als ik het woord 'mama' opschreef, aangezien ik het nog altijd schokkend vond dat ik iemands moeder was – en ik had al Ambers verjaardagen meegemaakt, iedere kerst met haar doorgebracht, jaar in jaar uit, toevallig.

En dan dat 'liefs' – wat wist hij nou van liefde?

Ik huilde, ik moest wel. Het werd me allemaal te veel. Mijn vader gaf me zijn laatste sigaret. Ik rookte hem op en huilde nog wat. 'Idioot eigenlijk,' hikte en snikte ik, 'het is maar een kaart. En nog een' – snif – 'nietszeggende ook.'

'Smeerlap moet ergens in Frankrijk zitten,' zei mijn vader. 'Zit een Franse postzegel op, zie je wel?'

Dat was me niet eens opgevallen. Het poststempel was vlekkerig, natuurlijk was het dat; hij had waarschijnlijk een *bureau de poste* opgesnord dat gespecialiseerd was in onleesbaar frankeren, er viel met geen mogelijkheid te zeggen waar hij vandaan kwam.

'Ik weet niet waarom ik er zo door van streek ben,' snotterde ik in het mij aangeboden stuk keukenrol, 'het spijt me.'

Gedurende één afgrijselijk ogenblik zag mijn vader eruit alsof hij ook zou gaan huilen.

Gelukkig zwaaide op dat moment, alsof het zo afgesproken was, de deur open, en daar stond ze, de Koningin van de Nachtcrème, luisterrijk in peignoir en krulspelden, hoestend en proestend in de dikke sigarettendamp. In mijn paniek om het bewijsmateriaal te verstoppen, drukte ik mijn peuk uit in het zachte ongesneden brood. (Mijn moeder heeft het me nooit vergeven, en mijn vader heeft het nooit opgebiecht.)

Ik dacht dat ik daarna wel zou kunnen slapen, maar nee. Ik voelde me alsof ik zou verdrinken, mijn hele leven bleef maar aan me voorbij trekken. En hoe stijver ik mijn ogen dichtkneep, hoe meer ik kon zien.

Uiteindelijk raakte ik eraan gewend. Ik vond het niet leuk om een alleenstaande moeder te zijn, maar ik ging ervan uit dat het slechts tijdelijk was, dat iets of iemand me uiteindelijk zou komen redden.

Als ik zei dat ik niet bij de pakken neer ging zitten en iedereen om me heen versteld deed staan met mijn grenzeloze optimisme en mijn organisatietalent, zou je me dan geloven?

Ik vond het verschrikkelijk, elke minuut ervan. De weekenden strekten zich altijd eindeloos voor me uit, twee lange dagen en nachten waarin ik alles aan mijn kind moest geven, en niets aan mezelf. De schoolvakanties moesten worden doorstaan, de gelukkige gezinnetjes gemeden. Ik begon een hekel te krijgen aan Amber, ik kon er niets aan doen. Af en toe stond ik mezelf toe om na te denken over hoe anders mijn leven zou zijn als ik haar niet had.

Ik had niet veel vrienden, en dat was maar goed ook, want ik wilde geen vrienden. We bemoeiden ons met niemand, en dus bemoeide niemand zich met ons. Het was een klein leven, maar het was hanteerbaar. Zo had ik het graag. Maar ik vond het geen prettig gevoel om alleen te zijn, dus verdoofde ik mezelf met drank en peuken en tv en muziek en tijdschriften en het opzetten van projecten die ik nooit afmaakte. Kortom: ik zat niet lekker in mijn vel.

En ik had een hedendaagse wiskundige vergelijking bedacht: alleenstaand + ouder = eenzaam.

Die nacht was een van de verschrikkelijkste van mijn hele leven. Ik hoop dat ik dat nooit zal vergeten.

Ik had me nog nooit zo eenzaam, alleen en in mijn eentje gevoeld. Ik bleef maar denken aan de kaart van Joe, en dat die arme Amber nooit een vader zou hebben die midden in de nacht met haar beneden in de keuken zou zitten, en dat ik nooit iemand zou vinden die met me wilde trouwen en dat ik er echt een ontzettende puinhoop van had gemaakt. Ik was een redelijk intelligente vrouw van halverwege de dertig, met een gezond stel armen en benen; en toch had ik geen rooie cent, geen vrienden of vriendinnen, was ik niet in staat om mijn dochter zelfs maar een thuis te geven, en was ik afhankelijk van de hulp van mijn ouders. Ik walgde van mezelf.

Ik bleef maar denken aan Marjorie terwijl ik lag te woelen in mijn bed die nacht, verdrinkend in een zee van zelfhaat, niet in staat om aan mezelf te ontsnappen. Ik wilde niet eindigen zoals zij, en toch leek ik niet in staat om ook maar iets te veranderen. Het was alsof ik in een mentale hel zat; ik werkte mezelf op de zenuwen, het was ondraaglijk. Ik voelde me belabberd. Ik kon niet lang genoeg ophouden met nadenken om in slaap te vallen. Mijn hoofd schreeuwde tegen me. Ik kon geen enkele gedachte beëindigen of beginnen, het bleef maar malen in mijn hoofd, en ik schoot er niets mee op.

Ik weet niet waarom ik het deed. Misschien was het de rode wijn die ik met Sabrina had gedronken, of misschien (zoals dokter Lichtenstein zou zeggen) was het de gave van de wanhoop, maar toen ik er ineens weer aan dacht, kon ik het niet meer uit mijn hoofd krijgen.

Ik stapte uit bed en knielde op de grond. Ik vouwde mijn handen, zoals mensen doen wanneer ze bidden, en ik fluisterde: 'Ik weet niet of er iemand luistert daarboven, maar kunt u me alstublieft, alstublieft helpen? Het spijt me heel erg dat ik u moet storen, maar ik weet niet wat ik anders moet beginnen. Ik geef het op. Ik zit vast. Ik zou op dit moment alles willen proberen, maar ik weet niet waar ik moet beginnen. Ik geloof dat ik mijn verstand begin te verliezen. Ik word stapelgek van mijn eigen hoofd. Ik wil gewoon een beetje rust. Ik –' Toen drong het tot me door waar ik mee bezig was, en hoe belachelijk het zou zijn als er niemand was daarboven, en hoe belachelijk het eruit zou zien als er iemand binnenkwam – ik kon mijn moeder de keukenvloer horen schrobben beneden – dus sprong ik weer terug in bed.

Vreemd genoeg viel ik daarna bijna meteen in slaap. Maar dat kwam waarschijnlijk omdat ik moe was.

Langzaam, heel langzaam, raakte ik gewend aan het idee dat ik vrijgezel was.

Ik begon te genieten van het feit dat ik de baas was over mijn eigen afstandsbediening, dat ik koekjes kon eten in bed en mijn okselhaar in de winter kon laten groeien tot op mijn knieën. Ik hield mezelf voor dat mannen veredelde spermadonors waren die niet meer dan één ding tegelijk konden, gewoon nutteloze, extreem grote kleine jongetjes. Ik vond niets heerlijker dan luisteren naar andere moeders die stonden te klagen over hun echtgenoten bij het hek van de school, het gaf me een heel warm en voldaan gevoel vanbinnen.

Als mensen vroegen of ik een partner zou willen, antwoordde ik fel: 'God, nee! Ik ben veel liever alleen, dank je feestelijk.'

Wat een ontzettende nonsens. De waarheid was dat ik Joe gewoon niet kon vergeten.

Ik gaapte. Amira had het grootste deel van de nazorg-groepssessie van deze eerste maand opgeslokt (nabehandeling was niet verplicht maar scheen wel van levensbelang te zijn) met een of ander onsamenhangend flauwekulverhaal over winkelen zonder iets voor zichzelf te kopen omdat ze niet het gevoel had dat ze het verdiende, en daarom had ze in één dag tijd een gigantische schuld opgebouwd in Oxford Street door allerlei extravagante cadeaus te kopen voor haar vrienden, en was ze nu boos omdat ze de creditcards moest afbetalen. Ze deed alsof die nare mensen bij Visa haar onder bedreiging van een vuurwapen hadden gedwongen om zoveel mogelijk geld uit te geven.

Dokter Lichtenstein wist haar te onderbreken voordat ze het verhaal voor de derde keer ging vertellen door zich tot mij te wenden en te vragen: 'En jij, Charlotte? Hoe is het met jou?'

'Prima,' zei ik.

'Prikkelbaar, Rampzalig Instabiel, Moordlustig en Agressief,' piepte een of andere irritante anorexia-griet opgewekt. Ik had zin om haar van haar stoel te meppen, maar ze zou waarschijnlijk in duizend stukjes uit elkaar zijn gevallen, en ik wist niet of ik het geduld had om haar weer in elkaar te lijmen.

'Prima, Charlotte? Echt waar?' Hij leek er evenmin in te tuinen.

De groep zweeg.

Ik ook.

Ze zaten me allemaal aan te staren.

'Ik heb gewoon – nou ja, ik walg van mezelf.'

Dikke Dora, een vraatzuchtige zelfverminker met een voorliefde voor jongere meisjes, knikte instemmend.

'Waarom, Charlotte?' vroeg dokter L.

Je kon een speld horen vallen in de kamer. We wisten allemaal dat het de eerste keer was dat ik met iets anders kwam dan positieve flauwekul.

'Omdat – nou, omdat ik er een enorme puinhoop van lijk te hebben gemaakt waar ik maar niet uit kan komen. Ik zit opgesloten in de hel van mijn eigen leven.'

'Maar je kunt het ook niet alleen, is het wel?' Dokter Lichtenstein knipoogde naar me. Ik had hem niet verteld dat ik was begonnen met bidden, als je het zo zou kunnen noemen. Om de een of andere reden wilde ik niet dat hij zou denken dat ik braaf deed wat me gezegd werd.

'Kunnen je ouders je niet helpen?' vroeg Amira, wier ouders misschien wel een tikje te behulpzaam waren – ze was tot op het bot verwend.

'Mijn ouders doen alles wat ze kunnen, en bovendien, ik wil geen hulp meer van hen!' snauwde ik, zonder dat het mijn bedoeling was. 'Dat is het niet – ik wil gewoon – nou ja, er ontbreekt iets.'

'Hoe bedoel je?' vroeg de tragische Marjorie, die een blauw oog had omdat ze tegen de keukendeur aan was gelopen, zogenaamd terwijl ze broodnuchter was.

Ik wilde dit echt niet met de groep bespreken, maar – ach, wat kon mij het ook schelen. Ze zagen er geen van allen uit alsof ze in staat waren om de media in te lichten over de dingen die ik op het punt stond te gaan zeggen.

'Ik kan het niet. Het is te veel voor me, ik kan het gewoon niet aan. Het gaat op geen enkel terrein goed in mijn leven, het is één groot rampgebied.'

'Weet je wat jij nodig hebt?' verkondigde Marjorie. 'Een leuke vent.'

Ik zuchtte en schudde mijn hoofd – hoe zeg je tegen iemand dat hij of zij dom en oppervlakkig is en er op zo'n beetje alle fronten faliekant naast zit, zonder hem of haar te beledigen?

'Liefde,' zei de anorexia-griet, die er werkelijk naar solliciteerde om doormidden te worden geslagen, 'je hebt liefde nodig.'

'Misschien heeft Ginny wel gelijk,' beaamde dokter Lichtenstein, 'misschien is dat wat er ontbreekt in je leven.'

We dachten er allemaal over na, ik vooral. Daar had je het weer, dat woord van zes letters. Slap geklets, hartjes en bloemetjes, allemaal prima voor andere mensen, maar niet voor mij. Ik had het geprobeerd, en het had niet gewerkt.

'Wauw,' zei Amira. 'Liefde. Ja.'

Marjorie begon stilletjes te huilen.

Haar negerend zei ik: 'Ja, dat is allemaal leuk en aardig, maar –' en toen kwam er een verbluffende onthulling, voor mij althans, 'ik weet niet eens wat liefde is. Hoe kan ik iets vinden als ik niet weet hoe het eruit ziet? Waar moet ik beginnen met zoeken?'

Voordat Amira kon komen met tien toffe tips over Hoe Je Een Man Aan De Haak Slaat volgens haar bijbel, het tijdschrift *Glamour*, zei dokter Lichtenstein: 'Je vindt het in jezelf. We hebben het hier over eigenliefde, Charlotte.'

Dit bracht de groep bij elkaar, en we kreunden eensgezind.

'Ik meen het,' vervolgde ik, 'waar moet ik beginnen? Er bestaat niet zoiets als een Universiteit van de Liefde, voor zover ik weet. Hoe kun je de liefde bestuderen? Heeft iemand ooit een diploma narcisme gehaald? Ik weet niet eens of ik wel geloof dat liefde bestaat.'

Dokter L. gaf me een standje omdat ik weer eens humor gebruikte als verdedigingsmiddel, maar gelukkig werd de aandacht van mij afgeleid door de anorexia-griet, die opnieuw een nazorg-grap voor ons had: 'Narcisme is niet alleen een bloem, hoor.' Gunst, wat hebben we gelachen.

140

Toen we de kliniek verlieten, vroeg Amira me om met haar te gaan lunchen. Ik zei nee, omdat ik het vandaag niet aankon om naar haar onophoudelijke geleuter te luisteren. Ze had me de laatste tijd tot vervelens toe gebeld, urenlang wauwelend over niets, ik had even geen behoefte aan haar. Bovendien had ik een missie.

8

'Toen ik eenmaal genoeg van mezelf hield, nam ik afstand van het idee dat het leven zwaar is.'

Kim McMillen, *When I Loved Myself Enough*

'Hé, hoi,' grijnsde de cartooneske Oz, die in de deuropening van het café moest hebben staan wachten op klanten, 'Ik hoopte al dat ik je nog een keer zou zien. Heb je een leuke kerst gehad?'

Ik keek om me heen – Hugh Grant was nergens te bekennen. Verdomme. Er was helemaal niemand te bekennen. Het café was verlaten.

'Hoe was je vakantie?'

'Wat?'

'De vakantie die we samen hebben geboekt toen je hier de vorige keer was – het Caribisch gebied, toch? Je weet wel, de vakantie waar je mij voor weigerde uit te nodigen!' Hij lachte, lag dubbel zelfs, om zijn eigen 'grapje'.

'O, die,' ik wist niet zeker of ik dit uiteindelijk wel kon doorzetten, niet zonder hem een dreun te geven althans. 'Ik ben uiteindelijk niet gegaan. Mag ik een cafeïnevrije latte met halfvolle melk, alsjeblieft?'

'Nee, meen je dat? Ben je niet gegaan?' Hij keek oprecht teleurgesteld toen hij door het gat in de balie heen dook, maar grijnsde alweer tegen de tijd dat hij aan de andere kant te voorschijn kwam. Begreep hij dan niet dat dit een pijnlijk onderwerp was en dat hij beter zijn mond kon houden? 'Wat is er gebeurd?!'

'Ik, eh, ben ergens anders heen gegaan. Weet je wat, maak er maar een cappuccino met volle melk van. Met cafeïne. En heel veel chocola erop.'

'O ja?' Hij koos met zorg een mok uit – op deze stond de tekst 'Geen zorgen' en een foto van een verdomde koala die glimlachte. Jemig de pemig. 'Waar ben je dan naartoe geweest?'

Naar het gekkenhuis. 'Naar een kuuroord,' zei ik in plaats daarvan, 'een heel duur kuuroord.'

'Jasses,' zei hij, terwijl hij heen en weer scharrelde achter de toonbank. 'Ik heb een bloedhekel aan die rotdingen.'

Dat is grappig, wilde ik zeggen, ik ook. Maar ik deed het niet.

'We hebben het hartstikke druk gehad hier met de kerst,' zei hij, alsof het mij wat interesseerde, 'het was een heksenketel.'

'O ja,' zei ik op vlakke toon.

'Nee,' antwoordde hij, 'helemaal niet. Ik had de tent wel helemaal kunnen sluiten, als Keith er niet was geweest.'

'Keith?' Hoe lang had een man nodig om een kop koffie klaar te maken?

'Ja, je weet wel, die gozer die hier elke lunchpauze komt, meestal zo rond de noen.' Ik keek niet-begrijpend. 'Twaalf uur. Hij heeft me zelfs zover gekregen dat ik op eerste kerstdag openging voor hem! Ik geloof dat hij naast je zat toen je hier de vorige keer was...' Hij maakte een pak melk open en rook eraan.

'O, *Keith*!' Hugh Grant! 'O, die.' Keith? Keith?! Wat een lelijke naam voor zo'n knappe man. 'Ja, natuurlijk, Keith! Eh, hoe is het met hem?' vroeg ik terloops, terwijl Oz het pak melk weggooide en een nieuw pak openmaakte.

'Geen idee,' hij had niet genoeg aandacht voor mijn vraag, in plaats daarvan was hij op zoek naar een theelepeltje, 'Keith is een zwijgzaam type, heel erg op zichzelf. Ik probeer de klanten altijd zoveel mogelijk met rust te laten'– daar had je die achterlijke grijns weer – 'tenzij ze beeldschoon zijn, zoals jij!' Ik negeerde hem. 'Vertel op, wat ga je doen vandaag, heb je hulp nodig?' Hij gaf me mijn koffie en voerde me mee naar een computer.

Kon ik me zelfs nog maar één ding herinneren van wat hij me de vorige keer had geleerd? Nee. Biechtte ik dit (a) meteen op en vroeg ik hem vriendelijk om hulp, niet vergetend om er 'alsjeblieft' en een glimlach aan toe te voegen; of zag ik (b) kans om er een nog veel grotere elektronische puinhoop van te maken dan de vorige keer, rende ik naar de plee voor een implosie van frustratie gevolgd door een snelle huilbui, enkel om bij mijn terugkeer tot de ontdekking te komen dat hij een stoel naast de mijne had gezet en alles voor me had opgelost?

'Oké, Charlotte,' hij wist zelfs nog hoe ik heette, 'nu zal hij het wel weer doen.'

'Dank je.'

Maar hij ging niet weg, hij bleef zitten waar hij zat. Ik voelde dat ik weer in paniek begon te raken.

'Kan ik je ergens mee helpen?'

'Nou, ik ben hier om iets uit te zoeken over – het is alleen dat – eigenlijk is het niet belangrijk meer, ik...' Tot mijn afgrijzen kon ik het niet over mijn lippen krijgen.

Ik haalde diep adem.

'Het zit zo, ik heb een vraag waarvan ik denk dat de super internet snelweg hem zou kunnen beantwoorden.'

'Okidoki.' Hij keek recht in mijn ogen, en daarmee maakte hij de dingen nog veel erger dan ze al waren. Ik moest wegkijken, zijn blik was te helder. 'Voel je je wel goed vandaag? Je ziet er nogal geteisterd uit...'

'Welnee.'

'Jawel, je weet wel – gewoon een beetje...' hij bekeek mijn gezicht overdreven aandachtig, dus ik bekeek het lege scherm overdreven aandachtig, 'nou ja, depri, uitgeteld, weet je wel. Ben je onwel?' Opnieuw keek ik niet-begrijpend. 'Ziek?'

'Nee hoor, ik voel me prima,' zei ik, met ietwat bibberende onderlip. 'Nou, zullen we dan maar?'

'Weet je het zeker?' Zijn stem werd zachter. 'Weet je zeker dat je je wel goed voelt?'

Het was zijn schuld, hij vroeg het twee keer.

God, het was afschuwelijk. Ik kreeg een zware emotionele inzinking, daar in het internetcafé, en gooide alles eruit, in het bijzijn van iemand die praktisch een vreemde voor me was. Ik voelde me hulpeloos, geconfronteerd met zijn vriendelijkheid. O, de schande. Als er een klif in de buurt was geweest, zou ik eraf zijn gesprongen.

Tussen onbedwingbare huilbuien door vertelde ik hem de afgrijselijke waarheid over Kerstmis, en Sabrina die me had laten stikken, en mijn ouders die bij me ingetrokken waren, en een heel klein beetje over Joe, en dat het zijn schuld was omdat hij Amber die kaart had gestuurd terwijl ik er bijna weer bovenop was – en die arme man zat daar maar, me papieren servetjes overhandigend en knikkend van tijd tot tijd, terwijl medeleven en woede en razernij en vriendelijkheid op precies de juiste momenten op zijn gezicht waren af te lezen. En hoe aardiger hij was, hoe beroerder ik me voelde, natuurlijk.

Gelukkig kwam er een echte klant binnen, zodat ik even de tijd had om tot mezelf te komen. Nadat hij haar had geholpen (een oude vrouw die de slager zocht) kwam Oz terug met nog een kop koffie en een meer zakelijke houding, en zei: 'Oké, wat is dan die vraag die je hebt voor het wonderbaarlijke wereldwijde web?' Daar had je die grote glimlach weer. 'Ik ben dol op surfen,' zei hij. (Dat was wel duidelijk, al had ik geen flauw idee waarom hij het nodig vond om me dat nu te vertellen.)

Het leek zinloos om te liegen. Ik was van plan geweest om hem te vertellen dat ik een beroemde schrijfster was en dat ik een boek aan het schrijven was waar ik research voor moest doen, maar nu realiseerde ik me dat als dat waar was, hij het raar zou vinden dat ik zelf geen computer had. Dus kwam ik er maar gewoon eerlijk voor uit.

'Mijn vraag is,' ik haalde diep adem, wat helaas meer klonk als een van die grote sidderingen die je overvallen nadat je hebt moeten huilen op school, 'nou ja, ik wil gewoon weten wat er gebeurt, weet je wel, als je de computer iets vraagt als, eh, "wat is lfde".' Ik slikte het laatste woord in, hopend dat hij het niet had gehoord.

Maar dat had hij wel. 'Wauw,' hij keek me aan, verbaasd maar vreemd genoeg onder de indruk. 'Cool. Dat klinkt alsof je eens even moet googelen!'

'Als jij het zegt.' Ik bereidde me voor op allerlei rare computertechnische toestanden terwijl ik naar het scherm staarde, heel gretig om te beginnen nu. 'Zullen we dan maar?' Ik snoot mijn neus in een papieren servetje terwijl hij de vraag intypte.

'Is het je geluksdag vandaag?' vroeg hij, me zo hard aanstotend dat ik bijna van mijn stoel viel.

'Absoluut niet!' antwoordde ik verontwaardigd, me te laat realiserend waarom hij de vraag had gesteld.

Er verschenen bijna meteen allemaal 'dingen' op het scherm. Oz begon te lachen. 'Jeminee,' zei hij (tot mijn teleurstelling, ik had altijd gedacht dat Australiërs 'warempel' zeiden) 'moet je dat zien. Ze hebben 119.000.000 resultaten gevonden in 0,25 seconde. Wauw...' Hij staarde vol ontzag naar het scherm. 'Vind je het internet niet ronduit geweldig?' vroeg hij, zijn ogen groot van verwondering, zijn gezicht stralend als dat van een jongetje in een snoepwinkel.

'Webdefinitie' stond er bovenaan: *'Liefde – een sterke positieve emotie van waardering en genegenheid. "Zijn liefde voor zijn werk"; "Kinderen hebben veel liefde nodig".'* Vertel mij wat. Sterker nog, dat herinnerde me eraan dat het bijna tijd was om Amber van school op te halen.

De onstuitbare Oz was nog veel opgewondener over dit project dan ik was. Ik was nog steeds gehuld in schaamte over het feit dat ik in tranen was uitgebarsten in een openbare gelegenheid, en toen ik het café verliet, beloofde hij dat hij alle informatie morgenochtend in hapklare brokken voor me gesorteerd zou hebben.

Ja hoor. Alsof ik daar ooit nog een keer terug zou komen.

'Ha, Charlotte!' kwetterde Oz. 'Hoe gaat ie?'

Het was de volgende dag rond het middaguur, meen ik, en Hugh Grant zat op zijn gebruikelijke plek.

'Wauw, je ziet er werkelijk fantastisch uit!' zei Oz, me van top tot teen bekijkend, zodat ik me nog veel ongemakkelijker voelde dan ik toch al deed. 'Schitterend! Super...' Hij was duidelijk onder de indruk.

Ik ook. Voor het eerst sinds ik de kliniek had verlaten, had ik moeite gedaan om er leuk uit te zien. Nou ja, ik had mijn haar gewassen, een beetje make-up op gedaan, en schone kleren aangetrokken. Niet met een bepaalde reden, hoor, maar gewoon omdat ik er zin in had, dat was alles.

'Zal ik hier maar gaan zitten?' vroeg ik, plaatsnemend op wat voortaan mijn gebruikelijke plek zou zijn, naast de enige andere klant, o jeetje, Hugh Grant, die gebiologeerd naar het scherm zat te turen. 'Hoi,' zei ik met mijn allerliefste glimlach. Hij keek niet op. Dat hoefde ook niet – zijn profiel was knap genoeg. O, wauw.

'Heb je zin in koffie?' riep Oz van achter de bar.

'Geef mij maar een hazelnoot-mokka met een scheut vanillesiroop,

146

alsjeblieft!' riep ik naar achteren, hopend dat ik net zo geraffineerd klonk als mijn bedoeling was.

Ik trok mijn jas uit en hing hem over de rugleuning van de stoel. Ik kon niet precies zien wat Hugh Grant aan het doen was met zijn computer, maar hij ging er duidelijk volledig in op. Hij keek zelfs niet op toen ik met de mouw van mijn jas langs zijn arm streek, geheel per ongeluk.

Gelukkig wist ik nog hoe ik de boel moest opstarten. Maar voordat ik dat kon doen, stond Oz al naast me met een stapel papieren in zijn hand. 'Ik heb al die informatie doorgenomen,' zei hij, 'dit zijn de resultaten. Normaal gesproken kost het 50 pence per uitdraai, maar omdat jij het bent...'

Oké dan. Hij moest de hele nacht in de weer zijn geweest – hij had zo'n 300 van de 1.000 resultaten uitgeprint en geordend, en de dingen doorgestreept die er dubbel op stonden of die om de een of andere reden niet goed waren.

Het bleek dat er hele volksstammen waren die hadden besloten om hun website 'mijn liefde voor zus-en-zo' te noemen – op de lege plek kun je van alles invullen, 'katten' of 'honden' (zeer voor de hand liggend), of 'het buitenleven' en 'kaas' (oké), of 'kansberekening' en 'de Iraakse minister van informatie' (bizar). Er was er eentje voor Oz, *www.mijnliefdevoorhetweb.com*, en eentje voor mij *www.mijnliefdevoormijnmoeder.com*, en er had er ook eentje moeten zijn voor Hugh Grant *www.mijnliefdevoorhetvolkomennegerenvananderemensen.com*.

Maar verreweg de meeste sites waren volledig gewijd aan eenzame zielen, en relatiebemiddelingsbureaus, en romantiek – wat waarschijnlijk de reden was voor de grote grijns op het gezicht van Oz. Nadat hij bijna een uur naar me had zitten kijken terwijl ik aan het surfen was op het net (ik had nu alle technische terminologie in de vingers, bijna letterlijk) kwam hij naar me toe en zei veel te hard: 'Trouwens, als je een vent zoekt, dan kan ik je waarschijnlijk wel helpen.' En hij knipoogde, tot mijn afgrijzen.

Gelukkig stond Hugh Grant op dat moment op, pakte zijn spullen, betaalde en vertrok, zodat mijn blos voldoende tijd had om af te zwakken tot felrood.

'Ik ben geen eenzame ziel!' barstte ik uit, zodra de deur van het café achter hem was dichtgeslagen. 'Het laatste waar ik op dit moment behoefte aan heb, is een vriend.'

(Dit was een van die zeldzame momenten waarop je niet weet wat je bedoelt totdat je het gezegd hebt, en daarna is het volkomen logisch. Een kans om jezelf te imponeren met je heldere manier van denken, ook al had je geen flauw idee dat je er zo over dacht totdat je het jezelf daarnet hoorde zeggen.)

'Ik wil alles weten over allerlei verschillende soorten liefde en over hoe je ze in je hele leven kunt betrekken, snap je, niet alleen de romantische variant. Het gaat niet alleen om het vinden van een man, weet je, in feite vermoed ik dat het meer gaat om het *niet* vinden van een man.' Wauw, dat was briljant.

'Wauw, dat is briljant,' zei hij. 'Luister, ik wil niet raar of maf overkomen, maar mag ik je hierbij helpen? Het is gewoon – nou ja, het is een heel interessant idee, en ik voel me er nu min of meer bij betrokken, en ik heb het toch niet echt druk...'

'Eh, nou, eh – ja, dat mag wel hoor.' Geweldig! Hij kon mooi alle saaie klusjes voor me opknappen. We spraken af dat ik elke dag een uur zou komen als ik daar tijd voor had (hilarisch – alsof ik iets anders te doen had) en hij zou al het eventuele werk in de tussenliggende periodes doen. Vanbuiten was ik een tikje terughoudend over het aangaan van een dergelijke verplichting, maar vanbinnen was ik door het dolle heen – dit verschafte me een geldige reden om Hugh Grant elke dag te zien, hem te leren kennen, met hem te trouwen, zijn kinderen te krijgen en nog lang en gelukkig te leven.

'Maar,' en ik heb geen idee waar ik de moed vandaan haalde om dit te zeggen, het floepte er gewoon min of meer uit, 'ik moet wel tegen je zeggen dat we nooit een setje zullen worden, begrijp je dat?'

'Een setje?' Hij keek niet-begrijpend.

'Samen – je weet wel, een romantische verbintenis. Partners, uitgaan, dat soort dingen.' Het leek me het beste om het voor hem te spellen. 'We zullen nooit verkering met elkaar krijgen, oké?'

'O, ja, tuurlijk,' hij keek verward en pakte mijn lege koffiekop, die een boemerang als oor had. 'O!' Het kwartje was eindelijk gevallen. 'Dacht je dat ik mezelf bedoelde toen ik zei dat ik wel iets voor je kon regelen? O nee!' Hij lachte, overdreven. 'Ik bedoelde mijn maat Craig. Ik heb zelf al een beeldschone dame, dank je. Hoewel,' er gleed een schaduw over zijn gezicht, 'ze heeft me vanmorgen wel flink staan uitfoeteren. Nou,' zijn gezicht lichtte weer op, 'dan kan ze zich maar beter gedragen, hm? Ik weet nu waar ik een nieuwe vriendin kan vinden, nietwaar? Er zijn genoeg wanhopige vrouwen op het internet!' En met de stapel internet research dicht tegen zijn borst gedrukt, liep hij in de richting van de bar, stilletjes voor zich uit grinnikend.

Met een goed gevoel omdat we dat in ieder geval hadden uitgesproken, verliet ik het café. Ik was opgelucht. En geschokt. Oz was een ontzettende muts, welke weldenkende vrouw wilde er nou verkering met hem?

Waarom vallen we op de mannen die ons niet zien staan en vice versa?

Hoe vaak heb je wel niet gewenst dat je een stapje verder kon gaan met die-en-die, die alles heeft wat je zoekt in een partner, maar dat gaat dan niet omdat je gewoon niet verliefd op hem bent?

Evenzo, als je erin slaagt om die ontzettende sexy man aan de haak te slaan, waarom is het dan zo teleurstellend om, zodra je één voet buiten het bed zet, tot de ontdekking te komen dat jullie niets gemeen hebben?

(Het is dus verstandig om te wachten tot je iemand tegenkomt die aan beide eisen voldoet, maar hoe vaak gebeurt dat nou helemaal in een vrouwenleven?)

Voor mij is het het ultieme raadsel der romantiek.

Ik heb ooit eens gehoord dat vrouwen langzaam maar zeker verliefd worden op de man van wie ze houden, en dat mannen langzaam maar zeker gaan houden van de vrouw op wie ze verliefd zijn. Ik heb nog nooit een relatie gehad die lang genoeg duurde om erachter te komen of dat echt waar is.

In dit geval, bijvoorbeeld, is Oz verliefd op mij, maar ik ben verliefd op Hugh Grant. De kans is dus groot dat Oz een schat zal blijken te zijn, en Hugh Grant een klootzak. Dus word ik vrienden met Oz voor het onwaarschijnlijke geval dat ik op een dag verliefd op hem zal worden, of stort ik me in de armen van Hugh Grant voor het onwaarschijnlijke geval dat hij op een dag verliefd zal worden op mij? Of blijf ik wachten tot ik iemand tegenkom die aan beide eisen voldoet, zoals Joe?

Ik neem aan dat het antwoord is: gewoon afwachten.

Grr.

Arthur en Jimmy stonden om 7.00 uur 's morgens op de stoep om de zondagse lunch te bereiden.

(Dit was een Grote Dag bij ons thuis, mijn moeder praatte nergens anders meer over, ze verheugde zich er enorm op dat 'iemand anders nu eens zou koken, voor de verandering.' Papa en ik waren best wel in staat om te koken – we mochten het alleen nooit, dat is alles.)

Ze stonken naar drank en rokerige nachtclubs en zweterig dansen, en hun ogen waren als rondtollende schoteltjes, de ecstasy gierde nog door hun lijf. 'We zijn al sinds gisteravond op stap!' verklaarden ze toen ze langs me heen de keuken in beenden, beladen met verscheidene stug uitziende plastic tassen vol met luxe lekkernijen uit dure delicatessenwinkels in hartje Londen. De homolevensstijl rukte op naar het westen.

'Wat gaan jullie maken?' vroeg ik, terwijl ik hen de keuken in duwde en de deur zo zachtjes mogelijk dicht probeerde te doen.

'Nou,' zei Arthur, die blozende appelwangen had, verliefd zijn stond hem goed, 'we gaan beginnen met aubergineplakken met granaatappelsap en munt...'

'...en als hoofdgerecht hebben we geglaceerde ham met stroop en ananas...' vulde Jimmy aan.

'...en een trifle van rabarber, Muscat en mascarpone toe!'

O jee. 'Heerlijk!' zei ik, terwijl ik bedacht hoe ik dit het beste kon verwoorden. 'Eh, mijn ouders zijn maar eenvoudige eters, weet je.' En ik nu dus ook, het klonk weerzinwekkend.

'Ach, ja, dat weten we toch,' zei Arthur, die een 'retro' (alleen wij tweeën wisten dat hij het altijd al had gehad) fluwelen jaren zeventig jasje aanhad met een dun zilveren glitterstreepje, wat hem meer dan een vleugje Liberace gaf, 'we hebben kennisgemaakt met je moeders kookkunst toen we hier het huis aan het verbouwen waren, nietwaar, Jimmy?'

Jimmy deed een imitatie van iemand die een akelige dood sterft aan voedselvergiftiging, en Arthur scheen dat buitengewoon geestig te vinden. 'We moesten elke dag onze eigen boterhammen meebrengen! We deden alsof we het Wilkins-dieet volgden.' Hij lachte om Jimmy's capriolen en vervolgde: 'We hebben hun wijsgemaakt dat het de homovariant was van het Atkins dieet, kun je het je voorstellen?'

Ik wel.

'En de arme schatten geloofden ons, hè, Jimmy?'

'Ja, honnepon, ze geloofden ons,' zei Jimmy met een zelfvoldane grijnslach, zich koesterend in het spotlicht van de blik van zijn minnaar.

'Weet je, Charlotte,' vervolgde Arthur, 'je ouders zijn veel aardiger dan ik had verwacht. Eerlijk waar, je bent een stouterd, je had het doen klinken alsof ze monsters waren, en in feite zijn het lammetjes. We vonden ze fantastisch, nietwaar, Jimmy?'

'Het zijn schatten,' antwoordde Jimmy, die me aankeek alsof ik het altijd bij het verkeerde eind had, 'ik vond ze echt fantastisch.'

'Vooral je moeder,' vervolgde Arthur terwijl hij een stuk peperduur uitziende kaas uitpakte, 'wat een geweldige vrouw. We hebben zo gelachen met haar, hè, en mijn god wat is ze sterk, een echte *tour de force*, alles wat een vrouw hoort te zijn. We vonden haar een schat, nietwaar, Jim?' 'We' knikte. 'En ze is absoluut stapel op jou, ze was heel bezorgd, weet je wel, over –'

'Luister, ik ga terug naar bed,' zei ik. 'Vind je het goed als ik het verder aan jullie overlaat?'

'Absoluut niet!' antwoordde Arthur. 'We zijn nog steeds dronken, we zijn straalbezopen, schat, we kunnen dit onmogelijk helemaal alleen doen.'

'Wij kijken wel toe, als je wilt,' bood Jimmy aan, 'en dan zeggen we wat je moet doen. Kijk, we hebben speciaal het boek meegebracht!' Hij haalde een grote dikke Nigella te voorschijn en kwakte deze met een klap op tafel.

Voor het geval je het nog niet wist, het probleem met homo's is dat het controlfreaks zijn, allemaal. En ze weten altijd alles beter. Ik had voorheen nooit geweten dat ik hopeloos ben met een aubergine, nog erger met een granaatappel, en het schijnt dat ik zelfs het nederige muntblad niet fatsoenlijk kan snijden.

Uiteindelijk, na veel te veel onderbrekingen en gehik van het publiek, smeet ik het mes neer op de snijplank en barstte in tranen uit van pure frustratie, woede en zelfhaat. 'Ik kan het niet! Ik kan dit gewoon niet! Ik haat dat verdomde koken en ik haat die verdomde Nigella en ik haat jullie tweeën, verdomme, omdat jullie mij laten doen wat jullie beloofd hadden te zullen doen en dan komen jullie hier en dan hebben jullie helemaal de intentie niet om het te doen en jullie behandelen me alsof ik jullie slaaf ben en wat mij betreft is het nog midden in de nacht en jullie kunnen allemaal de klere krijgen, allemaal!'

Daarna viel er een stilte, en Arthur en Jimmy wisselden een blik en een 'ooooooooo!' op zo'n nichterige, verrukte toon van 'kijk nou toch eens, ze krijgt een driftbui.' Als één man stonden ze op en pootten me op een stoel neer, nauwelijks in staat om hun opgetogenheid te verhullen – hun handen hadden gejeukt om het van me over te nemen vanaf het moment dat ik was begonnen.

Jimmy gooide mijn mislukte pogingen weg en toverde een reserve granaatappel te voorschijn uit een van de tassen – het was alsof ze hadden geweten dat dit zou gebeuren – terwijl Arthur een kop thee voor me zette en een van mijn vaders klassieke verzamelcd's opzette. (Moeder hiëld alleen maar van Neil Sedaka.)

Daarna keerde de rust weer in de keuken, totdat Arthur naast me ging zitten aan tafel en zei: 'Zo – al een baan gevonden?'

'Begin daar nou niet over, verdomme,' foeterde ik in mijn mok, 'ik voel me nog niet goed genoeg om te werken.'

'Dan moet je in de ziektewet,' zei Jimmy, die een halve granaatappel platsloeg met een houten lepel terwijl de blender eronder de kleine rode 'robijntjes,' zoals Nigella ze noemt, opving. (Werkelijk, wat een gehannes, kun je het niet kant-en-klaar geperst kopen?)

'Luister, ik weet dat ik me niet helemaal goed voel, maar ik zit nou ook weer niet in een rolstoel!' zei ik spottend.

'Hij heeft wel gelijk, weet je,' zei Arthur, wiens gezonde verstand duidelijk was meegenomen door de Verliefdheidsfee, 'je zou in ieder geval een bijstandsuitkering kunnen aanvragen, Charlotte.'

'Hoe bedoel je?!' Ik kookte van woede. 'Geld vangen voor de hele dag niksnutten, als een werkloze, bedoel je? Nee, dank je wel – ik heb nog nooit mijn hand opgehouden bij de staat, en dat ben ik ook nu niet van plan.' (Ik was hier altijd heel fel in geweest, niet alleen omdat ik het afkeurde, maar ook omdat het zou betekenen dat ik om hulp vroeg, hetgeen altijd een vraag te ver voor me was geweest.)

'Maar ze zullen je wat geld geven, een nieuwe start...' zei Arthur, vriendelijk. 'Daar zijn ze voor, daar moet je gebruik van maken – waarom niet?'

'Omdat ik wel voor mezelf kan zorgen!' sputterde ik, me ervan bewust dat, terwijl ik de woorden zei, het iedereen inclusief mijzelf meer dan duidelijk was dat ik dat niet kon. 'Ik heb tot nu toe altijd mijn hoofd boven water gehouden...' Mijn stem stierf weg.

'Charlotte, schat – als je blijft doen wat je altijd hebt gedaan, zul je enkel hetzelfde resultaat boeken,' zei Arthur, terwijl hij mijn hand een meelevend kneepje gaf.

'Dat is de ware definitie van krankzinnigheid!' verkondigde Jimmy, die iets stond te roeren. Wie was er dood gegaan en had van hem verdomme de Dalai Lama gemaakt?

'Luister, waarom ga je niet gewoon wat informatie opvragen?' vroeg Arthur, de verschaalde alcohol in zijn adem walmend over de keukentafel. Hij deed zijn best om nuchter te doen, maar mij kon hij niet voor de gek houden, ik kende hem te goed.

'Luister, waarom bemoei jij je niet gewoon met je eigen zaken?' antwoordde ik, op precies dezelfde toon.

Hij leunde achterover op zijn stoel en sloeg boos zijn armen over elkaar. 'Omdat je vader me heeft gevraagd om er met je over te praten, daarom.'

Ik deed mijn mond open om te protesteren, maar hij ging verder.

'Nee! Rustig nou, we proberen je alleen maar te helpen, dat is alles. Ik kan het niet verdragen om je zo te zien, ik wil mijn Charlotte terug – waar is mijn grote sterke vriendin gebleven, de vrouw die zich niet liet kisten?'

'Ik weet het niet,' fluisterde ik, omdat ik niet wilde dat Jimmy het zou horen, 'ik weet het niet.' Toen de klassieke muziek aanzwol tot een crescendo, slikte ik de grote brok in mijn keel weg en zei geluidloos: 'Ik ben bang.' Mijn hand vloog naar mijn mond; ik kon niet geloven dat ik het had gezegd.

'Ik weet het,' mimede hij vol medeleven. We knepen in elkaars hand en pinkten een traantje weg, heimelijk, onder ons.

Althans, dat dachten we. 'Ik heb zo vaak in de bijstand gezeten!' deelde Jimmy mee, met de fijngevoeligheid van een houthakker. 'Het is zo makkelijk als wat, fluitje van een cent.' Leuk. 'Ach ja, daar betalen we toch ook belasting voor?' Alsof hij ooit belasting had betaald. Alsof ik ooit belasting had betaald, nu we het er toch over hadden – ik was altijd een handje-contantje werknemer geweest.

'Het is toch in ieder geval de moeite waard om het uit te zoeken, Charlotte?' geeuwde Arthur, geteisterd door de schaduw van zijn nachtelijke activiteiten, 'misschien kunnen ze je net dat ene duwtje geven om er weer bovenop te komen. En laten we wel wezen,' hij leunde dichter naar me toe, dempte zijn stem, de alcoholwalm was van zo dichtbij nog veel erger, 'hoe eerder je weer op eigen benen kunt staan, hoe eerder je ouders zullen ophoepelen!' Hij geeuwde nogmaals en stond op om zich uit te rekken. 'Hoe lang nog, Jimmy? Ik ga dood van de honger. En ik kan niet wachten om je mee naar huis en naar bed te nemen...' Ze sprongen wellustig op elkaar af en slaagden er op de een of andere manier in om elkaar te kussen tijdens de botsing.

Uiteindelijk legde ik hun het zwijgen op door ermee in te stemmen om op zijn minst na te denken over het onderzoeken van de mogelijkheid om eventueel een paar foldertjes te halen, wellicht.

De lunch was een doorslaand succes. Mijn familie zat er niet noodzakelijkerwijs op te wachten, om half elf op een zondagochtend, maar niemand zei er iets van. Zelfs ik niet.

Ik was er één keer eerder geweest, toen ik nog zo onnozel was om te denken dat ze bij de gemeente wel in staat zouden zijn om wat geld van Joe los te peuteren.

Het was afschuwelijk, een groot somber gebouw dat in de volksmond de Lubyanka wordt genoemd, met de obligate drugsverslaafden die buiten rondhingen, smekend om geld, mensen lastigvallend. Ik moest meer dan twee uur in de rij staan voordat ik aan de beurt was, enkel om te horen te krijgen dat ik in de verkeerde rij stond, dus ik werd naar een ander deel van het gebouw gestuurd, waar ik op een vreselijk smerige bank moest gaan zitten in een wachtkamer met handgeschreven briefjes aan de muren waar dingen op stonden als 'Gelieve uw wapens af te geven bij de receptie.'

Er waren overal krijsende kinderen die een tik kregen van een angstaanjagende moeder – het type dat een baby een flesje thee geeft. En na dat alles, tegen de tijd dat ik eindelijk aan de beurt was, was de vrouw waar ik me moest melden gaan lunchen. Iedereen daar zag er zo gedeprimeerd uit, volledig afgestompt, echt – nou ja, grauw. Ik werd zo nijdig over de hele gang van zaken dat ik uiteindelijk gewoon ben weggelopen en nooit meer terug ben gegaan. (Daar had ik achteraf spijt van, natuurlijk, aangezien het betekende dat mijn dossier meteen definitief gesloten werd – maar ach, zo was ik destijds nou eenmaal.)

Zoals je weet beginnen alle goede voornemens en diëten op maandag, dus stond ik de volgende dag voor de tweede keer in mijn leven op de stoep van dat afgrijselijke gebouw, bereidwillig, maar woedend. 'Kantoren te huur' stond er op het gigantische bord voor de deur, 'Dit pand staat onder permanente bewaking' stond er op de dichtgespijkerde ramen, en een of andere graffitikunstenaar met gevoel voor humor had de herdershond die daaronder stond afgebeeld op ieder bord een andere vermomming gegeven.

Er zat een briefje op de voordeur geplakt waarop informatie stond over waar ze naartoe waren verhuisd, maar aangezien ik dit deel van de stad niet goed kende, had ik geen idee waar dat was.

Nou ja, ik ben er in ieder geval naartoe gegaan, zei ik tegen mezelf terwijl ik mijn jas strak om me heen trok en op het doorweekte bankje pal voor de deur ging zitten om een stiekeme sigaret op te steken, ik kan in ieder geval zeggen dat ik het heb geprobeerd.

'Verdomme nog aan toe!!' krijste een schelle vrouwenstem bij de ingang. 'Ze zijn al verhuisd, hè?!' vroeg ze aan mij. Ik was geschokt door de inbreuk op mijn privacy, ik had er niet op gerekend dat ik vandaag zou moeten praten tegen iemand die ik niet kende.

De vrouw die voor me stond, was – nou ja, een hele verschijning. Dit was een dikker iemand die zich kleedde als een dunner iemand. Ze droeg opengewerkte paarse schoenen met naaldhakken – met dit weer – waar vermoeide eeltige voeten met metallic nagellak aan alle kanten overheen puilden, wat er buitengewoon oncomfortabel uitzag; haar overduidelijk kunstmatig gebruinde dikke benen werden bij elkaar gehouden door een veel te strakke kuitbroek met een Burberry ruitje; en ze was, in tegenstelling tot mij, niet warm ingepakt tegen de winterkou, maar in plaats daarvan gekleed op de lente in niet meer dan een dun vest van citroengeel velours met capuchon en vlindertjes van zilverkleurige glitter. Ze was duidelijk van mening dat haar borsten haar pronkstukken waren, aangezien er geen enkele poging was gedaan om hun enorme omvang te verhullen; een nietsverhullend turkooizen T-shirt spande er strak omheen, het opzichtige, gouden D&G-logo uitgerekt en ernstig vervormd over haar borst. Het zag eruit alsof ze een stel puppy's in haar beha had zitten die wanhopig probeerden om zichzelf te bevrijden.

Ze had niet alleen een piercing in haar papperige navel, maar ook in haar oren, met een hele lading gouden ringen aan beide kanten. Ze had genoeg make-up op voor twee nachtclubzangeressen en een stripper, en haar vettige geblondeerde haar (met uitgroei waar zelfs Madonna in de jaren tachtig zich voor zou hebben gegeneerd) was strak naar achteren getrokken in een hoge paardenstaart die bij elkaar werd gehouden met een haarelastiek van nepbont, volstrekt ongepast voor een vrouw van haar leeftijd, die, nu ik erover nadacht, waarschijnlijk heel dicht bij de mijne zou liggen. Ze was niet mooi en ze was niet knap, maar ze had 'het beste van zichzelf gemaakt' zoals mijn moeder zou zeggen. Het was een sterke look, en een afzichtelijke. Ze zag eruit als een mislukte voetbalvrouw. Die aan de lsd was.

'Ze zijn zeker al naar het nieuwe pand verhuisd, hè?' vroeg ze aan mij, alsof ik de internationale deskundige was op het gebied van de Verhuizing van Officiële Instanties in Londen en omstreken.

'Ik geloof van wel,' mompelde ik, wensend dat ze weg zou gaan, 'het staat allemaal op de deur.'

Ze reed haar buggy met daarin twee duttende bruine baby's naar de deur en bekeek het briefje aandachtig. 'O, dat is fijn,' riep ze over haar schouder naar mij, 'het is hier om de hoek. We kunnen er met de benenwagen naartoe, ga je mee?'

Er werd verondersteld van wel, en nadat ze een kind met peenhaar (Rev genaamd, om de een of andere reden) uit de enorme plas had gevist waar hij in stond te springen, gingen we met zijn allen op weg naar het nieuwe gebouw om de hoek.

'Ik ben Gloria Bean,' zei ze, boven het lawaai van haar klik-klakkende hakken op de stoep uit. 'Hoe heet jij, liefje?'

'Charlotte,' zei ik, ietwat stijfjes, ervan uitgaande dat mijn upper middle class Britse kostschoolaccent haar wel duidelijk zou maken wat het verschil was tussen ons. 'Ik heet Charlotte Small.'

En, ja hoor. 'Wat doe je hier dan? Daar lijk je me het type niet voor.'

'Ik kom alleen wat informatie opvragen. Ik,' ik rechtte mijn rug, 'ben namelijk een alleenstaande moeder.'

'O ja? Welkom bij de club!' zei Gloria stralend, opgetogen over waarschijnlijk het enige wat we gemeen hadden. Ze was echt veel te aardig. 'Hebben ze de benen genomen?'

'Wie?'

'De vaders.'

Ik probeerde aardig te blijven. 'Ik heb maar één kind, en ze heeft maar één vader.'

'O, oké, sorry.' Haar zoontje zei dat hij dorst had; zonder ook maar één keer te struikelen graaide Gloria in haar Louis Vuitton-tas (witte ondergrond, veelkleurige logo's, van het soort dat door Afrikanen op het strand wordt verkocht) en gaf hem een pakje drinken, waar ze op de een of andere manier met maar één hand het rietje al in had gedaan. Deze vrouw was duidelijk een prof – ik had die techniek nog steeds niet onder de knie, en Amber was al bijna negen. Dit alles was des te verbazingwekkender als je keek naar haar vingernagels – die waren lang, heel lang, als gekromde klauwen, en beschilderd in luipaardmotief. 'Ik heb er zes in totaal.'

'Zes kinderen?' Ik was ontzet bij de gedachte om zes keer te moeten bevallen.

'Ja, zes – mijn oudste is vierentwintig en deze twee zijn zes maanden. Ik ben verslaafd aan kinderen krijgen – ik lijk wel niet wijs, hè Rev?' Ze gooide haar hoofd in haar nek en bulderde van het lachen, het was een van die aanstekelijke flirterige kroeglachjes vol overgave; een man in een wit busje toeterde naar ons en reed ons grijnzend voorbij.

Ze zwaaide naar hem met een air van 'iedereen is welkom'. 'Bijdehante gozer!' zei ze door haar glimlach heen.

'Dus dat is de reden waarom je naar het gemeentehuis gaat?' vroeg ik voorzichtig. 'Om geld te halen voor de kinderen?'

'Zoiets, ja. Ik wil het je wel uitleggen, maar – nou ja, dit is je eerste keer, nietwaar?'

'Ja.' En ook de laatste keer, als het aan mij lag.

'Het is een beetje ingewikkeld, weet je. Je moet precies weten wat je gaat aanvragen, en of dat invloed zal hebben op wat je al hebt. Soms sluit de ene uitkering de andere uit, snap je? De truc is om te leren hoe je het stelsel kunt uitmelken, in plaats van dat ze jou uitmelken.' Ze glimlachte naar me. 'Wees maar niet bang, er is geen kunst aan als je eenmaal weet hoe het moet!'

'Aha.' Het klonk afschuwelijk. Ik probeerde niet al te neerbuigend te klinken, maar ze had duidelijk behoefte aan enige sturing. 'Zou je geen baan zoeken, dan?'

'Ben je gek, dat is niks voor mij!' Gloria lachte. 'Waarom zou ik dat doen? Ik moet toch voor mijn kinderen zorgen!' Ze klakte met haar tong. 'En ga me nou niet vertellen dat ik een oppas moet nemen. Ik ben het niet eens met die werkende-moeders-flauwekul. Het zijn mijn kinderen, en niemand kan ze beter opvoeden dan ikzelf, snap je?'

Ik snapte het inderdaad. Al kletsend liepen we verder, en onwillekeurig begon ik haar sympathiek te vinden. Een beetje.

Wat ik toen nog niet wist, was dat deze vrouw op het punt stond mijn leven te veranderen. Een van dokter L.'s favoriete gruwelismen ging over HOE je kon veranderen door Hoopvol, Open en Eerlijk te zijn – Gloria Bean hielp me om alle drie te zijn.

Ze was een van die mensen die je gewoon graag om je heen wilt hebben; als Gloria er was, wist je dat alles goed zou komen. Ze was een veilige haven, een zachte landingsplaats. Ze had een reusachtig groot hart en een reusachtig dikke kont – ze was talloze keren op haar bek gegaan, maar ze was altijd meteen weer opgestaan en verdergegaan, ze nam het leven zoals het kwam, en dacht zelden verder vooruit dan één dag tegelijk. Ze was echter niet zomaar een gewone huis-tuin-en-keukendel met een goed hart en een plat accent, o nee. Gloria had een aantal behoorlijk maffe regels, en o wee als je je er niet aan hield. En ze had volstrekt unieke normen en waarden. Gloria had er bijvoorbeeld geen enkele moeite mee om de uitkerende instanties allerlei valse informatie te verschaffen, maar als een van haar kinderen zelfs maar een klein leugentje om bestwil vertelde, kreeg hij of zij onmiddellijk straf. Ze had het volste recht om over anderen te roddelen, maar als je ook maar íéts onaardigs zei over een vriendin van haar, dan kreeg je de volle laag. Als ze krap bij kas zat, had ze er geen enkele moeite mee om een grote doos waspoeder te stelen bij de supermarkt; maar als een van de kinderen een pond uit haar portemonnee had gepakt, ontplofte ze van woede. En toch gaf ze zichzelf gratis en voor niets – elke woensdagmiddag werkte ze als kapster in het bejaardenhuis aan het eind van de straat waar ze woonde, maar ze liet hen nooit een cent betalen. En dat vertelde ze me niet, ik hoorde het van iemand anders.

In eerste instantie was het behoorlijk verwarrend, maar als je er eenmaal achter was wat acceptabel was en wat niet, was De Wereld van Gloria Bean heel logisch. Het was een soep van wat-gij-niet-wilt-dat-u-geschiedt vermengd met geef-wanneer-je-kunt-en-neem-als-het-moet, op smaak gebracht met een snufje voor-jezelf-zorgen. Het is een andere manier om in het leven te staan, maar het werkt. Ze zouden er les in moeten geven op scholen.

Dit wist ik allemaal niet toen ik die dag met haar over straat liep, uiteraard. Maar ik had het gevoel alsof ik zachtjes aan de hand werd meegenomen over een pad door iemand die het al eerder had afgelegd. Het was een prettig gevoel.

'Krijg nou wat, dit moet het zijn! Deftig, vind je niet? Ongelooflijk wat ze met belastinggeld kunnen doen als ze een beetje hun best doen...' We stonden voor een indrukwekkend, door een architect ontworpen, glazen gebouw, het nieuwste van het nieuwste op kantorengebied. Gloria stond te rommelen in haar schoudertas, een opzichtig exemplaar van Gucci, dat naar ik veronderstelde een imitatie was (maar dat toch een echte bleek te zijn, ontdekte ik later, Gloria was een groot fan van handtassen van beroemde ontwerpers); ik schonk Rev een voorzichtige glimlach, die hij beantwoordde met een stuurse blik.

'Zo, wat is je telefoonnummer? Schrijf het even voor me op, liefje.' Ze stak me een pen toe, en de achterkant van een officieel uitziende envelop. 'Hier heb je mijn kaartje,' zei ze, en ze gaf me een van die dunne pastelkleurige visitekaartjes die je goedkoop kunt laten maken bij de supermarkt, 'bel me als je hulp nodig hebt, oké? En denk erom, niks aannemen van wat ze je aanbieden voordat je met mij hebt gesproken – hé, jij daar! Kom hier!' Ze greep Rev in zijn kraag, vlak voordat hij de straat op kon rennen. 'Zeg eens dag tegen Char!' gebood ze.

Ik kromp ineen. Ik was nu eenmaal geen 'Char', toch?

'Dag, Char,' zei het knulletje verlegen en met gebogen hoofd.

'Goed zo, jochie!' Gloria gaf hem een speelse tik op zijn achterhoofd en pakte de buggy. 'Doeg!' zei ze, en ze verdween door de moderne draaideur, de kleine Rev behendig onderscheppend voordat hij erin slaagde om nog een rondje te doen.

Ik bleef voor het gebouw staan en stak een sigaret op, terwijl ik nadacht over wat ik nu zou doen. Ik was een tikje in de war, dit was niet wat ik had verwacht. In plaats van bedelende drugsverslaafden stonden er vrolijk uitziende mensen op de stoep, pamfletten uitdelend voor een gratis Valentijnsdansfeest dat het weekend daarop zou worden gehouden in het stadhuis. De zon was te voorschijn gekomen en had van de koude, grijze dag een heldere witte gemaakt. Er zaten mensen koffie te drinken, brood te eten en te kletsen op de bankjes voor de deur. Dit was de droom van een stadsplanoloog die uitkwam; totaal niet wat ik had verwacht.

Ik was vrij om te gaan, maar ik ging niet. Toen ik daar voor dat gebouw stond, wist ik dat ik een keuze had. Ik kon óf naar binnen gaan, en geld en/of een baan regelen, en de dingen anders aanpakken, wat betekende dat ik bereid moest zijn om hulp en steun te vragen, en erger nog, hulp en steun te aanvaarden; óf ik kon naar huis gaan en doorgaan met wat ik al die tijd al had gedaan: zolang mogelijk op mijn ouders leunen terwijl ik wachtte tot er iets zou gebeuren, wat uiteindelijk ongetwijfeld het geval zou zijn, maar wat en wanneer?

Ik had hier al duizend keer over nagedacht, maar ach, wat maakte het ook uit, ik kon het nog wel een keer doen.

Ik had gehoopt dat Joe's kerstkaart aan Amber een indicatie was dat hij op het punt stond om bij ons terug te komen. Sterker nog, ik had diezelfde ochtend weer een van zijn hinderlijk cryptische ansichtkaarten gekregen – op deze stond alleen een vraagteken. En hij was gepost in Londen. Maar wat zou hij aantreffen als hij morgen ineens op de stoep zou staan? Een gebroken vrouw die niet eens voor haar eigen kind kon zorgen. Zeer onaantrekkelijk, zoals Sabrina zou zeggen. Hij zou waarschijnlijk niet willen blijven.

En wat als hij nooit meer terug zou komen en ik al die tijd voor niks had zitten wachten, zonder verder te gaan met mijn leven? Wat zou ik me onnozel voelen in het bejaardenhuis als ik moest zeggen: 'Ik zat te wachten tot een man me kwam redden, maar hij is nooit komen opdagen. Ik ben hier alleen maar omdat mijn ouders nu allebei gestorven zijn, en ik maar niet voor mezelf lijk te kunnen zorgen.' De andere bewoners zouden vast en zeker een heleboel interessante verhalen hebben – wat zou ik hun te vertellen hebben? Zou ik zwijgend mijn rijstepap naar binnen slobberen, verteerd door spijt dat ik nooit iets had gedaan wat de moeite van het vermelden waard was?

Een stel giechelende meisjes liep voorbij; een van hen hield een brochure in haar hand geklemd met het woord 'universiteit' erop. Aha! Nieuwe ingeving: ik kon altijd een opleiding gaan volgen. Maar wat voor een? Een oudere man van Indiase afkomst stond op van het bankje naast me om zijn vriend te begroeten, en ze gingen samen het gebouw binnen. Terwijl ik ging zitten op zijn lege plek, zei een stemmetje in mijn hoofd: *Je bent pas op de helft van je leven, het is nog niet voorbij.*

Ik bleef daar zitten, luisterend naar mijn gedachten, tot ik koude billen kreeg. Tegen de tijd dat ik opstond, wist ik dat het tijd was om mezelf opnieuw uit te vinden. Tegen de tijd dat ik door die draaideur ging, had ik besloten dat ik toch wel de moeite van het redden waard was, dat ik mezelf een kans zou geven om Joe en de rest van de wereld te laten zien wat ik kon. (De beste wraak is genieten van het leven, zegt men immers.) Verdomme nog aan toe, ik besloot er voor te gaan, wat dat ook moge betekenen!

Ik kan me die dag nog heel goed herinneren. Dat was absoluut een 'biografiemoment'.

Het is een heerlijk gevoel. Er Iets Aan Doen. Je kunt het noemen zoals je wilt, 'actie ondernemen' of 'proactief handelen' – allemachtig, wat geeft dat een goed gevoel. Ik trakteerde mezelf op twee rondjes in de draaideur en sprong naar buiten, huppelde letterlijk de straat uit. Ik voelde me alsof er een last van mijn schouders was gevallen, geen innerlijke verwijtende vingertjes meer, ik was nu iemand die zich in het leven stortte, die in ieder geval een kans had.

Belachelijk eigenlijk – het enige dat ik had gedaan was een heleboel vrolijk gekleurde foldertjes en boekjes en brochures halen, en ik had talloze vacatures uitgeprint met behulp van een touchscreen computer. En ik had zelfs aan de twee dames naast me uitgelegd hoe ze het ding moesten gebruiken, ze waren uitermate dankbaar geweest. Het was zo makkelijk als wat, er hingen zelfs telefoons aan de muur waarmee je gratis kon bellen als je direct meer informatie wilde over een bepaalde baan, maar ik was van plan om alles thuis eens rustig te bekijken. Ja, dit voelde goed, Charlotte Small had het heft weer in handen.

'Hoi, mam!' Amber kwam uit school met een grote map vol teke-ningen, en iets van klei wat in talloze kleuren was geschilderd. 'We mochten dit vandaag mee naar huis nemen, leuk hè?'

Normaal gesproken zou ik iets gemompeld hebben over dat je dat dan weer mee moest zeulen, en dat ik niet begreep waarom ze dat niet gewoon op school konden bewaren, maar vandaag slaagde ik er op de een of andere manier in om mijn mond te houden en in plaats daarvan te doen alsof ik belangstelling had voor wat ze had ge-maakt. 'Dat is mooi,' zei ik, doelend op het ding van klei terwijl we op de bus stonden te wachten, 'het is echt – mooi, Amber, knap hoor.'

Ze glimlachte trots. 'Weet ik.'

Ik liep zo over van menselijke goedheid dat ik zelfs een knikje en een half glimlachje wist te produceren voor een andere moeder die bij de bushalte stond. Ze beantwoordde mijn hartelijkheid niet, ik had haar kennelijk kwaad gemaakt in het verleden. Ach ja.

'Vind je het echt mooi, mam?'

Godallemachtig. 'Ja! Ik vind vooral – de kleuren erg mooi, Amber, goed gekozen.'

'Dank je.' Ze kneep haar ogen tot spleetjes. 'Echt waar?'

'Ja, Amber, het is mooi, echt heel mooi.' Waarom was mijn goed-keuring in vredesnaam zo belangrijk voor haar?

Onze bus reed voor.

'Echt waar?'

'Amber! Schei uit.'

We gingen bovenin zitten, zoals altijd. (We vonden het leuk om naar binnen te kijken in de flats boven de winkels, aangezien de men-sen op dit tijdstip van de dag de lichten aan hadden, maar de gor-dijnen nog niet dicht hadden gedaan. Amber en ik waren van het nieuwsgierige soort.)

'Ik heb het voor jou gemaakt,' zei ze.

'Echt waar? Dank je wel. Ik zal het bij de andere leggen.' In een doos onder mijn bed, 'op een veilige plek' had ik tegen haar gezegd. Nou ja, ze waren te afzichtelijk om neer te zetten. Ik bedoel, je kon gewoon niet –

'Je vindt het niet mooi, hè?'

Nee, natuurlijk niet. 'Ja, natuurlijk wel!' Zeur niet zo!

'Wat is het dan?'

Ah.

'Je weet niet wat het is, hè?'

'Natuurlijk weet ik dat wel, dat is toch duidelijk!'

'Wat is het dan, mam?'

Verscheurd tussen het vertellen van de waarheid en het sparen van haar gevoelens, zei ik: 'Laten we hier uitstappen – ik wil je voorstellen aan een vriend van me.'

Oz was vergroeid met een computer, hij zag eruit alsof hij er de hele nacht achter had gezeten. 'Dit is gewoon zo'n fantastisch project, ik heb van alles gevonden – o, hallo!' Hij richtte zijn grote grijns op Amber. 'Ik wist niet dat je een knappe zus had, Charlotte!'

Ze giechelde, ik niet. 'Waarom heb je een korte broek aan terwijl het winter is?' vroeg ze. Het was mij niet eens opgevallen, maar hij droeg een wijde flodderige bermuda met grote blauwe en witte bloemen, en van die afschuwelijke plastic sandalen met geborduurde stroken klittenband over de voet, godzijdank zonder sokken. 'Heb je het niet ijskoud?'

'Nee, ik heb het niet ijskoud,' antwoordde hij, 'maar ik ben wel cool...'

Amber giechelde, ik kon zien dat ze hem aardig vond. 'Maar waarom heb je die nu aan?'

'Kweet niet – ik heb altijd een korte broek aan. Dat past goed bij de stijl van het café, denk ik – en ik hou er niet van om een pantalon te dragen als het niet strikt noodzakelijk is.'

'Een pantalon? Wat is dat?' vroeg ze.

'Een pantalon? Dat is aussie-Engels voor lange broek.'

'Wat is aussie?'

'Aussie? Je gaat me toch niet vertellen dat je niet weet wat een aussie is? Dat is ongelooflijk, je zou toch denken dat een nieuwsgierig aagje als jij dat soort dingen wel zou weten, nietwaar, moeder?' Hij knipoogde naar me.

'Wat is een nieuwsgierig aagje?'

'Ik kan gewoonweg niet geloven dat je niet weet wat een nieuwsgierig aagje is, je bent nota bene de dochter van een stijve Brit...' Hij voerde haar mee naar de bar en zette haar op een barkruk. 'Heb je zin in iets te kanen? Ik zou een paar knakjes op de barbie kunnen gooien als je wilt, misschien met een lekker blikkie gerstenat erbij, nadat je naar de doos bent geweest, natuurlijk...' Terwijl hij een hele komedie opvoerde met overdreven down-underismen, en Amber steeds gefascineerder raakte, bladerde ik door Oz' uitdraaien van zijn research.

Hij had het woord 'liefde' ingevoerd in verschillende 'zoekmachines' (applaudisseren hoeft niet, dank je), die met allerlei nonsens waren gekomen. Er waren honderden 'is het ware liefde?' vragenlijsten om in te vullen, en miljoenen eenzame zielen die uitgehuwelijkt wilden worden.

Hij had nog veel meer, ongetwijfeld fascinerend, research gedaan, maar om eerlijk te zijn was ik gewoon niet echt geïnteresseerd. Ik was hier alleen maar om te voorkomen dat Amber me pijnlijke vragen zou stellen en om te voorkomen dat Oz zou denken dat ik altijd alleen maar rond lunchtijd kwam, wanneer Hugh Grant er was.

'Hé, Oz,' riep ik, 'dit is geweldig, goed gedaan! Fascinerend allemaal. Echt heel, heel interessant. Zeg, zou je me misschien gewoon in het kort kunnen vertellen wat je te weten bent gekomen, want we hebben niet zoveel tijd.'

Maar Oz was volledig in beslag genomen. Hij bladerde door Ambers map met kunstwerken, oprecht en bewonderend, compleet met 'oh's' en 'ah's' en 'mieters' op de juiste momenten. Hoe deed hij dat, vroeg ik me af; als ik dat probeerde, klonk het altijd alleen maar sarcastisch. Ik was niet zo goed in het voorwenden van oprechtheid.

Ik veronderstel dat het verschil was dat hij het echt meende. Hij leek echt van mening dat haar tekeningen kunstwerkjes waren. Hij vroeg zelfs of hij een paar van haar verftekeningen aan de muur mocht hangen in het Down Undernet Café.

Een aardig iemand zou nu blij zijn geweest dat Amber en Oz bezig waren vriendschap te sluiten, vooral omdat haar vader buiten beeld was. Maar ik niet. Ik was onmiddellijk jaloers omdat het zo goed klikte tussen hen, dus ging ik naar het toilet om een hartig woordje met mezelf te spreken. En met degene die Daarboven zat te luisteren, wie dat ook mocht zijn. Een klein deel van mij wilde gewoon niet dat hij haar onder mijn neus van me zou afpakken, zoals mijn moeder voor mijn gevoel had gedaan – ik wilde haar voor mezelf hebben. Ze was van mij. Maar een groter deel van mij wist dat dit voor Amber een gezondere situatie was, ze zou niet voor alles van mij afhankelijk moeten zijn. Maar aan de andere kant... o, ik werd echt stapelgek van mezelf. Ik stond op en trok door en zei tegen mezelf dat ik mijn kop moest houden en me niet zo moest aanstellen. Tegen de tijd dat ik terugkwam, zat Amber te glunderen van oor tot oor.

'Hier,' zei ze, Oz het stukje eersteklas aardewerk overhandigend, 'wat vind je hiervan?' Ze keek naar mij, om mijn reactie te zien. Ik slaagde erin mijn gezicht neutraal te houden.

Hij bekeek het aandachtig, hield het vlak voor zijn ogen. Nam het kritisch op. Schudde zijn hoofd, volledig in het duister tastend. 'Wat is het in godsnaam?' vroeg hij. Wat lomp! Ik kon hem wel villen.

'Het is iets habstracts,' verkondigde ze trots. 'Het is hoe ik me voel, snap je.'

Het was alsof ze hem Michelangelo's *David* liet zien. 'Dat is ongelooflijk,' zei Oz, ernstig. 'Ongelooflijk. Jij bent een heel bijzonder klein wicht.'

Nadat ik Oz had beloofd dat ik de volgende dag terug zou komen – laten we zeggen, rond lunchtijd waarschijnlijk, of iets in die buurt – gingen we weg. Amber vroeg me of we na schooltijd weer bij Oz langs konden gaan. 'Ik zou niet weten waarom niet,' zei ik, me er niet van bewust dat ik mezelf hiermee verplichtte om dit van nu af aan praktisch iedere dag te doen. 'Waarom heb je al die knutseldingen eigenlijk mee naar huis gekregen vandaag?' informeerde ik toen we onze straat in liepen.

'O, mam, doe niet zo raar,' zei ze glimlachend, 'je weet toch dat we altijd onze spullen mee naar huis krijgen halverwege het schooljaar!'

Halverwege het schooljaar! Was het al half februari? Goh, de tijd gaat snel, gebruik hem wel...

Mijn vader had de video van *Monsters & Co* voor Amber gekocht, het zoveelste cadeautje (ik vond het niet erg dat ze verwend werd, zolang ik maar niet degene was die het deed) dus toen ze daar eenmaal door werd bedwelmd, ging ik naar boven, naar mijn slaapkamer. Ik zei tegen hen dat ik alle folders en vacatures ging doorworstelen, maar in werkelijkheid was het om een dutje te doen voor het eten. Het was een lange dag geweest, ik was uitgeteld.

Mijn moeder had mijn telefonische boodschappen op mijn bed gelegd, zoals gebruikelijk. (Ze waren allemaal opgeschreven op de achterkant van een oude envelop, die ze bewaarde in een grote klem met het opschrift 'Wie wat bewaart, die heeft wat' – een schrijfblok kopen zou een verkwisteritisch delict zijn geweest.)

Er was een recordaantal berichten van Amira, zes of zeven stuks geloof ik, die ik geen van alle van plan was te beantwoorden, aangezien het haar gebruikelijke onafgebroken gewauwel met zich mee zou brengen, en daar was ik vandaag gewoon niet voor in de stemming, en eentje van 'iemand die zegt dat ze Gloria Bean heet'.

Als je gisteren tegen me had gezegd dat een ordinaire sloerie met maffe designerspullen en zes kinderen van zeven verschillende vaders (later meer daarover) me zou bellen, zou ik hebben gehuiverd bij de gedachte. Maar toen ik las dat ze had gebeld, maakte mijn hart een sprongetje. Ik overwoog zelfs om haar terug te bellen, maar deed het uiteraard niet. Ze had het vast ontzettend druk, waarom zou ze met mij willen praten?

En bovendien, ik had het ook heel druk.

Met niks.

Tot dusverre had ik het druk gehad met niks presteren. Ik had gehoopt dat iemand anders het voor me zou presteren. Wat de reden was waarom ik niets had om het druk mee te hebben.

En toch, als je me had gevraagd om iets voor je te doen, zou ik het daar veel te druk voor hebben gehad.

Met niks.

'Heb je mijn bericht gekregen, Char?'

'Eh, ja.'

'Heb je er zin in, dan?'

'Zin waarin?'

'De Valentijnsdinges, in het stadhuis, vrijdagavond.'

'Eh, ik geloof het niet.' Het idee alleen al maakte me misselijk. Van de gedachte om te moeten dansen in het openbaar kreeg mijn lichaam stuiptrekkingen van het verkeerde soort. 'Nee, dank je, ik kan niet.'

'Waarom niet?'

Soms gebeurt het weleens dat je mensen van het ene op het andere moment niet meer aardig vindt. 'Nou, omdat ik het druk heb.'

'Waarmee?'

Normaal gesproken kan ik me heel goed uit een lastige situatie liegen, maar om de een of andere reden kon ik niets anders verzinnen dan de waarheid: 'Ik moet al die aanvraagformulieren voor een uitkering invullen, sollicitatiebrieven schrijven, mijn cv bijwerken, dat soort dingen.' Ziezo, daar had ze niet van terug.

'Geweldig! Als je wat eerder komt, kan ik je vertellen wat wel en niet de moeite van het aanvragen waard is, en dan kunnen we daarna lekker uitgaan en het nachtleven onveilig maken!'

Ik had nog nooit iets onveilig gemaakt, en ik was ook niet van plan om daar nu mee te beginnen. Om dat volkomen duidelijk te maken zei ik: 'En ik heb Amber, natuurlijk. Ik geloof dat mijn ouders die avond weg zijn...' wat de waarheid was, nota bene. Tragisch genoeg vierden ze Valentijnsdag nog ieder jaar. Sterker nog, ik geloof dat het hun trouwdag was.

'Dan neem je Amber mee! Ze is net zo oud als mijn Chanel, toch?' Dat was inderdaad zo. 'Welja, doe dat maar, ze zullen een hoop lol hebben samen. En ik zal aan de oude mevrouw P. Rei van hiernaast vragen of ze wil oppassen, dan is het goedkoper, dan betalen we ieder de helft!'

'Mevrouw P. Rei?'

'Ja. Haar echte naam is Prei, maar ze werkte vroeger als kantinejuffrouw, dus ze werd er eeuwig mee gepest. Dus heeft ze een baan genomen op een andere school – ze dacht dat als ze het anders zou uitspreken, niemand het in de gaten zou hebben. En geloof het of niet, niemand had het in de gaten – ze zijn allemaal hartstikke achterlijk daar op dat Southfields, daar gaan mijn kinderen in geen honderd jaar naartoe...'

'Luister, Gloria, ik denk echt niet –'

'Ach, toe nou, Char, wees niet zo'n verrekte sufmuts – ik zie je vrijdagavond, om een uur of zes, oké? Het adres staat op mijn kaartje, dag schat, doeeeg!'

In de dagen daarop verzon ik alle mogelijke redenen om niet te gaan, en alle mogelijke smoesjes die ik Gloria kon verkopen wanneer ik haar zou bellen om er onderuit te komen, maar dat is me uiteindelijk nooit gelukt. Het bleek dat de bekakte en bazige Charlotte Small niet dapper genoeg was om 'nee' te zeggen tegen de onbehouwen en bijdehante Gloria Bean.

En dat was de reden waarom ik, die vrijdagavond, bij de bushalte stond te wachten op de bus naar haar huis. Ik had Amber om moeten kopen om ook mee te gaan, met de belofte van een bezoekje aan de grote Disney-winkel in hartje Londen, volgend weekend. Het is niet niks om voor morele steun afhankelijk te zijn van een kind van acht, maar aangezien Arthur Jimmy dit weekend had ontvoerd naar Marrakech, was er niemand anders aan wie ik het kon vragen.

Ik had niet de intentie om naar het dansfeest te gaan – vergis je niet – dus ik had uit voorzorg mijn minst disco-achtige outfit aangetrokken: joggingbroek, vers gekrompen in mijn moeders kookwas, en iets wat waarschijnlijk een van de allereerste fleecetruien was. Nadere inspectie van haar kaartje onthulde dat Gloria zichzelf schoonheidsspecialiste noemde! En dan zag ze er zo uit! Ik vond het hilarisch en liep er nog steeds om te gniffelen toen ik haar straat zocht.

Ik vind het gênant om te moeten zeggen dat ik ervan uit was gegaan dat iemand als Gloria wel in een armoedige sociale-woningbouw-blokkendoos zou wonen, maar dat was niet het geval. Het was een normaal rijtjeshuis, dat heel veel op het mijne leek, als twee druppels water zelfs. Maar dan groter. ('De woningbouwvereniging,' verklaarde ze later, 'buitengewoon behulpzame mensen. Ze hebben zelfs betaald voor de verbouwing van de zolder – vergis je niet, ik heb er wel voor moeten knokken.')

Maar waar ik nog het meeste van schrok, was de vrouw die de deur opendeed. Ze had supersteil, donker haar dat was geknipt in een Cleopatra-kapsel; een van top tot teen gebruinde huid die glansde onder een zeer chique, eenvoudige zwarte jurk met een decolleté dat precies diep genoeg uitgesneden was; een kleine diamant glinsterde om haar nek, en al even subtiele oorknopjes accentueerden een tot in de puntjes verzorgd gezicht met precies genoeg make-up om flatteus maar niet opzichtig te zijn. Kortom: voor mij stond wat Joe zou hebben omschreven als een 'chic lekker ding'.

Die het vervolgens verpestte door op schelle toon te krijsen: 'Ha die Char! En jij moet de kleine Amber zijn, m'n hartje, je moeder heeft me alles over je verteld!'

'G-Gloria?' stamelde ik. Dat was onmogelijk, of niet soms?

'Ja?!' Ze keek me aan alsof ze wist dat ik stapelgek was. 'O, sorry!' Ze loodste ons naar binnen. 'Ik was vergeten dat je me alleen maar hebt gezien met lelijk haar – dat doe ik alleen als ik eruit moet zien als ordinair tuig, wanneer ik naar de soos ga. Ik heb dit keer speciaal mijn haarwortels laten uitgroeien, dat duurde een eeuwigheid.' Ze streek haar glanzende haar glad. 'Mooi, hè, dit? Het is een pruik, hoor. Ik noem het mijn Jet Slet look.' Ze nam ons mee, door de keuken, naar het achterste gedeelte van het huis. 'Ik hou van verkleden, weet je – ik hou er niet van om altijd maar hetzelfde te doen, dat is saai, ja toch, Amber?' Ik begon mijn jas los te knopen, wat lastig was, aangezien Amber zich aan mijn arm vastklampte met de ijzeren greep van een verlegen kind.

'O, Char,' zei Gloria toen ze mijn nonchalante vrijetijds-outfit zag, 'wou je zo gaan?'

Ik haalde diep adem en zei de zin die ik de hele dag had geoefend hardop. 'Het spijt me, Gloria, maar ik ga vanavond niet mee naar het dansfeest.' Ziezo, het hoge woord was eruit.

In plaats van boos op me te worden, leek ze teleurgesteld. Ik begon me een ontzettende trut te voelen, en toen herinnerde ik me de tweede zin. 'Maar in plaats daarvan wil ik vanavond met alle plezier voor je babysitten, voor niks.'

Haar gezicht klaarde meteen op. (Gloria sloeg nooit een vriendelijk gebaar af, vooral als het haar niets zou kosten.) 'O, oké dan, als je het niet vervelend vindt – Chanel, ren even naar hiernaast en zeg tegen mevrouw P. Rei dat we haar uiteindelijk niet nodig hebben, wil je? En neem de kleine Amber mee, schat.'

De kleine Amber was als de dood voor deze ontzagwekkende mensen. Ze moest van mijn been af gepeld worden – ze had zich er met handen en voeten aan vastgeklampt – en wilde alleen meegaan nadat ik de woorden 'Assepoesternachthemd' in haar oor had gefluisterd. Chanel, die beeldschoon was, met een olijfkleurige huid en van top tot teen ordinair gekleed in hippe seksbom-mode, schonk Amber een stralende, tandeloze grijns en nam haar heel schattig bij de hand terwijl ze haar meevoerde naar de gang, haar hoge hakjes klakkend op de houten vloer in het voorbijgaan.

'Weet je zeker dat je je hier wel zult redden in je eentje, Char?'

vroeg Gloria, die met een snelle beweging de waterkoker aanzette. Het was zo'n doorkijkgeval, je kon het water daadwerkelijk zien koken. Ik had er altijd al zo eentje gewild, maar was ervan uitgegaan dat ze te duur waren.

Ik keek om me heen – de muren waren praktisch behangen met kindertekeningen en schoolfoto's en lesroosters. Er was tegen haar kastjes aan geschopt en er was in haar tafel gehakt, maar toch zag alles er smetteloos uit. Er lagen een paar luierende katten innig verstrengeld bovenop de wasmand, die stond te wachten tot de was gedraaid was. Daarnaast stond de droger te snorren met schone warmte en fris wasgoed. Er hing thee met koekjes in de lucht, het was alles wat een keuken hoorde te zijn – het kloppende hart van het huis.

'Ja hoor, ik red me wel, echt!' zei ik om haar gerust te stellen – en mezelf. Maar ik geloof dat we geen van beiden volledig overtuigd waren.

'Oké, luister, mevrouw P. Rei woont hier pal naast als je haar nodig hebt. Kom, ik zal je laten zien waar alles is terwijl we wachten tot het water kookt,' zei Gloria.

Het was niet het mooiste huis dat ik ooit had gezien, en ook niet het meest smaakvolle, maar het was schoon en knus en comfortabel. Het was verdacht goed gemeubileerd, als je van dat soort dingen houdt. Ik vermoedde (ten onrechte, zo bleek later) dat Gloria een kennis had die bij een meubeldiscounter werkte.

'Foei – haal je vieze voeten van die bank, nu!' zei Gloria op bevelende toon tegen Rev, die zich in de 'voorkamer' op de gelooide leren bank had genesteld en een soort computerspelletje zat te spelen. Zonder dat zijn blik het scherm losliet, deed hij wat hem gezegd werd, meteen de eerste keer. 'Ik hou van die computer,' zei Gloria, terwijl we hem weer alleen lieten, 'het is de beste oppas die ik ooit heb gehad. Hij is er verdomd goed in ook. Nou ja, dat zeggen ze op school – ik zou het niet weten, ik ben zelf niet zo'n computertype, jij wel?'

'Nou, vroeger niet,' antwoordde ik, huiverend, 'maar nu begin ik er steeds beter in te worden. Het is niet zo moeilijk als het eruitziet. En het kan heel leuk zijn. Ik zou het je wel kunnen leren, als je wilt –'

'O nee, schei uit, da's niks voor mij!' Ze lachte. 'Ik krijg het er warm en koud van tegelijk, weet je wel. O nee, nee hoor.' Er klonk een luide gil, het geluid kwam van boven. Gloria schoot er als een pijl uit een boog vandoor. 'Wat is er aan de hand daarboven, waar is al die herrie voor nodig?'

De tweeling zat in een schuimbad. Nou ja, wat ervan over was – ze deden een spelletje waar een hoop gegiechel en gespetter aan te pas kwam, en de vloer was bezaaid met plastic badspeeltjes en schuimwater.

'Wat een schatjes, hè?' Kennelijk niet uit het lood geslagen door de staat waarin de badkamer verkeerde – ik was nog steeds een tikje gevoelig als het ging om badkuipen en water en vloeren en plafonds – staarde Gloria vanuit de deuropening liefdevol naar hun bolle wangetjes en hun cherubijnenkrullen. Het waren klassieke bruine baby's, het type dat missionarissen zouden willen redden en voor zichzelf houden.

'Mag ik nu uit, of hoe zit dat?' zei een stem zonder lichaam. We liepen verder de badkamer in – achter de deur, zittend in de wasmand en lezend in het tijdschrift *Sugar*, zat een dik, puisterig tienermeisje, een van die trieste J-Lo imitaties, het soort dat je in winkelcentra ziet. Ze nam niet de moeite om op te kijken.

Gloria's toon veranderde van die van liefhebbende moeder in die van prikkelbare alleenstaande ouder. 'Nee, Lori, je mag niet uit; niet voordat zij in bed liggen. En je wordt geacht op hen te letten, ervoor te zorgen dat ze niet verdrinken, in plaats van te zitten lezen, verdomme!' Ze griste het tijdschrift uit de handen van de tiener, die net zo geschrokken was als ik van de kracht waarmee dit werd gedaan. Vervolgens liet Gloria het van grote hoogte in de badkuip vallen – we waren verbijsterd.

'Ma-am!' jammerde het meisje. 'Dat kun je niet doen, dat is verdomme niet eerlijk! Gewoon omdat je niet kunt –'

'Ik geloof dat ik het zojuist wel degelijk gedaan heb, Lori! En pas op je woorden, meisje, er zijn gasten bij.' Ze sprak tussen opeengeklemde tanden door, haar ogen fonkelden. 'Kom daar nu maar gauw uit, voordat je eruit barst met je dikke kont, en ga hen als de donder helpen, anders betaal ik je geen cent, begrepen?'

Het meisje zei niets, maar bleef verongelijkt kijken terwijl ze uit de wasmand probeerde te komen door met haar armen en benen in het rond te maaien, zonder succes.

'Je zit vast, hè?' Gloria deed haar best om haar gezicht in de plooi te houden. 'Kom maar, ik help je wel even.'

Ik keek in stilte toe terwijl ze met elkaar in een gevecht verwikkeld waren, allebei wanhopig hun best doend om niet te lachen, om het vervolgens allebei uit te proesten. De tweeling hield op met schuimbellen platslaan om sneeuw te maken en klauterde uit bad, op de glibberige vloer, om hun moeder bij de benen te grijpen, ieder aan één kant. Het behoeft geen betoog dat ze uiteindelijk in een grote kluwen op de grond lagen, allemaal gierend van het lachen, omdat ze het uiterst hilarisch vonden. Ik had nog nooit zoiets gezien. En de uitdrukking op mijn gezicht leek hen nog meer aan het lachen te maken.

'O, verdomme nog aan toe, nu moet ik me weer gaan omkleden!' kreunde Gloria, wier jurk drijfnat was. 'Vooruit, Lori, jij neemt het hier over. Kom, Char!' Ze loodste me weg bij de chaos, en de trap op naar de volgende verdieping.

'Lori is een leuke naam,' zei ik, enkel om iets te kunnen zeggen.

'Ja,' zei Gloria, 'ik heb namelijk al mijn kinderen vernoemd naar cosmeticamerken. Dat leek me wel leuk, omdat ik vroeger schoonheidsspecialiste ben geweest enzo, weet je wel.'

Lieve help. 'Hoe heten ze dan allemaal?' Ergens wilde ik het graag weten, maar eigenlijk ook niet, als je begrijpt wat ik bedoel.

'Nou.' We waren nu in Gloria's slaapkamer, die totaal het tegenovergestelde was van wat ik had verwacht. Hij was – nou ja, kaal en eenvoudig. Maar heel modern. De muren waren wit, de vloerplanken waren wit geschilderd, het was een minimalistische tempel.

Of liever gezegd, dat had het moeten zijn.

Ondanks al haar inspanningen om een rustpunt te creëren in een turbulente wereld, barstte Gloria's uitbundige persoonlijkheid door alle kieren heen naar buiten. Felgekleurde kleding was tevergeefs in de ladekast gepropt die niet meer helemaal dicht kon; de deur van de kast stond precies ver genoeg open om een berg schoenen in knalkleuren te onthullen, en boven op de kast stond een rij hoofden van piepschuim, elk met een andere pruik op. Gloria ging aan de toilettafel zitten, die bezaaid lag met make-up en borstels en haarlak en tangen en allerlei andere onherkenbare apparaten – kortom: alle parafernalia van een vrouw die heel erg met haar uiterlijk bezig is. Het tegenovergestelde van mij.

Gloria, die mijn dwalende blik zag, vroeg of ik haar slaapkamer mooi vond. Merkwaardig genoeg kon ik merken dat ze mijn goedkeuring wilde.

'Hij is prachtig, Gloria,' zei ik, en ik meende het. De kamer was simpel en ongecompliceerd, maar had toch enorm veel persoonlijkheid. Net als zij.

Ze stond op en deed een van de uitpuilende kastdeuren open om de inhoud te laten zien, die werkelijk kakelbont was. Wat een verschil met mijn eigen garderobe, die voornamelijk bestond uit zwart, donkergrijs, nog meer zwart, met hier en daar wat marineblauw en twee wittige T-shirts voor een luchtige noot hier en daar. Ze koos een vergelijkbare jurk, maar dan in het rood ('Ik noem dit mijn "Gevaar: Werkende Vrouw" outfit, Char – ik heb hem in de uitverkoop gekocht bij Versarchy!') en ik wendde mijn blik af toen ze haar kleren uittrok en me over haar kinderen vertelde.

'Chris – of eigenlijk Christian, als in Dior, maar hij wordt liever gewoon Chris genoemd – nou ja, hij is nu vierentwintig. Soms woont hij een tijdje samen met zijn vriendin, Luie Linda, een echt rotwijf is dat. We kunnen het niet zo goed met elkaar vinden; ze kan niet koken, ze is te beroerd om schoon te maken en dat soort dingen – ze laat hem alles opknappen. Ze is zelfs te beroerd om een baan te zoeken! Nou ja, laten we het daar nu maar niet over hebben, ik word echt niet goed van die meid. Hier, Char, rits me even dicht, wil je?'

Ik ritste haar jurk van achteren dicht, maar niet zonder te constateren dat Gloria er alleen een string onder droeg, eentje met glitters, en een piepklein vlindertje met lovertjes dat de stukjes touw met moeite bij elkaar hield. Ik had me altijd afgevraagd door wat voor soort vrouwen die dingen werden gedragen; nu wist ik het.

Ze ging aan de toilettafel zitten en bekeek zichzelf in de spiegel, bewonderend, zonder schaamte. Ze was duidelijk tevreden over wat ze zag. (Ik vond het verschrikkelijk om naar mijn spiegelbeeld te kijken, ik heb er altijd uit willen zien als iemand anders. Om het even wie.) Ik ging op het bed zitten en keek toe terwijl ze haar make-up begon te repareren.

'Daarna komt Lori, die heb je net gezien. Zij is – o god, wacht even – ja, vijftien momenteel, en een ontzettende lastpak. Ze zit nog op school, maar niet lang meer; ze denkt dat ze er de manier van leven van iemand van vijfentwintig op na kan houden, ook al gedraagt ze zich alsof ze zes is. Ik verwacht dat ik nog heel wat met haar te stellen zal krijgen als ze ouder is, dat kan ik je wel vertellen. Als ze van school gaat, gaat ze in de Virgin Megastore werken – denkt ze; niet als ik nog iets in te brengen heb. Ze is een slimme meid, weet je, heel goed in lezen en schrijven en dat soort dingen. Ik wil dat ze een opleiding gaat doen om een van die goedbetaalde kindermeisjes te worden. Ik bedoel, die hoeven kinderen toch niet leuk te vinden, niet per se, of wel soms?'

'Lori?' Ik pijnigde mijn hersens. 'Is er een make-up fabrikant die Lori heet?'

'Jazeker,' Gloria draaide zich om en keek me aan alsof ik een tikje onnozel was, 'L'Oréal!'

'O ja.' Op de een of andere manier slaagde ik erin om mijn gezicht strak te houden. 'Natuurlijk.'

'Daarna komt Chanel, die is acht.' Ze stopte met het aanbrengen van mascara om me aan te kijken. 'Je hebt toch wel gehoord van Chanel, hè?'

'O ja, ja. Wauw,' ik liep over van bewondering, 'je ziet er fantastisch uit.'

Gloria was klaar met haar make-up en stak haar eigen haar (schouderlengte, donkere oranje tint, alleen voor vandaag) op in een wrong – ze zag er prachtig uit. Toen verpestte ze het weer door hier en daar plukjes haar los te trekken, zodat het eruit zag alsof ze toch nog niet helemaal klaar was. Nog een laatste vleugje van een spulletje waardoor haar lippen er vochtig uit gingen zien, en ze was klaar.

Ik verkeerde in tweestrijd – een deel van mij was blij dat ik thuis zou blijven, ik wilde niet naast haar hoeven staan, aangezien ik er verschrikkelijk uit zou zien vergeleken bij haar. Een groter deel van mij wenste echter dat ik met haar mee ging, ik was vergeten hoe graag ik haar mocht. Het is moeilijk uit te leggen, maar ik vergat mezelf min of meer wanneer ik bij Gloria Bean was, alles wat belangrijk was, leek ineens niet zo heel belangrijk meer. Ik vond haar ontzettend boeiend.

Ze stond op. 'Nou, wat denk je, welke schoenen, Char?'

Ik nam niet de moeite om antwoord te geven, ik kon merken dat ze zo iemand was die allang wist welk paar ze aan wilde trekken.

'Daarna komt de kleine Rev, de schat,' zei ze, terwijl ze één opengewerkte gouden schoen uit de kast pakte en zich op handen en knieen liet zakken om de andere te zoeken.

'Zoals in Lon?' vroeg ik. Dat kon toch niet waar zijn? 'Rev-lon?'

'Precies!' bevestigde ze, vanuit de kast.

'En je beeldschone tweeling, hoe heet die?' vroeg ik, in gespannen afwachting van het antwoord.

'Max en May,' antwoordde ze, terwijl ze achterstevoren uit de kast kwam kruipen. 'Hebbes!'

Ik fronste.

'Factor en Belline,' legde ze uit, op één been rond hopsend.

Natuurlijk.

'Luister, Char, als je ooit een make-up les wilt of een nieuwe look of wat dan ook, dan zeg je het wel, hè?'

'Dat is heel aardig, Gloria, maar –'

'Ik doe het met plezier, eerlijk waar. Sterker nog, ik vind het heerlijk om metamorfoses te doen, ik doe niets liever. Ik doe het niet meer voor mijn werk, alleen nog af en toe voor vriendinnen. Het is fantastisch om iemand volledig te zien veranderen. Geef maar een gil als je zover bent, schat.' Ze verruilde haar oorknopjes voor lange glinsterende oorhangers die eruitzagen als vallende sterren. 'Trouwens, het is wel het minste wat ik kan doen, nietwaar, nu jij voor niks wilt oppassen vanavond en alles.'

'Dank je wel, Gloria,' zei ik, van het bed af komend, 'ik zal het in gedachten houden.' Iets aardigers kon ik niet opbrengen; in gedachten zei ik dingen als 'over mijn lijk' en 'ik steek liever spelden in mijn ogen dan dat ik jou met make-up in mijn buurt laat komen,' maar dat hoefde ze niet te weten.

'Prima!' zei ze opgewekt, terwijl ze haar dekbed gladstreek. 'Je zegt het maar.'

Ik vermoed dat we destijds allebei wisten dat er wel iets meer voor nodig zou zijn dan een metamorfose om mij weer helemaal op te lappen, maar Gloria's aanbod gaf me een warm en prettig gevoel vanbinnen. Althans, ik denk dat dat het was.

175

'Oké dan, wens me succes, Char.' Ze maakte een pirouette voor de passpiegel aan de muur, pronkend met haar onbeteugelde borsten in al hun glorie. 'Gloria Bean is niet te houden vanavond, wat denk je ervan?'

'Ik denk dat je stapelgek bent, dat is wat ik denk!' Ik lachte om mijn afgrijzen te maskeren. 'Je hebt al zes kinderen, voor als je het niet meer wist. Je wilt toch zeker niet... ja, je wilt het wel, hè!'

Ze glimlachte. 'Ach, laten we maar zeggen dat één te veel is, en zes niet genoeg, oké?'

Stapelgek.

Het zat me echt dwars. Waarom voelde Gloria's huis als een thuis en het mijne niet? Zelfs voordat Matts meubilair er zijn intrek had genomen, had mijn huis gewoon niet goed gevoeld. Maar dat van Gloria wel. Waarom? Ook al was het een zee van krullerige tapijten en nare spinnenwebben, en was er nergens een boek of een educatief stuk speelgoed of zelfs maar groente te bekennen, dit huis voelde als een thuis.

Nadat ze vertrokken was, liep ik door het huis en keek in alle kamers. Ja, alle bedden waren opgemaakt, en het was er zo netjes als het maar zijn kon, in aanmerking genomen wie er woonden; maar er was overal ook een extra ingrediënt, dat ik gewoonweg niet kon identificeren.

Het duurde even, maar uiteindelijk snapte ik het.

Liefde. Dit huis was er vol van, je kon het aanraken, zien, horen, ruiken, voelen. En ook al dacht ik dat ik niet wist wat het was, ik kon zien dat het er was.

Ik werd al warmer. Ik kon het nu in ieder geval herkennen.

Die avond kwam ik erachter dat Gloria's kinderen enkel welgemanierd waren voor haar, en voor niemand anders. Het kostte me uren om de ettertjes in bed te werken, ze hadden het veel te druk met mij voor de gek houden om te gaan slapen. Ze moeten de grootste lol hebben gehad toen ze me van boven naar beneden stuurden en weer terug, voor drankjes en zakjes chips en zogenaamd geoorloofde snoepjes, en ik kon er geen touw meer aan vastknopen welke lichten ik aan moest laten en welke er uit moesten. Uiteindelijk sloeg de vermoeidheid toe, bij hen en bij mij, en gaven we het allemaal op.

En ondanks haar beloftes en mijn verzoeken, was Amber totaal niet behulpzaam geweest. Ze had zich opgesloten in Chanels slaap-kamer en weigerde eruit te komen voordat ik het wachtwoord had gezegd, dat ik uiteraard niet kende. Nadat ik 'Harry Potter' en 'Avril Lavigne' en vervolgens diverse personages uit de Simpsons had ge-probeerd – waarbij iedere naam nog meer gegiechel opleverde dan de vorige – staakte ik mijn pogingen om te vragen of Chanel en zij het geluid van hun karaoke-rap wat zachter wilden zetten en ging naar beneden.

Het was 22.38 uur, volgens de digitale klok op Gloria's glimmen-de verchroomde fornuis. Het was zaterdagavond, en daar zat ik dan, aan andermans keukentafel, volledig afgemat door andermans kinderen, klaar om me door een hele berg vacatures en inschrijf- en aanvraagformulieren heen te worstelen. Wauw, ik haalde wel alles uit het leven wat erin zat, nietwaar?

Gloria was haast kinderlijk opgewonden geweest over dit dans-feest voordat ze wegging, en ik had haar heimelijk nogal zielig ge-vonden. Maar wie was er nu lekker op stap en met volle teugen van het leven aan het genieten? En wie zat er binnen, alleen, zonder soci-aal leven, om eindelijk aan iets te beginnen wat ze al bijna een week uitstelde, en voelde zich ellendig? Of eigenlijk voelde ik me een tik-je onnozel; ik liep waarschijnlijk een heerlijk avondje uit mis, enkel omdat – nou ja, ik weet niet waarom ik niet ben meegegaan. Angst voor het onbekende, vermoed ik.

Echter, ik deed braaf wat ik moest doen. En ik moet zeggen dat ik ervan genoot. Ik zette een kop gewone thee voor mezelf (geen Earl Grey hier, uiteraard) en pikte een paar koekjes uit de trommel, en – nou ja, nam een paar beslissingen over hoe De Rest Van Mijn Leven eruit zou gaan zien.

Ik besloot om eerst een baan te zoeken, aangezien ik het gevoel had dat ik moest zorgen dat ik weer onder de mensen zou komen. Ik wist ook dat zodra ik eenmaal financieel onafhankelijk was, mijn ouders niet langer een reden zouden hebben om te blijven. Ik had zelfs een plan B: alle uitkeringen aanvragen die Gloria me kon aan-bevelen als ik binnen zes weken geen baan had gevonden.

Indrukwekkend, toch? Oké, misschien klinkt het alsof het niet zo-veel voorstelt, maar voor mij was het een enorme stap – ik had nog nooit het heft in eigen handen genomen, ik had altijd alleen maar gereageerd op wat of wie er op mijn weg kwam. Maar dit voelde goed. Gloria kwam rond middernacht thuis. Alleen, godzijdank.

'Geen succes?' vroeg ik.

'Welnee,' ze plofte neer op de bank en trok haar dansschoenen uit. 'Het gebruikelijke publiek, ik kende de meesten van hen al.' Ze zag mijn gezicht. 'Van school, om precies te zijn, niet omdat ik met ze naar bed ben geweest. Een tikje minder bevooroordeeld mag ook wel, Char, als je begrijpt wat ik bedoel.'

Ik voelde dat ik bloosde, tot in mijn haarwortels. Ik schaamde me dood, ze had mijn gedachten gelezen.

'Ik ben geen slet, weet je. Toevallig ben ik heel kieskeurig als het gaat om de vaders van mijn kinderen.' Gloria legde haar benen languit op de salontafel. 'Ach, wil jij de waterkoker even aanzetten, schat? Ik snak naar een kopje thee.'

Ik maakte dankbaar van de gelegenheid gebruik om met mijn gloeiende gezicht af te druipen naar de keuken. Ik was gekwetst, niet omdat ze me had doorzien, maar door haar scherpe woorden. Ik kon zelfs wel janken. Dat gevoel duurde echter maar heel even, en maakte toen plaats voor oprechte verontwaardiging. Ik bedoel, werkelijk, waar was die vrouw mee bezig? Zes kinderen van verschillende vaders – ze moest zich schamen. En dat allemaal op kosten van de staat, toe maar! Ze was aartslui bovendien, had in geen jaren meer gewerkt, voor zover ik wist. Tegen de tijd dat het water kookte, had ik besloten om Iets Te Zeggen. Niemand kon mij ongestraft bevooroordeeld noemen.

Het behoeft geen betoog dat het allemaal verschrikkelijk mis ging. Ik zal er nu niet op ingaan, maar uiteindelijk was ik in tranen, verontschuldigde ik me uitvoerig omdat ik in mijn moeder was veranderd, en was ik in staat om me onder de eerste de beste bus te gooien die voorbijkwam.

Terwijl ik mijn ogen afveegde met een geparfumeerde tissue uit de doos op de salontafel, vertelde Gloria me haar verhaal. Het was buitengewoon, krankzinnig, maar heel erg Gloria.

Toen ze vier was, en haar zusje nog maar twee, was haar moeder even een pakje sigaretten gaan halen en nooit meer teruggekomen. Haar werkloze vader deed zijn best om het hoofd boven water te houden, maar dat wilde niet echt lukken, en hij gaf het al snel op.

De meisjes hadden in diverse pleeggezinnen gezeten, maar Gloria's zusje was een beetje een lastpak geworden, dus ze werden al snel in een tehuis geplaatst, permanent.

'Luister, ik wil het hier verder niet over hebben, oké? Het is geweest, het is verleden tijd, dat is alles. Ik vertel het je alleen omdat – nou ja, omdat ik je aardig vind, denk ik.'

Gloria had zich verantwoordelijk gevoeld voor alle kinderen in het tehuis, en bracht het grootste deel van haar tijd door met voor hen zorgen, omdat zij daar goed in was en de volwassenen niet. Ze had altijd het gevoel gehad dat ze was geboren om lief te hebben, en ze was in haar element met deze in de steek gelaten kinderen. Ze was heel zorgzaam voor haar zusje, Marie.

'Goh, wat geweldig dat jullie bij elkaar mochten blijven, vind je niet?'

Maar zodra de zusjes oud genoeg waren, verlieten ze het tehuis en gingen ieder hun eigen weg. Het laatste wat Gloria van Marie had gehoord, was dat ze tippelde in Birmingham. Ze had geen idee waar haar familie tegenwoordig woonde, en het interesseerde haar ook geen ruk. Sorry. Niets.

Gloria, daarentegen, kreeg een baan in de plaatselijke schoonheidssalon en bleef daar ongeveer een jaar werken. Ze werd echter ontslagen omdat ze op heterdaad werd betrapt op het stelen van een sterilisator – een van haar tieners uit het tehuis had onlangs een baby gekregen, en ze had geen geld voor de babyuitzet.

'Krenterige schoften, ze gebruikten het ding alleen maar voor pincetten enzo.'

Enfin. Aangezien de angst voor armoede nooit ver weg was, was Gloria uit voorzorg een verhouding begonnen met de man van de eigenaresse van de kapsalon, en ze was algauw zwanger. Een grote som zwijggeld werd overhandigd, gevolgd door een maandelijkse toelage die geacht werd door te lopen tot Chris(tian) zestien was.

'En gebeurde dat ook?'

Lori's vader was een drugsdealer, dus die had geld zat.

'Hij is uiteindelijk in de gevangenis beland, en voor zover ik weet zit hij er nog steeds.'

Dus Chanels vader moest heel zorgvuldig uitgekozen worden. Inmiddels had Gloria haar baan als schoonheidsspecialiste aan huis moeten opgeven, aangezien ze het te druk had met haar baby's. En ze vond het heerlijk om moeder te zijn, het was alles wat ze altijd had gewild. O, dat en geld. Ze was niet van plan om nog meer kinderen groot te brengen met het schijntje dat ze van de verzorgingsstaat kreeg aangeboden, dat was gewoon niet te doen.

'En de kinderbijslag dan, had je daar niks aan?'

Hoe ze ook haar best deed, Gloria kon maar geen man vinden die rijk genoeg was.

'Dus ging ik in één maand tijd met twee zwarte mannen naar bed.'

Ze wisten het geen van beiden van elkaar, maar ze betaalden allebei de volle mep voor het levensonderhoud van hun dochter. De ene had contact met haar, de andere niet.

'Ben je ooit verliefd geweest op een van deze mannen?'

Rev's vader was Gloria's vriendje van school. Hij smeekte haar al sinds hun dertiende om met hem te trouwen, maar ze had hem afgewezen omdat ze geen roodharige kinderen wilde. En hij was net zo arm als zij. Maar tien jaar geleden was hij naar Amerika geëmigreerd, waar hij iets gewichtigs was geworden in de IT, multimiljonair was geworden, en was getrouwd met een rijke erfgename. En toen, één dag na zijn jaarlijkse bezoekje aan Londen om zijn lieve oude moeder op te zoeken op haar verjaardag, had hij de fout begaan om ook even bij Gloria langs te gaan.

'Er zou niks aan de hand zijn als hij me het geld gewoon zou geven en er verder niet meer over zou zeuren, maar hij wil dat Rev en ik daar ook komen wonen, zodat hij ons kan opzoeken wanneer hij maar wil. De brutaliteit! De enige reden waarom hij nog steeds betaalt, is omdat ik heb gedreigd het aan zijn vrouw te vertellen. Zijn moeder vindt het echter wel best zo, ze vindt het heerlijk om de kleine Rev hier te hebben, helemaal voor zichzelf alleen.'

Gloria was niet van plan om al haar andere kinderen in de steek te laten, aangezien ze maar al te goed wist hoe dat voelde, en dus had ze, om haar standpunt duidelijk te maken, besloten om nog een baby te krijgen. De vader van de tweeling was een Nigeriaanse taxi/buschauffeur die Keko heette (of 'Cakehole' zoals Gloria hem noemde), die aanvankelijk had betaald om hen te mogen verwekken vanwege immigratiedoeleinden; inmiddels was hij hopeloos verliefd geworden op hen allemaal, en werkte hij de godganse dag om te betalen voor alles wat Gloria's hartje begeerde. Hij wilde dat ze als een groot gelukkig gezin in één huis zouden gaan wonen, maar daar wilde Gloria niets van weten. 'Wat moet ik nou met een of andere kerel in huis die ons allemaal in de rondte commandeert? Dank je feestelijk!' Maar hij mocht wel af en toe een nachtje blijven slapen, wanneer het, in haar woorden, 'de verkeerde tijd' was – de volgende man die haar zwanger mocht maken, moest rijker zijn dan God zelf.

Het was een krankzinnig verhaal, maar het was uiteraard volkomen logisch. Gloria had zichzelf opgevoed, Gloria had haar eigen regels opgesteld. Geld was veiligheid, veiligheid was liefde. De vaders en de regering betaalden, zodat Gloria deze kinderen alles kon geven wat ze zelf nooit had gehad – een gezellig, stabiel thuis en genoeg voor iedereen. Ze had van het moederschap haar carrière gemaakt, en ze was er verdomd goed in.

Nu is het zo dat alle vrouwenvriendschappen draaien om het uitwisselen van informatie, en dus vertelde ik Gloria alles over Joe en mijn huidige obsessieve verliefdheid op Hugh Grant, en dat ik uitslag kreeg van Oz' attenties, enzovoort.

'Weet je, Char,' zei ze toen ze haar derde mok thee leeg had gedronken, 'ik denk dat je te veel verwacht van een man. Ze zijn puur voor de lol, weet je. Als je dat onthoudt, zul je nooit teleurgesteld worden.'

'Lol?' dacht ik bij mezelf. Wat is dat in vredesnaam?

In het woordenboek staat dat 'lol' een bron is van genot, vermaak, ontspanning, enzovoort.

De enige aanleiding voor mij om te lachen, destijds, was andermans tegenslag. Ik zou iets nog niet als 'lol' herkend hebben als het uit een knalbonbon sprong met een naamkaartje eraan. Ik zocht het op in een woordenboek: '**lol** (de; g.mv.) een bron van genot, vermaak, ontspanning, enzovoort.'

Dus besloot ik om een lijst te maken van alle dingen waar ik van genoot, die ik vermakelijk en/of ontspannend vond. Ik ben er een eeuwigheid mee bezig geweest, het is moeilijker dan je denkt.

Het blijkt dat ik geniet van: een hotelkamer die betaald is door iemand anders; een goed boek met een heleboel kommer en kwel en een verheffend einde; een lange wandeling over een verlaten strand op het ei-

181

land Wight op nieuwjaarsdag; problemen oplossen voor andere mensen; pianospelen – maar alleen als niemand anders het kan horen; kruis- woordpuzzels en breinbrekers maken in plaats van de afwas doen; cho- coladekoekjes in thee dopen en in mijn eentje naar de bioscoop gaan, 's middags.

Ik vind stand-upcomedy, radio-panelquizzen, pinguïns en stokstaartjes en antropomorfisme in het algemeen, weermannen, soapseries, de pier van Brighton en kleine kinderen die zichzelf veel te serieus nemen, ver- makelijk.

En ik vind tv-documentaires, kasten uitmesten, strijken, behangen en andermans mobiele-telefoongesprekken afluisteren buitengewoon ont- spannend.

En op vakantie gaan is fantastisch om te doen, zelfs als het maar voor een weekendje is.

Van het maken van de lijst heb ik ook een hoop lol gehad.

Ik liet Amber slapend in Chanels slaapkamer achter, en op weg naar huis in de taxi nam ik me voor om mezelf de volgende keer dat Glo- ria uit zou gaan te dwingen om mee te gaan. Wie weet, misschien zou ik het zelfs nog leuk vinden ook.

Het was een lange dag geweest, maar ik slaagde er toch in om die avond nog even te knielen voordat ik in bed stapte. Ik wilde alleen maar even dankjewel zeggen tegen degene die naar mijn gebeden had geluisterd, wie dat ook mocht zijn, dus dat deed ik. (Maar niet zonder uit voorzorg eerst mijn pantoffels onder mijn bed te hebben gelegd, zodat ik kon zeggen dat ik daar naar zocht, voor het geval mijn moeder binnenkwam.)

Ik viel niet meteen in slaap – het duurde even voordat ik had uit- gevogeld waar dat gevoel van vlinders en nervositeit en glimlache- righeid in mijn binnenste vandaan kwam. Het was ouderwetse op- winding. Ik realiseerde me dat ik niet meer zo bang was voor de toekomst. Sterker nog, ik was eerder nieuwsgierig dan bang. Het ging beslist de goede kant op.

9

'Als het liefde is waar je meer van wilt, zorg er dan voor dat iemand die er minder van heeft dan jij er meer van krijgt. Als het compassie is waarvan je vindt dat het in je leven ontbreekt, zoek dan iemand die zelfs nog minder compassie heeft en wees de bron van compassie voor hem of haar. Wat het ook is waar we graag meer van zouden willen hebben, zoek iemand die er minder van heeft en wees er de bron van.

Wees de bron van wat je voor jezelf zou kiezen in het leven van een ander, en je zult ervaren dat je het altijd al hebt gehad. Het is er altijd al geweest. En hoe meer je ervan geeft, hoe meer je ervan terugkrijgt. Sterker nog, je krijgt het niet eens terug. Hoe meer je ervan geeft, hoe meer je je realiseert wat je altijd al hebt gehad.'

Neale Donald Walsch, auteur van *Conversations with God*

In de weken daarop ging ik op banenjacht. Het was lang niet zo eenvoudig als ik had gedacht.

Ik had alle mogelijke vacatures uitgeprint, zonder mijn gebruikelijke onderscheid te maken op de manier van 'geen sprake van' of 'dat kun je niet menen' of 'ik steek liever spelden in mijn ogen'. De meeste banen die werden aangeboden waren voor schoonmakers van Indiase restaurants – 'kennis van het Bengaals gewenst.' Ik vond 'Medewerker Mobiele Verkoop' wel interessant klinken, totdat ik me realiseerde dat het gewoon een deftige manier was om 'vertegenwoordiger' te zeggen. Mijn vader vond het niet goed dat ik solliciteerde op een vacature voor buschauffeur, kennelijk was dat een mannenbaan; mijn moeder zei dat ik een waardeloze broodjessmeerder zou zijn, ik waste mijn handen niet vaak genoeg. Gloria wilde dat ik automonteur zou worden, aangezien dat een geweldige manier zou zijn om mannen te ontmoeten; Amber wilde dat ik zou gaan werken als installateur van irrigatiesystemen, aangezien ze wilde weten wat dat was. Ik niet. (Arthur zei dat ik een geweldige SM-meesteres zou zijn in een nachtclub, nader onderzoek wees uit dat dit Jimmy's idee was. Hoe behulpzaam.)

Ik had echter wel degelijk diverse sollicitatiegesprekken. Het was dodelijk voor mijn zelfvertrouwen. Hoewel niemand het recht in mijn gezicht zei, was ik lang niet zo multi-inzetbaar als ik zelf had gedacht.

Ik was niet sexy genoeg om achter de bar te werken in de plaatselijke pub. Ik zag er niet fit genoeg uit om bij de receptie van een fitnesscentrum te werken. Ik was niet goed genoeg in wiskunde om in een casino in het centrum van Londen te werken. Ik was niet dapper genoeg om tandartsassistente te zijn. Ik probeerde een poosje als colporteur te werken, maar ik kon niet lang genoeg vriendelijk blijven om er geld mee te verdienen.

Uiteindelijk, uiteindelijk, namen de brave mensen van Starbucks me onder hun hoede en leidden me op tot koffiedeskundige.

Ik kon wel janken op mijn eerste dag. Het was alsof ik het nieuwe meisje was in de klas, alleen was ik nu te oud en niet schattig meer. En alle anderen leken exotischer en interessanter dan ik, ze hadden namen als Jarmila en Frederico, ze hadden schattige kleine mobieltjes en massa's vrienden om mee heen en weer te sms'en, ze studeerden dingen als menswetenschappen aan de universiteit, met liefhebbende ouders die hun collegegeld betaalden, en dit baantje was om in hun levensonderhoud te voorzien. Ze waren allemaal heel, heel, heel erg Aardig. Ik kreeg de rillingen van ze. Er werd ook een heleboel geglimlacht, veel te veel. Ik dacht niet dat ik het er een dag zou uithouden, maar Gloria zei dat ik het een maand de tijd moest geven. Ze kwam elke dag langs, puur om me te controleren.

En ik moest zo hard werken! Wie had ooit gedacht dat er zoveel bij kwam kijken om een kopje koffie te maken? God, ze nemen het zo serieus – ik deed er minstens drie dagen over om te leren hoe je een simpele cappuccino maakt. En nog eens drie dagen om te leren het in minder dan een half uur te doen. Het is een nachtmerrie! Je zult mij nooit meer ongeduldig klakkend met mijn tong aan de andere kant van de toonbank zien staan, verontwaardigd snuivend omdat het zo lang duurt.

Aan het eind van de dag was ik uitgeput. Mijn voeten deden pijn, mijn rug deed pijn, mijn handen deden pijn en mijn kaak ook, van al dat verdomde glimlachen. Maar weet je? Ik genoot ervan. Het voelde fijn om weer deel uit te maken van het menselijk ras, ik had het gevoel dat ik ergens bij hoorde, ik was door het dolle heen, bekaf. En ik was dankbaar dat ik een baan had.

Van mijn eerste salaris nam ik mijn ouders en Amber op een zondag mee uit brunchen. Nee, ik was mijn verstand niet verloren – mijn moeder kookte nog steeds beroerd.

Die dag begon net als elke andere. Het was vrijdag, nog maar een uur te gaan voordat ik vrij was, en het was gematigd druk. Ik had het naar mijn zin – Minh, onze chef, was niet komen opdagen, dus had ik zelf de leiding genomen. Ik was namelijk niet alleen degene die er al het langste werkte, met inmiddels bijna twee maanden op mijn conto, maar ik was ook degene die het beste Engels sprak.

'Ik wil graag een grote cappuccino met magere melk, alstublieft, hoogheid!' Krijg nou wat – het was Jimmy, met een grote grijns op zijn gezicht toen hij mij achter de bar zag staan. 'Dus het is echt waar, ze laten je echt koffie maken voor andere mensen! Het spijt me, ik moest het gewoon even met eigen ogen zien.' Ik glimlachte terug met opeengeklemde tanden en riep naar Gabor, de andere koffiedeskundige, luid en duidelijk, zoals Barry, onze trainer, zou zeggen: 'Grote cappuccino met magere melk om mee te nemen, alsjeblieft!'

'Nee,' zei Jimmy. 'Om hier op te drinken. Ik heb een afspraak met iemand.'

'Arthur? Moet hij niet werken vandaag?'

Jimmy gaf me een biljet van twintig pond. 'Ja, natuurlijk, hij moet verdomme altijd werken, het is oersaai.'

'Tja, iemand zal toch moeten betalen voor die levensstijl van jou, nietwaar, Jimmy?' Ik gaf hem zijn wisselgeld. 'Het spijt me, we hebben niet zoveel papiergeld in de kassa, dus ik zal je zeventien pond in muntgeld moeten geven, vrees ik.' Zielige vorm van wraak, maar goed. 'Met wie heb je dan afgesproken?'

'Dat, mijn lieve schat, gaat je niets aan.' En hij tikte met zijn vinger tegen zijn neusvleugel, enkel om ervoor te zorgen dat ik precies wist wat hij bedoelde. Irritant ettertje.

'Ja, kan ik u helpen?' Ik wendde me tot de volgende klant en negeerde Jimmy, maar was wel vastbesloten om erachter te komen wie zijn mysterieuze kennis was. Ik zag dat hij geen tafeltje nam dat verstopt stond in de hoek, maar eentje recht tegenover de espressobar. Hmm.

Zodra het heel even wat rustiger was, probeerde ik Minh nog een keer te bellen om te horen wat er aan de hand was. Er werd niet opgenomen. Gabor zei dat ze de dag daarvoor nog kiplekker was geweest.

'Hallo, Char, hoe is ie? Alles goed, Gabby?' Gloria, van top tot teen gekleed in militaire gevechtskleding, compleet met camouflagepet met 'G.I.' in grote zilveren letters op de voorkant. De tweeling lag te slapen in hun dubbele buggy, flesjes met veel te sterke zwartebessenlimonade hangend uit hun mond. Ze hielden, heel schattig, elkaars hand vast terwijl ze sliepen. Er hing een buitensporig aantal plastic tassen aan de handgrepen van de buggy – als een van hen zich verroerde, zou het hele zaakje zijn omgekieperd.

'Sjezus, ik ben helemaal kapot!' zou ze tegen de hele rij wachtenden hebben verkondigd, als die er was geweest. 'Ik heb zojuist alle boodschappen gedaan voor het hele weekend, en ik heb nog maar een half uurtje voordat ik Rev en Chanel moet ophalen, dus ik dacht, laat ik mezelf eens trakteren op een warme chocolademelk.'

'Warme chocolademelk om hier op te drinken – met een heleboel slagroom!' riep ik naar Gabor, die pal naast me stond. Hij ging meteen aan de slag, maar ik moest hem vragen om opnieuw te beginnen, aangezien hij zijn vingers in de mok stak, hetgeen een groot taboe is bij Starbucks.

'Je begint hier al aardig goed in te worden, hè?' zei Gloria vol bewondering. 'Het staat je goed hoor, dat werken.'

'Niet verder vertellen, Gloria,' we leunden allebei naar voren, 'maar ik vind het heerlijk! Ik geniet echt enorm van mijn werk – je had zeker nooit gedacht dat je me dat ooit nog eens zou horen zeggen, hè?'

'Nee – maar houwen zo! Weet je, het is je aan te zien – je ziet er echt gelukkig uit, Chas!'

'Chas!' lachte ik. 'Nee, nee! Char is één ding, Gloria, maar Chas gaat te ver. Hoe zou jij het vinden als ik je Glos noemde? Of Glozzer?'

Ze lachte. 'Oké, oké. Luister,' ze leunde over de toonbank heen, 'als die ouwe Cakehole me hier komt zoeken, dan heb je me niet gezien, oké?'

'Oké, maar waarom?' Ik had medelijden met Keko, ze hield hem vreselijk aan het lijntje.

'Ik word stapelgek van hem. Alleen omdat ik hem vannacht een portie heb gegeven, blijft hij me nu achtervolgen met vakantiebrochures omdat hij wil dat we een paar weken met hem naar Timboektoe gaan. Ik heb tegen hem gezegd dat we helemaal nergens heen gaan, maar daar lijkt hij geen genoegen mee te nemen.'

Er kwam nog een klant binnen, Gloria pakte haar portemonnee. 'Hoeveel is het?' vroeg ze, overdreven hard.

'Laat maar zitten, Minh is er niet. Deze is van het huis,' siste ik. (Als Minh er was, ging het meestal zo dat Gloria me het geld gaf, en dan sloeg ik het aan op de kassa en deed alsof ik wat stond te rommelen, en dan gaf ik het haar meteen terug. Vraag me niet waarom, het voelde gewoon goed, dat is alles. Ik betaalde er altijd voor met mijn eigen geld aan het eind van de dag, dus het was in feite geen stelen.) 'Waarom wil je niet op vakantie? Het lijkt me juist een heel goed idee. Wanneer ben je voor het laatst op vakantie geweest?'

'Nou – eh, nooit, om precies te zijn. Tenzij je een dagje Bournemouth meetelt met de liefdadigheidsclub van Londense taxichauffeurs toen ik nog klein was. Het was verdomme ijskoud.'

'Wat? Is dat de enige keer dat je op vakantie bent geweest?'

'Ja, ach, waarom zou ik van huis gaan? Ik heb alles wat ik nodig heb hier in Londen, toch?'

Op dat moment kwam Gabor zich ermee bemoeien om in te stemmen met wat ze zei; we glimlachten allebei en stemden in met wat het ook was dat hij probeerde te zeggen totdat hij weer wegging.

'Oké, dame,' zei ik, tamelijk autoritair naar mijn idee, 'ik weet genoeg. Wij gaan samen op vakantie, jij en ik.'

'Maar –'

'Nee, Gloria, mijn besluit staat vast.'

Ze glimlachte. 'Ja, en we weten allebei hoe koppig jij kunt zijn. Maar ik ga niet naar het buitenland,' verklaarde ze koppig.

'Ach, doe niet zo raar. Waarom in vredesnaam niet?'

'Ik hou niet van vliegen.'

'Hoe weet je dat nou als je het nog nooit hebt gedaan?' Ik vond Gloria's angst voor het onbekende niet te verteren, ik vond het treurig dat ze geen idee had wat er daarbuiten in de grote wijde wereld te koop was. Ik had een idee. 'Ben je weleens in Edinburgh geweest?'

'Nee, dank je – ik haat die verrekte doedelzakken, en die haggis.'

'Heb je ooit weleens haggis gegeten, Gloria?' Ik glimlachte, ze wist dat ik haar nu aan het plagen was. Dit was een vrouw die alleen groenten at op eerste kerstdag.

Er stond iemand te wachten die bediend wilde worden, en ze schraapte haar keel. We keken op.

'O, wauw, moet je nou toch kijken! O – mijn – god...' Er lag een respect in Gloria's stem dat ik slechts zelden hoorde bij haar. 'Je ziet er schitterend uit, snoes, werkelijk schitterend!'

Ik kan geen andere benaming verzinnen voor het meisje dat voor ons stond dan een punkpauw. Dat wil zeggen, ze droeg de traditionele punkoutfit van motorlaarzen en leren jack en minikilt en ze had zelfs de verplichte hanenkam, maar ze had haar eigen veren en kralen en glitters en bungelende ditjes en datjes aan de outfit toegevoegd, en haar make-up was buitengewoon, maar mooi. Gloria had gelijk, ze zag er fantastisch uit. Een wandelend kunstwerk.

'Dank je,' zei ze, verlegen. 'Eh, mag ik –'

'Ongelooflijk,' vervolgde Gloria, nog steeds vol ontzag, 'waar heb je dat allemaal vandaan?'

'O, het meeste heb ik zelf gemaakt, ik studeer aan de kunstacademie, op de afdeling mode. Ik ben blij dat je het mooi vindt,' zei ze. Ze was een lief klein ding, piepjong. Merkwaardig terughoudend voor iemand die zich zo extravert uitdoste.

'Wat mag het zijn?' vroeg ik.

'Eh, ik wil graag een grote muntthee, als het kan.'

Terwijl ik de bestelling naar Gabor riep, viel het kwartje. Zij was degene met wie Jimmy had afgesproken! Dit was het meisje waar hij Arthur de vorige keer voor had verlaten! Waarom had hij nu in vredesnaam met haar afgesproken? En waarom hier, pal onder mijn neus?

'Voel je je wel goed, Char?' vroeg Gloria. 'O kijk, daar is Lola!'

Ze zwaaide terwijl ze me toefluisterde: 'Moeder van school, leuke meid, krijgt korting op Jimmy Choos.' Ze zag mijn niet-begrijpende blik. 'Chique schoenen. Allemachtig, Char, even bij de les blijven, wil je?' Ze ging door met zwaaien. 'En kleine Frankie en kleine Mary! Hoi, Lola! Ik kom eraan!' En ze perste zich met de buggy tussen de tafels en stoelen door, mij alleen achterlatend met De Vijand.

Gelukkig ging de telefoon. 'Hallo, Charlotte, met Minh, luister –' De verbinding werd verbroken.

Ik kon werkelijk niets verzinnen om tegen de Punkpauw te zeggen. Ik was me er heel erg van bewust dat Jimmy me scherp in de gaten hield. Gelukkig kwam er nog een klant binnen, een kleine Ierse dame die een 'gewone kop thee' wilde.

Zeg ik het tegen Arthur of niet?

Een panine en een smoothie.

Een dieetmuffin en een latte.

De telefoon ging, die arme Minh had nog maar een paar woorden gezegd of de verbinding werd alweer verbroken.

Zou ik het willen weten?

Latte met extra schuim.

'Zou ik mogen weten wanneer je je cafeïnevrije koffie voor het laatst hebt gemalen?' vroeg een stem die ik meende te herkennen, maar ik zag niemand.

Ik keek op de timer op de toonbank. 'Ongeveer drie kwartier geleden, dus nog een kwartier te gaan.'

'Mooi,' zei een stem van achter de pot met koekjes.

Het was Wendy, in haar rolstoel. Je weet wel, Wendy, de zwarte, eenarmige, vermoedelijke lesbo, van het televisiestation, mijn collega-telefoniste, die Wendy.

'Wendy!' Ik was nota bene blij om haar te zien, ik heb geen idee waarom.

'Charlotte!'

'Hoi! Hoe is het met jou?' Vreemd genoeg wilde ik het bijna daadwerkelijk weten.

Ze nam me aandachtig op. 'Werk jij hier echt?'

Ik had een groen schort aan met het Starbucks logo erop, ik stond achter de toonbank, en ze moest hebben gezien dat ik de kassa bediende. In vroeger tijden zou ik haar daarop gewezen hebben, maar

189

op de een of andere manier wist ik een simpel 'Ja!' uit te brengen. (Dokter L. had tegen me gezegd dat ik het sarcasme achterwege moest laten – soms dacht ik eraan.)

'Goh,' zei ze.

En trouwens, ik voelde me altijd een tikje schuldig omdat ik zo gemeen deed tegen haar. Ze zat tenslotte in een rolstoel, wat niet eenvoudig kon zijn. 'Zeg het eens, wat zal het zijn?'

'Ik wil graag een cafeïnevrije macchiato met extra schuim van halfvolle melk en een viervoudige dosis witte chocolade-mokka-siroop, alsjeblieft.'

Toen herinnerde ik me dat ze bovendien niet zo heel aardig was. Je hoeft waarschijnlijk niet bij Starbucks te werken om te weten dat dit een wel heel erg gecompliceerd drankje is. Ik was echter vastbe-sloten om me niet uit het veld te laten slaan door haar belachelijke bestelling. 'Welke maat?'

'Large,' antwoordde ze.

'Om mee te nemen, Wendy?' vroeg ik.

'Ja, graag, Charlotte,' antwoordde ze.

Ik nam niet de moeite om het hardop te roepen, in plaats daarvan schreef ik het op de beker voor Gabor. Uiteraard had hij nog nooit van zoiets gehoord en moest hij het opzoeken in het handboek. Ik besloot Wendy aan de praat te houden zodat ze het niet zou merken, ik wilde niet dat ze zou denken dat ik er niks van bakte hier.

'Zo – hoe is het met je?' zeiden we allebei tegelijkertijd.

Wendy's kerst in Jamaica was fantastisch geweest, zeer bevredi-gend, iedereen was dolblij geweest om haar te zien, bla bla bla. Ze had het zo druk met vertellen hoe geweldig ze was dat het even duurde voordat ze vroeg hoe mijn kerst was geweest. Ik zei dat ik ziek was geweest; er was immers geen noodzaak om haar het hele verhaal te vertellen, of wel soms?

Haar ogen werden groot toen ik het haar vertelde. 'O, wat af-schuwelijk, arme stakker. Weet je zeker dat je wel in staat bent om te werken?'

'Ja hoor, dank je, Wendy,' jij verdomde bijdehante koe, 'ik voel me alweer een stuk beter.'

'Luister, weet je wat, Charlotte, ik trakteer je op een lekkere kop koffie.'

'Nee, dank je, Wendy, we krijgen een boete van vijfduizend pond als we betrapt worden op drinken achter de bar. Maar evengoed bedankt voor het aanbod.' Schiet op, Gabor, geef dit neerbuigende zeikwijf zo snel mogelijk haar drankje. 'Zo, Wendy, hoe is het jou vergaan sinds we zijn ontslagen? Ben je erin geslaagd om ander werk te vinden?'

'Eh, nou, ja.' Om de een of andere reden keek ze een beetje ongemakkelijk.

'Wat heerlijk voor je – wat doe je nu?'

'Ik ben – nou ja, ik kan het je eigenlijk niet vertellen.'

'Ach, toe nou, Wendy, ik ben het maar.' Wat kon ze in vredesnaam voor werk doen dat zo geheim was? Werkte ze undercover bij de narcoticabrigade? Haar vermommingen moesten tamelijk beperkt zijn...

'Nee, het spijt me, Charlotte, maar ik mag je die informatie niet geven.'

Nu móést en zóú ik erachter komen, natuurlijk.

'Het doet er in feite niet zoveel toe, Wendy, ik weet het al.'

Ze keek opgelucht. 'Ja, dat dacht ik al. Ik wist dat je mijn aanbod om je op een kop koffie te trakteren normaal gesproken niet zou hebben afgeslagen.' Ze glimlachte, zelfvoldaan omdat ze iets had geweten wat ik wist wat ik in feite helemaal niet wist.

Ik glimlachte naar haar. 'Je hebt me door, Wendy.' Dit was leuk.

'Ja, anders zou je nooit zo aardig tegen me zijn. Vergeet niet dat ik weet hoe je werkelijk bent!' En ze tikte tegen de zijkant van haar neus met haar vinger. Het was de tweede keer dat iemand dat vandaag tegen me deed, en de tweede keer dat het me irriteerde.

'Vertel eens, hoe lang doe je dit werk al?' vroeg ik terwijl Jimmy en de Punkpauw opstonden om weg te gaan. Verdomme, ik was vergeten hen in het oog te houden, hadden ze eruit gezien alsof ze een verhouding hadden?

'Sinds januari, om precies te zijn, Charlotte.'

'Aha, Wendy.' O nee, ze liepen hand in hand. En Jimmy zwaaide me gedag met zijn andere hand, dus hij wist dat ik het had gezien. 'En wat vind je er zo leuk aan? Van welk aspect van je werk geniet je het meest?'

'Nou, het leukste aan secret shopper zijn, en dan vooral een gehandicapte,' (jawel!!!) 'is dat als ik zie dat het personeel in de winkelketens waar ik voor werk de klanten slecht behandelt, ik onmiddellijk een rapport indien, en de desbetreffende persoon direct ontslagen wordt. Dus ik heb het gevoel dat ik de maatschappij een dienst bewijs, weet je. Het is een heerlijke baan, ik geniet er echt van.'

'Dat geloof ik meteen, Wendy,' zei ik, 'en ik kan me voorstellen dat je er erg goed in bent.'

'Dus dit is waar je je al die tijd hebt schuilgehouden, hm?' Goeie god, Amira! Wat stond me in vredesnaam nog meer te wachten? 'Enige kans op een peuk in de plee en een potje lekker ouderwets roddelen?'

'Zeker niet, Amira, ik heb geen idee waar je het over hebt.' Ik keek haar dreigend aan, maar Amira was niet zo sterk in het oppikken van subtiele signalen.

'Maar je zei dat ik altijd langs kon komen en –'

'Wat wil je drinken, Amira?' vroeg ik kordaat. Gelukkig was Wendy druk bezig om haar professionele blik over de rest van het café te laten glijden, om te controleren of de tafels schoon waren en al het servies was afgeruimd. Hoewel ik geen idee had hoe ze dat fatsoenlijk moest beoordelen van daarbeneden.

'Nou, oké, dan neem ik een chai thee met melk.'

'Chai thee met melk!' krijste ik naar Gabor, die iets terug mompelde in het Hongaars. 'Dat is dan £1.70 alsjeblieft.'

'Maar je zei dat ik niet zou hoeven –'

Ik kuchte zo hard als ik kon, maar desalniettemin trok Wendy een wenkbrauw op.

'Sorry, Wendy, ga verder. Volgens mij was je zo onderhand bij het interessantste gedeelte...'

'We gaan ervandoor, Char – later, oké?' Gloria en Lola en hun diverse kinderen reden Wendy bijna ondersteboven toen ze hun dubbele buggy's naar buiten duwden.

'Hoe dan ook,' vervolgde Amira, 'kijk eens naar buiten, Charlotte – kijk eens wat mijn ouders voor me hebben gekocht als cadeautje voor het halen van mijn rijbewijs!'

'Als het nog langer duurt voordat mijn drankje klaar is, zal ik er melding van moeten maken in mijn rapport...'

'Heb er een eeuwigheid over gedaan om hier te komen, weet je, ik had me niet gerealiseerd hoe ver weg het is vanuit Noord-Londen. En ik verdwaalde steeds.'

De telefoon ging.

'Eén large cafeïnevrije macchiato met extra schuim van halfvolle melk en een viervoudige dosis witte chocolade-mokkasiroop om mee te nemen!' verkondigde Gabor, met een knalrood hoofd, maar duidelijk erg trots op zichzelf.

'Godzijdank!' zeiden Wendy en ik tegelijk.

'Charlotte? Met Minh.'

'Hij is niet echt warm...'

'Ik wil graag een grote Americano, en dan bedoel ik niet het drankje!' O nee, Arthur!

'Is ie niet beeldschoon? Het is een gloednieuwe Mini cabrio, mijn ouders hebben hem voor me gekocht omdat ik ben geslaagd voor mijn rijexamen. Zin om een eindje te gaan rijden, Charlotte?'

'Luister, ik sta op het vliegveld – mijn vader is ernstig ziek, ik probeer een vlucht naar huis te boeken.'

'Heb je staan rock-'n-rollen met de beker? Dit schuim is nauwelijks dromerig romig te noemen...'

'Heb jij Jimmy toevallig gezien?'

'Hé, Char, heb ik mijn pet hier laten liggen?'

'Dus kun jij voor mij waarnemen? Het is nog maar voor een uurtje of zo, Franc komt om half vijf.'

'Waarschijnlijk zie ik spoken, maar, nou ja – ik heb het idee dat hij misschien een verhouding heeft. Ik weet dat het niet netjes is, maar ik heb gisteravond stiekem al zijn sms'jes gelezen, en...'

God, help me, alstublieft. Of nee, help hen maar. Zij hebben u meer nodig dan ik.

'Amira! Doe onmiddellijk die sigaret uit, Starbucks is volledig rookvrij, koffie absorbeert geuren. Gloria, je pet ligt gewoon onder de stoel waar je hem hebt achtergelaten. Gabor, maak Wendy's drankje alsjeblieft opnieuw, maar voeg dit keer 'extra warm' toe aan die lijst, wil je? Zo, bestaat er enige kans dat jij Amber voor me van school zou kunnen halen, Amira? Arthur weet wel waar het is, en daarna kun je hem naar de metro brengen en terugsturen naar kantoor, waar hij thuishoort. En als je dan terugkomt met Amber, zal ik

persoonlijk die chai thee met melk voor je klaarmaken. Ja, Minh,'
zei ik in de telefoon, 'ik kan wel voor je invallen. Ik hoop dat je snel
een vlucht kunt krijgen. Sterkte.'

Wendy was zeer onder de indruk.

Vergis je niet, ik ook.

Amira reed de auto aan gort op de weg terug naar Starbucks.

Ik weet het.

Gelukkig, godzijdank, dank u dank u dank u, mankeerde Amber niets.
Ze stond te trillen op haar benen, maar ze was niet gewond. Ik had haar
nog nooit zó lang of zó stevig omhelsd. De politieagente was heel aardig,
ze hielp me om kalm te blijven. Terwijl Amber en ik naar huis liepen, hand
in hand, besloten we dat het beter was om het niet aan mijn ouders te
vertellen. Ik hield haar handje extra stevig vast, ik zou haar niet meer zo
makkelijk laten gaan.

Amira, daarentegen, had haar neus gebroken tegen het stuur. Het bleek
dat ze stoned was geweest. Kennelijk had ze een joint nodig gehad om
haar zenuwen te kalmeren voordat ze in haar eentje in haar nieuwe auto
durfde te stappen.

Ze belde me de volgende dag. Ik dacht dat het was om sorry te zeggen, maar nee. Ik luisterde geduldig terwijl ze klaagde over haar gehavende gezicht, haar beschadigde auto, het gezeur van de politie. Pas daarna vroeg ze naar Amber.

Ik zei niets. Ik hing gewoon op. Ik had geen behoefte aan een halvegare
in mijn leven. We hebben elkaar nooit meer gesproken.

'Mam, mam, mag ik alsjeblieft bij Chanel slapen vannacht? Alsjeblieft? Alsjeblieftalsjeblieftalsjeblieftalsjeblieft?'

Het was het feestje voor Ambers negende verjaardag, en ik was
uitgeteld. Gloria en ik hadden het bovenzaaltje van haar plaatselijke
pub weten te ritselen, voor niks, en we waren de halve nacht in de
weer geweest. Gloria pakte nationale feestdagen en verjaardagen altijd groots aan. Ze was dol op feesten en partijen. Ik niet.

Ik had opdracht gekregen om het 'Gefeliciteerd met je verjaardag'
spandoek te maken, wat betekende dat ik honderden M&M's op de
uitgeknipte letters moest plakken, een heel priegelwerkje. Ondertussen had Gloria allerlei Disney afbeeldingen overgetrokken en inge-

kleurd op de achterkant van een oude rol foeilelijk behang die ze als een soort schat in de kast onder haar trap had bewaard. Tegen middernacht, ook al had ik nog maar twee letters te gaan, was ik in staat om het voor gezien te houden en naar bed te gaan, maar ze had me gedwongen om wakker te blijven tot het helemaal af was.

Ze had uiteraard gelijk; het was de moeite meer dan waard gebleken toen ik Ambers gezichtje zag toen mijn vader haar de volgende dag kwam brengen naar het feestje. (Ze hadden haar mee uit lunchen genomen, en nu moest hij mijn moeder gaan helpen met inpakken. Er zou de volgende dag nieuw tapijt worden gelegd in hun huis; dit leek hun een goed moment om te zien hoe ik het een paar dagen in mijn eentje zou redden. 'Kunnen altijd weer terugkomen,' had mijn vader gezegd. Ik had geprobeerd om niet al te verheugd te kijken vanwege hun aangekondigde vertrek.) Het was niet zozeer dankbaarheid die van Ambers gezicht af straalde, maar meer iets van hysterie – onze zelfgemaakte versiering zag er werkelijk vreselijk uit, we hebben er allemaal hartelijk om gelachen.

Het was een familiegebeuren: Lori had haar gettoblaster meegenomen voor de muzikale omlijsting. We gebruikten Ambers nieuwe Disney Klassiekers dubbel-cd, die haar geliefde oom-vreselijk-perfecte-Matt had gestuurd voor haar verjaardag.

Gloria's oudste, Chris(tian), had ergens een door de motten aangevreten Baloe-pak gehuurd (of misschien wel gestolen) en jaagde de kinderen allemaal de stuipen op het lijf door in het rond te springen door de kamer, BRULLEND op de onhandigste momenten. Zijn vriendin Luie Linda stond al het hele feestje bij het raam, haar arm naar buiten bungelend, peuk in de hand, rokend alsof haar leven ervan afhing, de ogen permanent ten hemel geslagen.

De kleine Rev had zoveel van het van E-nummers vergeven oranje voedsel genuttigd dat hij non-stop in zijn eentje de kamer rondrende, een beetje zoals een hond die achter zijn eigen staart aan zit, in een krankzinnig kringetje van hyperactiviteit.

En de tweeling zat onder de tafel, waar ze de kaarsjes van de Dombo-verjaardagstaart in elkaars neus duwden.

Amber had echt genoten, ondanks Chanels gesputter dat Disney nu te kinderachtig voor hen was, en halverwege het feest was ze zelfs speciaal naar me toe gekomen om me een dikke knuffel en een kus te geven bij wijze van bedankje. Ik had gedacht dat mijn hart uit elkaar zou knallen van trots en liefde voor haar, en alleen Gloria zag me haastig die ene traan wegvegen. Keko, die stilletjes grijnzend in een hoekje zat met een fles cola, knipoogde naar me.

Het liep nu tegen het eind van het feestje, en sommige ouders waren al gearriveerd om hun kinderen op te halen. Ik had tegen dit moment opgezien, aangezien ik geen geld had voor snoepzakjes, die al haar vriendinnetjes aan de kinderen meegaven na afloop van een feestje. Ik had tegen Amber gezegd dat ze allemaal maar genoegen moesten nemen met een ballon – wat niet bepaald enthousiast was ontvangen. Gloria stond stukjes taart in Barbie-servetjes te wikkelen (ik weet het, ik weet het, het was mijn moeders bijdrage, ze wist kennelijk niet wat Disney was en wat niet) en deelde deze uit aan de kinderen die weggingen alsof het kostbare wilde truffels waren die waren opgespoord en uit de grond gewroet door speciaal afgerichte varkens in de bossen van Beieren. (Niet dat iemand in dat zaaltje wist wat dat precies inhield, behalve ik, en nu ik erover nadacht, wist ik het eigenlijk ook niet. Maar goed.)

'En waar is mijn jarige meisje?' bulderde een bekende stem.

'Oz!' Amber rende naar hem toe en gaf hem het soort knuffel dat ze normaal gesproken voor mij bewaarde. Hij had een cadeautje voor haar meegebracht: Kanga en Roe knuffelbeesten, natuurlijk.

Terwijl ze hem bedankte en er lief bij glimlachte, stormde Chanel naar hen toe, en Amber werd knalrood. Ze keken allebei naar hem op met grote, aanbiddende ogen. Ineens realiseerde ik me dat er het een en ander besproken moest zijn tussen die twee aangaande het onderwerp Oz – sterker nog, het leek wel alsof Amber een beetje een vaderfiguur in hem zag.

Hij had zijn attenties inmiddels echter gericht op Gloria (die zich had verkleed als Disney-figuurtje, als Ariël, de Grote Zeemeermin, in dit geval), die schaamteloos terug flirtte terwijl ze haar lange rode pruik naar achteren gooide en dingen zei als: 'Zeg je dat tegen al je vriendinnen?' en 'Ik? O nee, ik ben maar een gewone huisvrouw!'

Amber begon inmiddels kwaad te worden omdat hij haar niet genoeg aandacht schonk, en ik was eerlijk gezegd ook behoorlijk chagrijnig. Nou ja, ik wilde niet dat die arme Oz Vader Nummer 7 (8, liever gezegd) zou worden, hoewel het waarschijnlijk mijn zaken niet waren. Ik merkte dat ik kribbig begon te worden, het zal de vermoeidheid wel zijn geweest.

'Mam!' Mijn dochters ongeduld trok mijn aandacht. 'Mag ik vanavond nou bij Chanel slapen of niet?'

'Niet!' antwoordde ik scherp. Voordat ze de kans kreeg om echt te gaan jengelen, vertelde ik dat haar opa en oma zaten te wachten tot we thuiskwamen, om afscheid te nemen. 'Familie gaat voor, Amber, ik weet zeker dat Gloria dat met me eens zal zijn.'

Dat zou ongetwijfeld ook het geval zijn geweest, ware het niet dat Oz haar aan het overladen was met uitnodigigen voor een gratis kennismaking met het fenomeen internet, wanneer ze maar wilde, geen enkel probleem. Hoe harder ze nee zei, hoe meer hij zijn best deed.

Die lieve Keko bood ons een gratis lift naar huis aan in zijn taxibusje, aangezien we zoveel cadeautjes mee moesten nemen. We gingen weg zonder Gloria en Oz gedag te zeggen. Ach ja, we wilden hen immers niet storen.

Amber en ik zaten de hele weg naar huis tegen elkaar te mopperen, totdat we uit Keko's auto stapten en een van die glimmende zilverklleurige cadeautasjes van hologrampapier in het oog kregen, dat naar ons knipoogde vanaf ons stoepje, alsof het het volste recht had om daar te zijn.

Ik wist meteen van wie het afkomstig was. Te laat, ze had het al gezien. Ik griste het weg voordat zij de kans kreeg.

Die verdomde sleutel wilde in eerste instantie niet fatsoenlijk in het slot gaan. Ik wilde haar zo snel mogelijk het huis binnen duwen, voor het geval hij ergens op de loer lag en ons kon zien. Ik was doodsbang, ik voelde me paniekerig en kwetsbaar. Toen we eenmaal veilig binnen waren, leunde ik met mijn rug tegen de deur, mijn hart wild bonzend. Ik had pijn in mijn buik, mijn borst, mijn keel. Mijn ogen deden pijn. Klootzak! Hoe durfde hij dit soort spelletjes te spelen?

Er stond een berg vintage jaren vijftig koffers in de gang. 'Mooi, jullie zijn er weer,' zei mijn vader toen hij uit de zitkamer kwam, zijn krant opvouwend. 'Moeten gaan, wij ouwelui. Je moeder zit in de auto te wachten.'

Echt waar? Hoe lang zat ze daar al? Zou ze hebben gezien dat Joe het tasje op de stoep achterliet? Ik deed de voordeur open en keek naar hun auto, die voor de deur geparkeerd stond – daar zat ze, op de passagiersstoel, hoofd achterover, mond open, waarschijnlijk luid snurkend. Die had natuurlijk helemaal niets gezien.

'Wilde er snel vandoor,' zei mijn vader, bij wijze van verklaring. 'Matt belde vanuit Amerika; heeft ons iets opgestuurd, staat thuis op ons te wachten.' Aha, dus dat was het. De verloren zoon had met zijn vingers geknipt, dus ik moest aan de kant gezet worden. Charmant.

(Ik stond op het punt om die oude vertrouwde Weg van de Wrok in te slaan, maar toen herinnerde ik me dat ik in feite juist wílde dat ze weggingen, nietwaar? Dus dit was een goede zaak. Ik annuleerde de boze bui.)

'Wilde echter niet vertrekken voordat ik jullie gedag had gezegd. Weet je zeker dat je het redt?' Mijn vader keek zo bezorgd, ik kreeg een brok in mijn keel bij het zien van zijn vochtige ogen.

Maar ik was ook een kind van mijn moeder. 'Doe niet zo raar, natuurlijk redden we ons wel! Ja toch, Amber? Amber?'

Amber was de voordeur uit gestoven naar de auto en was mijn moeder aan het omhelzen, die zichzelf op de een of andere manier had gedwongen om voldoende wakker te worden om de omhelzing te beantwoorden.

'Ga nou maar, pap, je hebt er immers een hekel aan om in het donker te rijden.' Ik hielp hem de bagage naar de auto dragen, en na nog veel meer tot-ziens'en en goede-reis'en en wees-voorzichtig's en beloftes om te bellen, gingen ze weg.

De laatste keer dat ik hen zo had uitgezwaaid, had ik stijf gestaan van de angst. Dit keer was ik nog steeds een beetje bang, maar op een goede manier – het was grotendeels opwinding. We gingen weer naar binnen. Mijn huis.

'Zo, Amber,' ik wreef in mijn handen, 'nu is het weer jij en ik, meis.'

'En dit,' zei ze, de verdomde glittertas omhoog houdend.

'Vooruit dan maar.' Ik zuchtte. Het moest toch een keer gebeuren, dus dan ook maar nu meteen.

'Het is een teddybeer!' deelde Amber mee, iets in de lucht houdend wat je nog niet zou willen winnen op de kermis. 'En stickers!' Fantasieloos.

'Enig, schat,' zei ik zo neutraal mogelijk. Ze begon de envelop van de kaart open te maken, ik telde tot tien en toen tot elf en dacht toen ineens aan degene die de leiding had Daarboven en vroeg om ervoor te zorgen dat het goed zou komen. Alstublieft.

Er zat een button bij. 'Negen jaar, lieve dochter,' zei ze hardop, trots. 'Voor Amber, mijn allerliefste kleine meid.' Ze worstelde zich door het verschrikkelijk sentimentele gedicht heen en las toen: 'Heel veel liefs, papa. Kusje, kusje, kusje...' Haar stemmetje stierf weg terwijl ze mijn gezicht bestudeerde. We wisten geen van beiden wat we moesten zeggen. Hij was nog nooit eerder ter sprake gekomen, en nu was hij er ineens, hier bij ons in huis.

'Voel je je wel goed, mam?' Mijn hart bonsde zo luid dat ze het waarschijnlijk kon horen.

'Eh, ja hoor, prima.' Haar bezorgde gezichtje baarde me zorgen. 'Eh, oké, even zien – wat zullen we eens doen?'

Ik deed wat iedere Brit zou doen ten tijde van een crisis: ik liep naar de keuken en zette de waterkoker aan. Ik merkte dat ik stond te trillen op mijn benen. Ik voelde dat de adelaar in mijn binnenste weer begon te fladderen en te krijsen. De Angst was terug.

'Mam?' Amber stond in de deuropening, haar nieuwe teddybeer in haar handen geklemd, niet goed wetend wat ze moest doen. Ze zag er zo klein uit, zo babyachtig, zo schattig. Ik kon het niet verdragen wat er zo meteen zou gebeuren. Maar ik wist dat ik geen keus had.

'Kom eens even zitten,' zei ik, zo vriendelijk mogelijk. 'Sap?'

'Nee, dank je.'

'Milkshake?'

Ze schudde haar hoofd terwijl ze op haar stoel klom.

'Smoothie? Geroosterd brood? IJsje?'

'Mam...'

'Gebakken worstjes? Brood met ei?'

'Nee.'

'Nee wat?'

'Nee, dank je!' Ze was kalmer dan ik, ze glimlachte zelfs. 'Ik heb geen honger, mam, ik heb net mijn feestje gehad.'

'O ja,' ik was waarschijnlijk aan het doordraaien, shit, 'vergeten.' Ik schonk het kokende water in de mok. 'Nou, wil je dan misschien geld? Een gouden medaille?'

Ze moest vreselijk lachen.

'Een adellijke titel, wellicht?' Ik kneep in het theezakje. 'Het zou heel stoer staan op de uitnodigingen voor je feestje volgend jaar: "Barones Amber Small nodigt je uit voor..."' Mijn stem stierf weg. Misschien zou ze, na het gesprek dat we zo meteen zouden hebben, liever Barones Amber Newman willen zijn. Straks zou ze die keuze hebben. Ik deed de melk erin, ik kneep het theezakje uit, ik gooide het weg, ik zag dat de vuilnisbak behoorlijk vol zat, ik haalde de vuilniszak eruit en deed hem in de container buiten, ik deed een nieuwe zak in de vuilnisbak, er was niets anders meer wat gedaan moest worden. Het was nu tijd om te gaan zitten en te doen wat juist was.

'Amber –' begon ik.

'Gaat dit over mijn vader?' vroeg ze.

'Ja, lieverd,' antwoordde ik door de brok in mijn keel heen, 'dit gaat over je vader.'

'Jippie jee!' zei ze, opgewonden. Ach ja, ze had hier dan ook negen jaar op gewacht.

Ik haalde diep adem en stuurde nog een verzoek naar Daarboven om ervoor te zorgen dat de juiste woorden in de juiste volgorde uit mijn mond zouden komen.

Die kwamen, en op de een of andere manier slaagde ik erin om mijn kleine meid, zonder drama's of incidenten, alles te vertellen over haar vader; dat hij niet was weggegaan omdat hij haar niet wilde, maar omdat hij nog een paar andere dingen moest doen voordat hij een goede vader kon zijn. (Dat verzon ik ter plekke, klinkt goed, vind je niet?)

Het bleek dat mijn moeder al een paar hints had laten vallen over Joe, maar niets specifieks, uiteraard. Mijn vader had al haar vragen afgeweerd door onmiddellijk van onderwerp te veranderen. Ze had mij er niet naar gevraagd omdat ze dat niet durfde – ze zei dat ze me niet boos wilde maken.

Merkwaardig genoeg vond ik dat nog het ergste van alles. Mijn eigen dochter, bang voor me. Maar nu was ze absoluut niet bang voor me; ze klom op mijn schoot en sloeg haar armen om mijn nek, zoals ze vroeger als peuter altijd deed. Ik liet mijn hoofd zachtjes op het hare rusten terwijl mijn stille tranen in haar haren stroomden. Ik had het afschuwelijk gevonden om over hem te praten, en toch werd ik nu het voorbij was overspoeld door een overweldigend gevoel van opluchting.

En – nou ja, liefde. Hoewel ik altijd van Amber had gehouden, was ik niet altijd in staat geweest om haar liefde te geven. Je weet wel, ik had het nooit voor elkaar gekregen. Ik had diep vanbinnen altijd wel liefde voor haar gekoesterd, maar nu leek ik beter in staat om deze te uiten. En ik kon mijn liefde vrijelijk geven, ik hoefde hem niet altijd beantwoord te zien. Was dit wat ze onvoorwaardelijke liefde noemden? Het kon me niet schelen hoe het heette, het voelde ontzettend goed.

We bleven allebei een poosje rustig zitten nadenken, en toen zei Amber: 'Hoe ziet hij eruit?'

'Ik weet niet hoe hij er tegenwoordig uitziet,' antwoordde ik. 'Vroeger had hij stekeltjeshaar, en hij droeg altijd enorm strakke broeken.'

'Heb je een foto van hem?' vroeg ze.

'Nee, liefje,' antwoordde ik, 'die zijn helaas allemaal weggegooid.' Een beetje een understatement, misschien, maar wel waar.

Het behoeft geen betoog dat Amber zich die avond niet zo makkelijk in bed liet stoppen. Het regende vragen: 'Heeft hij bruin haar en blauwe ogen, of blond haar en bruine ogen, of bruin haar en bruine ogen, of blond haar en blauwe ogen, of heeft hij groene ogen?'

'Heb ik nu ook broers en zusjes?'

'Hij is waarschijnlijk al eens in Disneyland geweest, hè?'

'Is hij lief voor dieren?'

'Vooruit, Amber, ga eens lekker liggen. Ik zal bij je blijven totdat je in slaapt.'

'Denk je dat hij nu terug zal komen?'

'Ik weet het niet, liefje,' mompelde ik in haar haren, 'ik weet het niet.'

'Ik hoop van niet,' zei een deel van mij. 'Ik hoop van wel,' zei een ander deel.

Er is een oud Chinees gezegde dat luidt: 'Wees voorzichtig met wat je wenst.'

Wauw, ze waren lang niet dom, hè, die oude Chinezen?

Zo. Dit was het moment waar ik op had gewacht, om had gebeden, naar had verlangd. Maar nu het zover was, wilde ik het niet meer.

Niet nu, in ieder geval. Niet nu meteen. Hadden papa en mama niet morgen naar huis kunnen gaan?

In de afgelopen maand had ik geleerd om iets meer van mijn eigen gezelschap te genieten dan voorheen, maar het voelde vreemd om alleen te zijn vanavond. Er heerste een oorverdovende stilte in huis. Ik miste mijn vaders geritsel met de krant tijdens de grove gedeeltes op tv, en het meedogenloze getik van mijn moeders breinaalden terwijl ze jasjes zat te breien voor aan hun lot overgelaten liefdadigheidsbaby's die ze nooit zou zien.

Ik ging naar de keuken, alleen om te controleren of ze er echt niet waren. Ze waren er niet. Maar de koelkast zat propvol met genoeg eten voor minstens een week, en in de diepvries zat nog meer. De voorraadkasten vormden het bewijs van mijn moeders overtuiging dat we elk moment ingesneeuwd konden raken met zijn allen.

Ineens werd ik overweldigd door de goedheid van mijn ouders. Akelig genoeg vermoedde ik dat die er altijd al was geweest, ik had het alleen voor bemoeizucht aangezien.

Voor het eerst in mijn ondankbare leven belde ik mijn ouders, enkel om dank je wel te zeggen. Het was een kort telefoontje, ze wisten ineens niet meer of ik nou echt helemaal beter was, voelde ik me wel goed? Wist ik het zeker?

Ik had nog niet opgehangen of de telefoon ging. Wat als het Joe was? Wat zou ik dan zeggen? Ik besloot het telefoontje te screenen en liep naar het tafeltje in de gang om te luisteren naar het antwoordapparaat. Terwijl ik ernaar stond te staren, zag ik dat er al een keer eerder was gebeld – ik kon me vaag herinneren dat de telefoon had gerinkeld toen ik Amber aan het vertellen was over haar vader, maar ik had er geen aandacht aan besteed.

'Hoi, Charlotte, met mij. Ben je thuis?' Ik haat het als mensen dat zeggen, jij niet? 'Met Arthur.' Ja, ik ken je stem heus wel hoor. 'Neem op als je me kunt horen.'

Stilte.

'Wat gek, ik heb net ook al geprobeerd te bellen, en toen was je in gesprek – nou ja, misschien iemand anders die een boodschap aan het inspreken was. Hoe dan ook, we hebben in geen eeuwigheid meer lekker ouderwets gebabbeld, ik wil dolgraag even met je praten – het maakt niet uit hoe laat, dag of nacht, ik ben toch wel wakker.' Hij klonk een tikje verstikt, ik wist precies wat er nu ging komen. 'Eh – ik heb ontzettende ruzie gehad met Jimmy, onze grootste tot nu toe. We hebben nu al wekenlang constant ruzie, ik heb gewoon het idee dat er iets gaande is, Charlotte, het zit niet goed tussen ons en – o,' hij liet zijn stem dalen tot fluistertoon, 'hij komt net binnenlopen!' Nu begon hij te schreeuwen. 'Dus, JA, als je me zo snel mogelijk zou kunnen TERUGBELLEN over die CIJFERS dan zou ik je heel DANKBAAR zijn. Bedankt en TOT ZIENS!' Einde bericht. Wauw, hij moest wel heel erg van streek zijn. Hij had me niet eens gevraagd om Matts foto te kussen namens hem.

Arme Arthur. Wat afschuwelijk om zo afhankelijk te zijn van iemand anders voor je geluk. Zou dat andere bericht van Joe zijn?

'Hoi, Charlotte, ik ben het maar.' (Amira.) 'Bel me alsjeblieft terug, wil je? Ik wil gewoon even met je praten –' Met een zucht deed ik wat ik sinds het ongeluk elke keer deed als ze belde, en dat was bijna elke dag – ik wiste het bericht zonder zelfs maar de moeite te nemen om ernaar te luisteren.

Vervolgens dwaalde ik doelloos door het huis, van kamer naar kamer. Alle rekeningen voor de vaste lasten zaten keurig op volgorde in een kartonnen map die op Matts eettafel lag uitgestald. Er was met een paperclip een cheque aan de voorkant bevestigd om de vaste lasten de komende maanden mee te kunnen betalen. 'Om ervoor te zorgen dat alles op rolletjes blijft lopen,' stond er op het plakbriefje in mijn vaders keurige en piepkleine handschrift.

Wat nu? Mijn ouders had ik al bedankt, maar ik had Matt in geen maanden gebeld. (Sterker nog, ik kon me zelfs niet herinneren wanneer ik hem voor het laatst had gebeld – nu ik erover nadacht, realiseerde ik me dat hij mij altijd belde.) Ik had hem niet eens bedankt voor het mogen lenen van zijn meubels, en ze stonden er nu al maanden. Het was uiteraard wel mijn bedoeling geweest, ik was er alleen niet aan toegekomen.

En ik was beslist niet van plan om hem de hemel in te prijzen, dat zou hij alleen maar leuk vinden.

Toch had hij me een enorme dienst bewezen. Als het iemand anders was geweest, zou ik meteen een bedankje en een bloemetje hebben gestuurd, toch?

Ik wist het al, ik zou hem wel op zijn mobieltje bellen. Met een beetje geluk zou hij net in een vergadering zitten, en zou ik alleen een boodschap kunnen inspreken. Ik wist niet meer wat het tijdsverschil was tussen hier en Los Angeles, maar hij zou hem vast wel uit hebben staan als hij lag te slapen. Het duurde een eeuwigheid voordat ik het nummer had gevonden, en toen ik het eenmaal had, bleek het niet te kloppen. Uiteindelijk moest ik mijn vader ervoor opbellen, en tegen die tijd wilde ik Matt eigenlijk al helemaal niet meer spreken, maar ik dwong mezelf om het nummer toch te draaien.

Hij schakelde niet meteen over op de voicemail, maar ging in plaats daarvan een paar keer langdurig over. Juist toen ik overwoog om op te hangen, werd er opgenomen door een Amerikaanse stem die zei: 'Hallo, dit is de Hete Mannen Hotline, waarmee kan ik u van dienst zijn?'

Eh? 'Sorry,' zei ik, 'ik denk dat ik het verkeerde nummer heb gedraaid.'

'Nee, mevrouw, ik denk het niet. Wees maar niet verlegen, probeer het gerust.'

Althans, ik denk dat hij dat zei; de Hete Mannen Hotline werd gerund vanuit een zeer rumoerige omgeving, ik kon hem amper verstaan.

De man vervolgde op zijn quasi-nichterige toon: 'Oké – welke van onze jonge mannelijke dekhengsten zou u willen reserveren? Ik zal u vertellen wie we vandaag beschikbaar hebben: mijn naam is Stu, ik heb vijfentwintig centimeter, ik zou u met alle plezier van dienst kunnen zijn, of we hebben de jonge Frankie, hij is blond en heel, heel heet... Zack is helemaal volgeboekt, zoals altijd...' ik meende gelach te horen op de achtergrond, '... of we hebben een speciale aanbieding: Machtige Matt, de goed geschapen Engelsman, hij doet twee voor de prijs van –'

'Hallo?' Dit was Matts stem.

'Matt?' Wat eigenaardig was dit allemaal. 'Met Charlotte.'

'Charlotte! Hoi! Charlotte, wauw! Eh, heb je een ogenblikje...' Hij legde zijn hand over de hoorn, maar ik hoorde evengoed een gedempt 'Verdomme, Stu, het is mijn zus!' of iets in die trant. 'Sorry hoor, ik zit in een restaurant te lunchen met een stel vrienden, ik loop even naar buiten,' hij baande zich hoorbaar een weg tussen de tafels door, 'wat een leuke verrassing om iets van je te horen. Mijn excuses dat Stu opnam, ik was op het toilet, en toen ik terugkwam, had hij jou aan de lijn. Hij heeft toch geen, eh, nou ja, rare dingen gezegd of zo, hè?'

'Nee hoor, niet echt, eigenlijk vond ik hem erg grappig. Ik wist niet dat je bij de Hete Mannen Hotline werkte.'

'O, die klassieker, oké. Dat is typisch Stu, sorry.'

'Wat als ik iemand van je werk was geweest?'

'Onmogelijk, dit is mijn F&V nummer.'

'F&V?'

'Familie en Vrienden.' Hij stond inmiddels buiten, op de achtergrond kon ik precies zo nu en dan een Amerikaanse toeter horen, en de onontkoombare sirenes. 'Zo, hoe is het met je?'

'Heel goed, Matt, heel goed. Ik bel alleen maar even om te zeggen –'

'Is alles goed met mama? Ze is toch niet ziek of zo?'

Het spijt me echt, maar de mate van bezorgdheid in zijn stem irriteerde me mateloos. 'Nee hoor, ze is zo fit als een hoentje,' zei ik, kortaf, 'onkruid vergaat niet.'

'Ik denk dat ze minder sterk is dan je denkt, hoor,' zei Matt.

'Ja, nou, dat zal dan wel.' Ik was me ervan bewust dat dit telefoontje me waarschijnlijk een fortuin kostte, en ik had geen zin om dergelijke bedragen te spenderen om over mijn moeder te praten. 'Ik bel om je te bedanken.'

'Waarvoor?'

'Voor het lenen van je meubels,' zei ik. 'Voor alles,' zei ik tot mijn eigen verbazing, 'omdat je zo'n ontzettend goeie broer bent. Dank je wel. Enfin, hoe is het met jou?' vroeg ik, voordat hij zou denken dat ik overdreven dankbaar was. Niet dat ik het echt wilde weten, zijn leven was altijd ronduit volmaakt.

'Met mij gaat het prima, dank je.' Hij klonk alsof hij verbaasd was dat ik ernaar vroeg. 'Druk, druk, druk, en nu lekker aan het lunchen met vrienden, weet je wel.' Hij klonk zo cool, zo Amerikaans, zo lifestyle. En zo verdomd gelukkig. 'Ik heb net een nieuw huis gekocht, we hebben sinds kort een puppy, sterker nog –'

'Luister, ik wil je niet te lang ophouden, je vrienden zitten op je te wachten –'

'Ben je gek, met een beetje geluk betalen zij de rekening!' Hij lachte. Ik kon die perfecte glimlach hiervandaan horen. En ik haat het als rijke mensen doen alsof ze geen geld hebben. Tijd om op te hangen voordat ik iets zeg waar ik spijt van krijg.

'Nou ja, dat was het wel. Ik wilde je alleen bedanken, dat is alles.'

'Oké, super. Hoe is het met Amber?'

'Heel goed, je krijgt de groeten van haar. Ik moet ophangen, ik heb iets onder je grill staan. Dag!'

'O, oké! Echt fantastisch om iets van je te horen, Charlotte, bedankt voor het bellen. Dat betekent echt veel voor me, weet je.'

'Ja, oké, Matt, dag.'

En toen hing ik op en barstte in tranen uit.

Ik heb een hekel aan het woord 'eenzaam'.

Maar dat is hoe ik me voelde. Er is een enorm verschil tussen alleen zijn en eenzaam zijn. Soms kon ik me in een enorme mensenmenigte nog steeds eenzaam voelen.

Maar er is een remedie tegen eenzaamheid. Je hoeft alleen maar diep adem te halen, God om moed te vragen, en de telefoon te pakken.

'Gloria,' zei ik, 'ik voel me een beetje bibberig.'

'Ja, nou, ik ook – het is geen pretje om andermans feestje op te ruimen met hoge hakken en een zeemerminnenstaart aan, weet je. Mijn voeten doen vreselijk pijn.'

'O god, sorry, dat ben ik totaal vergeten.' Wat egoïstisch van me, ik kon gewoonweg niet geloven dat ik was weggegaan zonder te helpen met opruimen. 'We moesten er snel vandoor om mijn ouders gedag te zeggen voordat ze vertrokken.'

'Geeft niks,' antwoordde ze. 'Ik heb Luie Linda zover gekregen dat ze haar handen uit de mouwen stak. Uiteindelijk. Hoe is het nou met je?' vroeg ze. 'Je was al weg voordat ik je fatsoenlijk gedag kon zeggen.'

'Ik voel me prima,' zei ik, meer uit gewoonte dan iets anders. Belachelijk eigenlijk. 'Dat is een leugen,' zei ik in plaats daarvan, 'ik voel me beroerd.'

'Tja, dat verbaast me niets. Ik voel me altijd klote op de verjaardagen van mijn kinderen.'

'Echt waar?'

'Ja – het is een van de weinige keren dat ik echt zou willen dat hun vaders erbij waren, ik weet niet waarom. Het zal wel met de droom van het gelukkige gezinnetje te maken hebben. Verdomd vervelend soms, dit alleenstaande ouder gedoe, vind je niet?'

Nou en of. Gloria wist altijd precies de kern te raken. Ik huilde stilletjes bij mezelf terwijl ik haar vertelde over Joe's cadeautjes en de afwezigheid van mijn ouders.

'Je klinkt alsof je op het punt staat te verdrinken in je eigen stront, schat.' Leuke beeldspraak. 'Zelfmedelijden is dodelijk, toch? Nou, Char, ik vrees dat ik het niet langer kan aanzien.' Ze klaarde op. 'Je gaat vanavond met ons mee uit, en ik duld geen tegenspraak!'

O nee. 'Wie is ons?'

'De meiden en ik – Carmel, Vicky, Maureen, Patsy, eh, wie nog meer? O ja, Rita en Kathleen, je weet wel, dat hele stel. We gaan altijd uit met een hele groep op de eerste zaterdag van de maand.'

Ik had over deze vrouwen gehoord, uiteraard, maar ik had nog nooit een van hen ontmoet. Ik wist ook niet zeker of ik dat wel wilde. Gloria kon ik net aan, maar haar vriendinnen klonken gestoord en angstaanjagend. En ondanks mijn vastbesloten belofte aan mezelf om mee uit te gaan als Gloria me weer zou vragen, had ik dat nog steeds niet gedaan. Ik was er altijd in geslaagd om een uitvlucht te verzinnen.

'Ja, maar Amber dan?'

Ik wilde niet mee, maar ze had wel gelijk, zoals gewoonlijk. Laten we wel wezen, mijn enige plan voor deze avond was om te zwelgen in zelfmedelijden. Uiteindelijk spraken we af dat mevrouw P. Rei bij haar thuis zou oppassen, en Chris en Luie Linda bij mij thuis – 'Het zal ze goed doen om voor de verandering eens op de bank van iemand anders te neuken,' zei Gloria. 'Ik zal ze meenemen, Cakehole komt ons over een half uur ophalen, dus zorg dat je klaar bent, oké?'

Haar 'meiden' waren inderdaad angstaanjagende vrouwen, maar op een positieve manier. Er zaten geen slachtoffers bij, dat is een ding dat zeker is. Ik had nog nooit zo'n stelletje grote, hartstochtelijke persoonlijkheden bij mekaar gezien. Ze 'stonden midden in het leven', zoals Gloria altijd zei.

En ze waren niet zoals Sabrina's vriendinnen, die precies hadden willen weten wat voor baan, auto, huis en man ik had voordat ze besloten of het de moeite waard was om me beter te leren kennen. Dit waren aardige mensen, en iedere vriendin van Gloria was automatisch ook een vriendin van hen. En ze lachten om al mijn grapjes, waardoor ik ze nog veel aardiger ging vinden. Het verbaasde me dat ze niet stomdronken werden, maar aan de andere kant, ik werd het zelf ook niet – om de een of andere reden wilde ik dat liever niet. We hadden een leuke avond – het was enig. Tegen het eind van de avond had ik een heleboel telefoonnummers om te bellen als ik weer eens iemand nodig had om mee te kletsen, en zij hadden allemaal míjn nummer.

'En? Vond je het leuk?' vroeg Gloria, toen we de club verlieten, begeleid door het lokkende gefluit van de uitsmijters bij de deur. 'Ik wou dat je een dansje waagde, Char, dat is zo enig!'

(Ze was als sexy cowgirl gekomen vanavond, compleet met Dolly Parton-pruik, grote witte stetson en een minuscuul jasje met nepdiamanten en bijpassend rokje met franje, en witte cowboylaarzen. Ik was ontsteld geweest toen ik het zag, ik dacht dat we gingen linedancen. En ze had mij ook een deel van mijn kleren laten ruilen met Luie Linda – 'Het is maar voor eventjes, toch? En laten we wel wezen, Char, je moet jezelf een beetje opfleuren.' Ik wist dat het geen zin had om tegen te sputteren, en eigenlijk zag ik er uiteindelijk helemaal niet zo slecht uit. Luie Linda zag er afschuwelijk uit, echter, vreselijk somber.)

'Ja, ik heb genoten, echt waar,' zei ik, nog steeds opgetogen vanwege al die warmte en vrolijkheid. 'Het was enig en je vriendinnen waren geweldig, ze deden heel aardig tegen me. Dank je wel, Gloria.'

'Ze déden niet aardig tegen je, ze vónden je aardig! Werkelijk, ik wou dat jij kon zien wat wij zien,' zei ze, naar me kijkend. 'Je bent echt veranderd sinds we elkaar kennen, Char.'

'Ik weet het, en dat heb ik aan jou te danken.' Ik keerde me naar haar toe en keek haar aan. 'Waarom doe je het?'

'Wat?'

'Je weet wel, mensen oprapen en ze onder je hoede nemen, zoals je met mij hebt gedaan.'

'Doe niet zo raar,' ze zette haar hoed af, ze leek nu iets minder op een pornoster, 'ik doe helemaal niets, ik –'

'Waarom? Wat hou je er zelf aan over?'

'Ik weet het niet, ik vind het gewoon prettig – om nog meer van hen te houden, denk ik. Daar krijg ik een goed gevoel van. Nou, waar blijft die verdomde Cakehole? Hij zei dat hij hier op ons zou wachten, maar ik zie hem nergens, jij wel?'

We besloten om hem nog vijf minuten te geven, en bleven dicht tegen elkaar ineengedoken in een portiek staan wachten.

'Ik denk dat ik diep in mijn hart gewoon een oude hippie ben,' vervolgde ze. 'Ik wil gewoon dat iedereen gelukkig is, dat is alles.'

'Wat is dan jouw theorie over liefde, Gloria?' vroeg ik. 'Wat denk jij dat het is?'

'Ga nou geen moeilijke vragen stellen, Lady Charlotte,' waarschuwde ze. 'Ik ben niet zo goed in al dit diepzinnige gedoe, dat weet je heus wel.'

'Alsjeblieft?'

Ze wiebelde met haar benen om warm te blijven. 'Nou, ik denk dat als je iets wilt, je datgene – wat het ook is – moet geven aan iemand die er minder van heeft dan jij.'

Ik zei het voor haar. 'Iemand zoals ik, bedoel je?'

Ze glimlachte naar me. 'Nou, ja, misschien wel. En zodra jij dan voelt dat je het hebt, geef je het terug, en dan geef ik het weer door aan iemand anders, en jij doet dat ook, en zo geven we het allemaal door aan elkaar, snap je? En dan is er genoeg voor iedereen, we krijgen allemaal wat we nodig hebben. Trouwens, nu we het daar toch over hebben, heb je melk in huis? Ik snak naar een lekkere kop thee. O kijk, daar is ie – waar heb je in godsnaam gezeten? We staan hier verdomme te bevriezen!'

Gloria's idee over hoe je liefde moest zien te krijgen in je leven stond me wel aan. En het gedeelte over het weggeven om het te kunnen houden. Het was een geweldige theorie, maar was het ook waar?

10

'Totdat men zich verbonden voelt, is er aarzeling; de kans om terug te trekken, altijd ineffectiviteit. Alle daden van initiatief (en creatie) in aanmerking genomen, is er één elementaire waarheid die, indien genegeerd, talloze ideeën en geweldige plannen om zeep helpt: op het moment dat men zich definitief bindt, komt de voorzienigheid ook in beweging.

Er gebeuren allerlei soorten dingen om iemand te helpen die anders nooit zouden zijn gebeurd. Uit de beslissing vloeit een hele stroom van gebeurtenissen voort, die allerlei gunstige, onvoorziene omstandigheden en ontmoetingen en materiële hulpmiddelen met zich meebrengen, waarvan geen mens ooit had kunnen dromen dat ze op zijn weg zouden komen.

Wat het ook is wat je kunt, of waar je ook van droomt, begin eraan. In stoutmoedigheid ligt genialiteit, kracht en magie besloten.

Begin er nu aan.'

Goethe

'Ik vind dat je tegen hem moet zeggen dat hij moet opdonderen!' zei de anorexia-griet. 'Ik bedoel, hij kan toch niet zomaar jullie leven weer binnenlopen zonder enige verklaring, of wel soms?'

Voor één keer was ik het met haar eens. Misschien zou ik volgende maand wel een koekje voor haar meebrengen.

'Ach, maak het die man niet zo moeilijk,' kreunde – je raadt het al – een man. 'Hij komt terug, nietwaar, om de verantwoordelijkheid voor zijn kind op zich te nemen? Wat wil je nog meer?'

Ik begon te wensen dat ik Joe überhaupt niet ter sprake had gebracht. Maar het zat me echt heel erg dwars, en dokter Lichtenstein zei dat we de groep moesten gebruiken voor onszelf, daar was hij voor bedoeld. Ik was ietsje te laat gekomen, en ze hadden er allemaal nog beroerder uitgezien dan anders. Ik had gedacht dat het hen misschien zou opvrolijken om voor de verandering eens naar andermans problemen te luisteren. Dus had ik het 'in de groep gegooid', zoals ze in de therapiewereld zeggen.

Mijn plan om hen te helpen had echter averechts gewerkt. Hoewel ik niet daadwerkelijk om hun mening had gevraagd, hadden ze allemaal besloten me te vertellen wat ik moest doen, of ik het nou wilde horen of niet. (Ik moet toegeven, voorheen zou ik precies hetzelfde hebben gedaan. Maar nu de rollen omgedraaid waren en ik de ontvanger was van ongevraagde adviezen, vond ik dat niet echt prettig.)

'Ik zou hem het huis binnen lokken met een lekker koel glas champagne en daarna allemaal stoute dingen met hem doen!' verkondigde Marjorie. 'Je wilt hem toch niet nog een keer kwijtraken, of wel soms? Dit zou weleens je laatste kans kunnen zijn om een man te krijgen, je wordt er ook niet bepaald jonger op, hoor.' Proost.

Naarmate de suggesties gekker en gekker werden ('Waarom bind je hem niet vast en laat je hem zo negen jaar zitten, net zoals hij bij jou heeft gedaan?' van een heel lelijk mannetje dat volhield dat hij seksverslaafd was), besloot ik dat het tijd werd om er een eind aan te maken, voordat het al te idioot werd. 'Het punt is,' zei ik luid, om hen de mond te snoeren, 'het punt is dat hij nog niet eens contact met me heeft opgenomen. Het Incident met het Verjaarscadeau Op De Stoep is nu drie weken geleden, en ik heb sindsdien geen woord meer van hem vernomen.'

Daar hadden ze niet van terug.

Maar dat duurde niet lang.

'Misschien zit hij te wachten tot jij contact met hem opneemt.'

'Misschien heeft hij het daar überhaupt niet neergelegd, misschien heeft iemand anders dat voor hem gedaan.'

'Ja, misschien is hij wel dood en stond dit in zijn testament of iets dergelijks.'

Ik begon nu behoorlijk geïrriteerd te raken. 'Of misschien is hij ontvoerd door buitenaardse wezens, wie weet!' snauwde ik. 'Hoe dan ook, het enige wat ik kan doen, is bidden en het verder aan God overlaten, terwijl ik verderga met mijn leven.'

Daar hadden ze echt niet van terug. Alle ogen in die groep staarden me nu aan, alsof ik een of andere met ankh-tekens behangen Jezus-redt-je-figuur was met geitenharen sokken en sandalen.

'Het heeft niets met religie te maken, het is iets spiritueels...' begon ik te sputteren. Ik voelde dat ik knalrood werd, helemaal tot aan mijn haarwortels. Ik deed een beroep op dokter Lichtenstein om me te hulp te schieten, wat hij god(of wie dan ook)zijdank ook deed.

'Charlotte heeft gelijk,' suste hij. 'Projectie is vreselijke tijdverspilling, vooral wanneer we niet alle feiten kennen. We kunnen allerlei scenario's verzinnen, als we willen. We kunnen onszelf daar daadwerkelijk mee kwetsen, soms echte pijn voelen, ook al is het alleen maar echt in onze verbeelding. Het is veel beter om je te beperken tot wat is, in plaats van tot wat zou kunnen zijn. Dank je wel, Charlotte, dat je dat aan de groep hebt laten zien.'

Hij wist echt waar hij het over had, dokter L. Ik was sinds kort gaan luisteren naar wat hij zei – nou ja, soms, dan – en meestal sloeg hij de spijker op de kop. Sterker nog, de enige reden waarom ik hier elke maand nog terugkwam, was om een paar van zijn brokjes wijsheid tot me te nemen. Ik keek om me heen naar alle anderen; degenen van ons die zijn adviezen hadden opgevolgd leken het uitstekend te doen. Velen van de oorspronkelijke groep waren verdwenen; we hadden hen niet meer gezien sinds ze de kliniek hadden verlaten, waarschijnlijk waren ze ergens daarbuiten bezig zichzelf in de vernieling te draaien, nog niet klaar om beter te worden. Maar er waren vandaag zelfs nog minder mensen dan de vorige keer...

'Waar is Amira?' vroeg ik ineens.

Ginny, de anorexia-griet, barstte onmiddellijk in tranen uit. Bonnie, de veelvraat, viste in haar beha-met-industriële-draagkracht en haalde een zakdoek te voorschijn voor het arme kind. De rest van de groep begon nerveus heen en weer te schuiven, schudde met het hoofd, keek naar de grond, en iemand fluisterde: 'Ik dacht dat ze vriendinnen waren...'

'Amira is dood, Charlotte,' zei dokter Lichtenstein vriendelijk. 'Het spijt me, ik ging ervan uit dat je het wist.'

'Dood?' Mijn bloed stolde. Ik had niet verwacht dat hij dat zou zeggen, ik had verwacht dat hij zou zeggen dat ze in Dubai was of bij Harrods of iets dergelijks. Dood? 'Dood? Weet u het zeker? Maar ze belt me voortdurend. Ja, echt, ze heeft laatst drie keer op één dag gebeld...' Ik vertelde hun niet dat ik haar niet één keer had teruggebeld, en ik vertelde evenmin waarom niet; de groep hoefde niet te weten hoe stom en egoïstisch ik was geweest.

'Ze heeft zelfmoord gepleegd, een dag of tien geleden. Ze heeft zich verhangen.'

Kleine Ginny begon nog harder te huilen. Grote Bonnie sloeg haar arm om de schouders van het meisje, die snikte in haar goed gevulde voorgevel.

'Maar –' Ik was met stomheid geslagen. 'Waarom?'

'Ze heeft geen briefje achtergelaten,' legde hij uit. 'We hebben geen flauw idee. Haar ouders tasten in het duister. Het schijnt dat ze de dag ervoor even opgewekt was als altijd. Er is geen officiële verklaring voor, het is heel triest.' Hij zuchtte, schudde zijn hoofd. De intensiteit van zijn gevoelens raakte me, hij verloor vast om de haverklap patiënten, en toch was zijn medeleven bijna voelbaar.

Ik kon het niet bevatten. 'En de onofficiële verklaring?' vroeg ik aan dokter Lichtenstein, nog steeds verlangend naar een antwoord. 'Wat is uw theorie?'

Hij keerde zich naar me toe en keek me aan. 'Ik heb geen idee, Charlotte. Ik heb geen feiten om op af te gaan. Het kan van alles zijn geweest – angst, lage eigendunk, eenzaamheid; die dingen kunnen allemaal dodelijk zijn. We zullen de waarheid nooit kennen, we kunnen niet projecteren, snap je? We moeten het gewoon accepteren.'

Maar dat kon ik niet. Al die keren dat ik had geweigerd om met haar te praten, schoten door mijn hoofd. Wat als ze me had gebeld om hulp te vragen? Ik voelde me afschuwelijk omdat ik zo wreed was geweest, haar geen tweede kans had gegeven, haar zo bot had buitengesloten. O god.

Ze had zich verhangen. Wat een akelige manier om te gaan. En een dramatische. Wat afschuwelijk voor haar ouders, om haar zo te vinden. Wat schokkend. Zo typisch Amira. Wat egoïstisch.

Ik besloot hun te vertellen wat er was gebeurd. 'Had ik haar kunnen redden,' vroeg ik aan dokter Lichtenstein, 'als ik haar had terug-gebeld? Ben ik te hardvochtig geweest?'

'Charlotte,' zei hij, vriendelijk maar resoluut, 'dit gaat niet over jou. Dit was haar keuze. We zullen nooit weten wat er die dag in het hoofd van dat arme meisje omging. Maar het is belangrijk dat we leren van Amira's heengaan, anders wordt ze gewoon een van de vele verspilde levens.'

Er volgde een discussie over emotionele grenzen, maar ik heb er geen woord van onthouden. Ze was zo aardig voor me geweest toen ik nog maar net in de kliniek was, en ik had zo snel een punt gezet achter onze vriendschap, na slechts één kleine misstap van haar.

Ja, maar wat voor één. Ze had mijn dochter wel kunnen vermoor-den.

Ik zal nooit weten of ik heb bijgedragen aan haar dood of niet. Soms denk ik dat ik er met haar over had moeten praten nadat ik eenmaal van de schrik was bekomen, om te zien of we de vriend-schap niet enigszins hadden kunnen redden. Dat is wat ik nu zou doen.

Aan de andere kant, misschien had dokter L. gelijk en had het niets met mij te maken.

Arme, arme Amira. Ik wist hoe erg je eraan toe moest zijn om zelf-moord te willen plegen. In de bus naar huis had ik een gesprekje met Daarboven waarin ik vroeg om nooit meer naar zo'n duistere plaats te hoeven gaan. Het doet me deugd om te kunnen zeggen dat het in-derdaad niet meer is voorgekomen. Nog niet.

Tot mijn eigen verbazing had ik sinds de kerst geen zelfmoordneigingen meer gehad. Ik had onmiskenbaar besloten dat ik nu de moeite van het redden waard was, dat het leven uiteindelijk toch wel de moeite waard was. Ik ging wat gezonder leven na Amira's dood; ik stopte met drinken, ik stopte met roken, ik stopte met het eten van junkfood. (Ik stopte ech-ter niet met niet-sporten, er zijn grenzen.)

Ik stopte ook met de groepstherapie. Ik sprak nog steeds af en toe met dokter Lichtenstein, wanneer ik daar behoefte aan had, maar ik ging niet meer naar de kliniek. Niet omdat ik me schaamde dat ik de laatste was die het nieuws over Amira had gehoord, maar omdat ik graag verder wil-de met mijn leven. Ik had genoeg wijsheden gehoord, ik had genoeg theorieën gehoord, ik had genoeg gehoord. Ik wilde daadwerkelijk aan dat grote angstige avontuur beginnen, het Echte Leven.

En bovendien, als ik over de schreef ging, zou Gloria er vast en zeker als de kippen bij zijn om me dat te vertellen.

Ik werd gepromoveerd tot chef, dat geloof je toch niet? Ik! Kennelijk had Wendy zo'n lovend rapport geschreven dat de Starbuckianen hadden besloten dat het de moeite waard was om mij aan te moedigen een sport hoger te gaan op hun ladder. Ik kon het gewoon niet geloven! Direct nadat ze het me hadden verteld, belde ik mijn ouders en Gloria, die bijna net zo door het dolle heen waren als ik. Werkelijk waar, ik was zo in mijn nopjes dat ik de rest van die dag met mijn borst vooruit door de zaak paradeerde.

Buiten was het een frisse, zonnige dag (merkwaardig genoeg registreerde ik tegenwoordig ook wat voor weer het was), en ik verkeerde in een hoerastemming. Eindelijk begon de wereld aan te voelen als een fijne plek om te zijn, het ging beslist de goede kant op. Ik besloot om even bij Oz naar binnen te wippen, hem mijn goede nieuws te vertellen. Fout. In het Down Undernet Café was het één doffe ellende.

Ze droeg een helderwitte blouse met zwart borduursel op de kraag en manchetten, gecompleteerd door een zakelijk jasje met grote brede schoudervullingen en een strakke chique minirok tot vlak boven de knie; een extreem dunne panty, speciaal uitgekozen om perfect geharste benen te accentueren, hoge hakken van het soort waar mannen voor smelten en vrouwen allergisch voor zijn. Voeg daar een dom blondje aan toe met haar dat niet louter over haar benige schedel geplakt, maar erop vastgelijmd zat, voeg er donkere ogen met rode lippen aan toe, en je hebt een perfect beeld van de vriendin van Oz. Een jaren tachtig versie van Jean Harlow's *Bombshell*. Angstaanjagend.

'Het is hier een vuilnisbelt!' (Ze had hetzelfde accent als hij; ze waren vast middelbareschool-geliefden wier relatie was veranderd nadat ze hier waren komen wonen, toen zij een fatsoenlijke baan had gekregen en hij was gaan werken aan zijn droom. Het was maar een gok.) 'Ik bedoel dat het hele café smerig is, het ziet er vreselijk slordig uit, Shane! Ja toch?' Harder. 'Ja toch?!'

Shane? Heette Oz in werkelijkheid Shane?

Ze stapte heen en weer alsof de tent van haar was, wat uiteindelijk ook het geval bleek te zijn. 'Deze zogenaamde "zaak" (en daar maakte ze dat gebaar met haar vingers bij) van jou is een complete mislukking. Het ding kost me een fortuin, Shane, het is een bodemloze put! Ik had geen idee dat het zo erg was. Jemig, het lijkt hier verdomme wel een kroeg.'

'Au, hoe kom je daar nou bij, Rosheen,' protesteerde Oz, die mij een snelle zijdelingse blik toewierp bij wijze van begroeting, 'zo erg is het toch ook weer niet?' Hij kromp ineen, hij kende het antwoord al.

'Ja, Shane, dat is het wel!' zei ze vinnig. 'Geen wonder dat je geen klanten hebt! Dit ziet eruit als een obscure strandbar, en niet als de bruisende metropool van hi-tech gecomputeriseerd infotainment, zoals je me had beloofd.'

Ik kon er niets aan doen, ik gniffelde.

'En wie bent u?' Ze draaide zich abrupt om op haar naaldhakken; als we op een grasveld hadden gestaan, zou ze nu vastzitten met haar voet.

'O, ik ben gewoon een klant,' zei ik, luchtig, 'die het hier heerlijk vindt.'

Oz en ik waren allebei verbaasd om me dat te horen zeggen – we realiseerden ons pas op dat moment dat het zo was.

'Nou, ik wou dat er nog een paar honderd meer van u waren,' zei Rosheen, prikkelbaar.

'We hebben Hugh Grant,' voerde ik aan. 'Keith, liever gezegd. Hij komt elke dag!'

'Nee maar, bel de krant!' zei Rosheen, met meer dan een vleugje sarcasme. (Ze was er behoorlijk goed in; mijn vroegere ik zou bij haar in de schaduw hebben gestaan.)

'Luister, laten we het nog een paar weken de tijd geven, hm, Rosh? Toe nou, liefje, het kan nu elk moment een doorslaand succes worden...' Oz probeerde met stroop te smeren, maar het klonk zielig en ze wilde er niets van weten.

'O nee, bespaar me je mooie praatjes! Je weet maar al te goed dat het helemaal nooit iets wordt met deze tent. Nou, ik heb nieuws voor je, Shane Dobson: ik vertik het om deze vieze keet nog langer te financieren!' Ze stond bijna te janken van frustratie. 'Weet je, ik heb me aan mijn deel van de afspraak gehouden, en jij niet! Dit is gewoon niet eerlijk, Shane!'

'Ach, toe nou, Rosh, wind je niet zo op.' Oz stond op en liep naar haar toe, ik ging zitten op een stoel bij de deur. (Ze leken geen bezwaar te hebben tegen mijn aanwezigheid, wat geweldig was, het was alsof ik naar een aflevering van *Home and Away* zat te kijken.) 'Het komt wel goed, eerlijk waar – ik heb gewoon wat meer tijd nodig...'

'NEE!' schreeuwde Rosa Klebb tegen hem, 'mijn tijd is op, mijn geld is op, en mijn geduld is ook op! Het is een totale mislukking, en dat weet jij ook wel.' Ze had natuurlijk gelijk, het Down Undernet Café zou nooit een enorme goudmijn worden. Het was een knusse, gezellige tent; een zelfstandige onderneming, geen onderdeel van een anonieme keten. Dat was waarschijnlijk waarom ik het er zo leuk vond.

'Toe nou, liefje, geef me een knuffel...' Oz deed een stap in haar richting, zij deinsde achteruit.

'Nee, Shane, nee! Niet meer, het is voorbij!'

Maar ze keek hem niet in de ogen toen ze dat zei, ze wendde haar blik af.

Oz zei wat ik dacht. 'Rosh, is er iemand anders?'

'Nee!' Ze reageerde vol afschuw op zijn suggestie, ze was geschokt, ze stond duidelijk te liegen.

Oz plofte op een stoel neer. 'Wie is het?' vroeg hij op veel rustiger toon.

Rosheen zuchtte en schudde haar hoofd. Ze stond waarschijnlijk te overwegen of ze het wel of niet zou opbiechten.

Ik begon het gevoel te krijgen dat ik hier uiteindelijk misschien toch niet hoorde te zijn, en sloop in de richting van de deur.

'Blijf gerust, ik ben bijna klaar,' zei ze, vermoeid. 'En bovendien, van nu af aan zal hij alle klanten nodig hebben die hij maar kan krijgen.'

'Rosh –'

'Ja, Shane, hier eindigt het avontuur voor mij, voor jou, voor ons.' Ze pakte haar aktetas en een van die beige regenjassen die alleen mensen met een kantoorbaan dragen. 'Ik ben het zat. Je moet voor één keer in je leven je eigen ellende maar oplossen. Zoals ik al zei, je hebt tot het eind van de maand om er iets van te maken, en anders trek ik de stekker eruit.'

'Maar dat kun je niet doen!' protesteerde Oz.

'O nee?' antwoordde ze. 'Let maar eens op.'

En met die woorden vertrok ze.

Oz staarde me aan.

Ik staarde terug.

'Wauw, wat een vrouw...' zei hij, terwijl we allebei naar buiten keken, waar Rosheen op straat stond. Ze hield een taxi aan en sprong erin.

'Ja,' zei ik. 'Ze is niet wat ik had verwacht...'

'Nee?' vroeg hij, terwijl hij Rosheens met lippenstift bevlekte koffiekopje van een nabijgelegen tafeltje pakte.

'Nee! Jullie zijn elkaars tegenpolen,' zei ik. 'Zij is heel zakelijk, efficiënt, keurig, no-nonsense, georganiseerd, heel intelligent, duidelijk buitengewoon capabel, en jij bent... dat niet.'

'Vertel mij wat, dat is nou juist het probleem!' Hij bracht het kopje naar het bargedeelte, onnozel grijnzend om zijn eigen hopeloosheid.

'Vind je het niet vervelend?' vroeg ik, achter hem aan lopend.

'Wat?' vroeg hij, terwijl hij de kraan aanzette. 'Vind ik wat niet vervelend?' Hij was echt de meest irritante man die ik ooit had ontmoet.

'Dat ze bij je weg is!'

'Welnee, dat zegt ze altijd.' Hij grinnikte. 'Ze komt wel weer terug! Ze maakt maar een geintje.'

(Niet dus. Daar kwam hij de volgende dag achter, toen ze terugkwam met twee potige kerels en een busje om haar spullen op te halen in hun flat boven de winkel. Ze bleek een verhouding te hebben met haar baas, vandaar de bliksemcarrière en de lange werkdagen, het gebrek aan belangstelling voor de zaak van Oz totdat het te laat was. Oz was er kapot van. Maar dat duurde hooguit een paar dagen – we hadden het liefdesproject lang geleden opgegeven, maar hij had al zijn research bewaard, en had nog steeds al die online-dating website adressen. Dus al vrij snel was hij weer de oude, ontspannen Oz als altijd. Verbijsterend genoeg.)

'En het feit dat je deze tent aan het eind van de maand kwijt bent, dan?' vervolgde ik.

'O ja, nee, je hebt gelijk.' Hij zag er terneergeslagen uit. 'O. Ja, dat is wat ze zei, hè?'

'Kan ze dat doen?'

'Eh, ja. Alles staat op haar naam. Zij kon meer krediet krijgen dan ik, snap je.'

Het bleek inderdaad dat ze middelbareschool-geliefden waren geweest wier relatie was veranderd nadat ze hier waren komen wonen, toen zij een fatsoenlijke baan had gekregen en hij was gaan werken aan zijn droom.

'Werkelijk?' zei ik. 'Wie had dat gedacht?'

'Ja,' hij keek echt neerslachtig. 'Het ging daar niet zo goed tussen ons. De afspraak was, nou ja, dat we hierheen zouden komen om een nieuwe start te maken. Zij zou zich omhoog werken in het zakenleven, en ik zou ondernemer worden.'

Ik probeerde een strak gezicht te houden bij de gedachte aan Oz die een of ander zakenimperium begon.

'Het probleem is dat zij dat heeft gedaan, en ik niet. Er is tijd voor nodig om iets van de grond te krijgen, weet je, Charlotte –'

'Hoe lang zijn jullie al in Londen?'

'Iets meer dan een jaar. Zij betaalt al geruime tijd alle rekeningen, ik was heel snel door mijn geld heen. Het irriteert me mateloos dat ik het gevoel heb dat ik, nou ja, geen man meer ben met een eigen zaak.'

Ik slaagde erin om niet te zeggen dat hij er ook niet zo uitzag. Zijn haar zat warriger dan ooit, het leek naar opzij te groeien in plaats van naar beneden; op zijn T-shirt zaten ondefinieerbare vlekken, maar het waren er niet genoeg om te verhullen dat er reclame op stond voor de wereldtournee van de Rolling Stones in 1997; de korte broek was verwassen en op het zitvlak bijna helemaal verdwenen, en hij had slippers aan, met dit weer. Oz zag er meer uit alsof hij een surfboard runde dan een zaak.

'Ik weet niet wat ik moet beginnen, Charlotte,' zei hij. 'Rosheen maakt geen grapje, ze zal doen wat ze heeft gezegd, dat weet ik zeker.'

'Maar dat mag niet!' Ik had me niet gerealiseerd dat ik zo verknocht was aan de tent. 'Dat zou afschuwelijk zijn!'

Voor het eerst sinds ik hem kende, zag Oz er echt aangeslagen uit. 'Ik weet het, maar het woord "fair" komt niet in Rosheens woordenboek voor. Ik doe er alles aan om haar thuis tevreden te houden, als je begrijpt wat ik bedoel' – dat deed ik, helaas – 'maar het is niet genoeg. Als het om zaken gaat, is ze meedogenloos. Ik heb mijn best gedaan, maar ik denk dat ik hier gewoon niet voor in de wieg ben gelegd.' Ik had met hem te doen, en ik haatte haar.

De deur van het café ging open, en er waaide een vlaag koude wind naar binnen – het was Hugh Grant! Ik schudde mijn haar los, zodat het er, in plaats van eruit te zien alsof het vanmorgen was geborsteld, hopelijk meer uitzag alsof ik rechtstreeks uit een lingerie-catalogus was gestapt.

'Gaat het?' vroeg Oz. 'Zit er iets in je oor?'

'Koffie?' bood ik Hugh Grant aan, opgewekt, alsof ik er werkte. Sterker nog, voordat ik het wist, was ik om de bar heen gelopen en had ik een Sydney Opera House schort aangetrokken dat daar al sinds mensenheugenis onaangeroerd hing.

Hugh Grant wierp een verwarde blik op Oz, die zijn hoofd schudde en zijn schouders ophaalde ten antwoord. We wisten geen van allen wat dit te betekenen had.

'Thee,' zei hij.

Het was de eerste keer dat hij iets tegen me zei, en het was weliswaar slechts één woord, maar mijn hart zong terwijl ik aan de slag ging om het lekkerste kopje cha voor hem te zetten dat hij ooit had gehad. Tot mijn afgrijzen zag ik dat Oz maar één soort thee had, PG Tips, en niet het ruime assortiment waardoor ik genoodzaakt zou zijn om Hugh Grant verder te ondervragen, wat betekende dat hij opnieuw iets tegen me zou moeten zeggen. Sterker nog, het viel me op dat zijn hele bargedeelte schandalig slecht uitgerust was, schandalig smerig en – nou ja, gewoon ronduit schandalig. Geen wonder dat Rosheen het café een vuilnisbelt had genoemd. Dat was het ook.

'Misschien neem ik ook wel een kop koffie nu ik hier toch ben,' riep ik naar Oz. Ik probeerde de espressomachine aan te zetten, maar die was zo dood als een pier.

'Die doet het niet,' zei hij, op zijn hoofd krabbend terwijl de recente gebeurtenissen tot hem door begonnen te dringen en hij zich afvroeg wat hij moest beginnen. 'Hij heeft het nooit gedaan.'

'Maar –'

'Puur voor de show.'

Geen wonder dat elke kop koffie die ik daar dronk zo smerig was. Nu ik erover nadacht, had ik hem de grote verchroomde machine nog nooit zien gebruiken. Het bleek dat hij een reusachtig blik instantkoffie van groothandelsformaat onder de gootsteen had verstopt, en in het kastje daarnaast stond een gehavende elektrische waterkoker en een van die suffe minuscule melkopschuimers op batterijen, voor het 'cappuccino-effect.' En er lagen dingen in de koelkast die eruitzagen alsof ze van een andere planeet afkomstig waren.

Ik bracht het met meer liefde dan ooit (en ik had me echt behoorlijk ingespannen, vele grenzen op het gebied van persoonlijke hygiëne verlegd) bereide kopje thee naar Hugh Grants gebruikelijke computer.

'Bedankt,' zei hij.

Dat waren nu al twee woorden. En hij moest weten dat ik bestond, want waar kwam die thee anders vandaan? O, wat zou ik lekker slapen vannacht.

Ondertussen had Oz de boekhouddossiers opgeraapt van de plek waar Rosheen ze had achtergelaten, op de grond. Hij had ze net zo goed op zijn kop kunnen lezen, het was compleet abracadabra voor hem.

'Ik wil dit niet, Charlotte, ik voel me een mislukkeling,' zei hij tegen me, met een bibberkin, 'maar ik denk dat ik de handdoek in de ring moet gooien.'

Op dat moment zei ik tegen hem: 'Oz, ik heb een idee.'

Het is verbazingwekkend hoe alles ineens op zijn plaats valt als je eenmaal hebt besloten dat je iets gaat doen, vind je niet?

Ik denk dat het Gods manier is om te zeggen dat het een goed idee is, dat het de juiste keuze is.

Welke andere verklaring zou ervoor kunnen zijn?

Toen ik eenmaal had besloten om met Oz in zee te gaan, begonnen alle stukjes verbluffend goed op hun plaats te vallen. Het was moeilijk, maar ik diende mijn ontslag in bij Starbucks; ze vonden het jammer dat ik wegging, maar ze begrepen het wel. Ze gaven me zelfs een van hun oude handbediende espressomachines mee, aangezien deze uitgerekend in die week werden vervangen door de snellere, automatische variant. (Ze hadden duidelijk niet het idee dat ze veel concurrentie van ons te vrezen hadden...)

En ik kreeg een buitengewoon bijzondere brief van Piers, Sabrina's vriend de filmproducent, voor wie ik vroeger had gewerkt:

Hoi Charlotte,

Luister, het spijt me heel erg dat ik je vorig jaar met kerst zo in de problemen heb gebracht. Het zit zo, ik gebruikte al een tijdje veel te veel drugs en moest om diverse redenen de benen nemen. Hoe dan ook, uiteindelijk ben ik gaan afkicken, en nu ik clean en nuchter ben, zie ik in dat mijn gedrag monsterlijk is geweest.

Ik wil graag mijn verontschuldigingen aanbieden voor alle eventuele ellende die ik heb veroorzaakt, en heb er alle begrip voor als je me nooit meer wilt zien, maar misschien zou het leuk zijn om nog een keer ergens samen koffie te gaan drinken?

Liefs,

Piers

In de envelop zat een cheque voor precies het bedrag dat hij me nog schuldig was. Wat precies genoeg was om de kosten te dekken om het Down Undernet Café een hippe nieuwe look te geven, en toen was er nog precies genoeg over voor de huur van volgende maand, en dat ging rechtstreeks naar Rosheen.

Dankzij zorgvuldige planning van mijn kant, en zorgeloosheid van de kant van Oz, slaagden we erin om het grotendeels in één weekend voor elkaar te krijgen. We vormden een goed team als het ging om dingen op de rails zetten – ik zorgde ervoor dat ze gebeurden, en hij hield iedereen tevreden.

Er was nog een heleboel verf over van de metamorfose van mijn huis, en Arthur en Jimmy waren meer dan bereid om te komen en ons te laten zien hoe we het moesten doen. Ze commandeerden mijn vader meedogenloos in het rond, maar hij hield zich kranig. (Mijn moeder bleef thuis, zij stuurde een potplant.)

Er was een pijnlijk moment toen de Punkpauw onaangekondigd opdook, meer dan bereid om te helpen, maar op de een of andere manier wist Arthur lang genoeg boven zichzelf uit te stijgen om de inrichting van de toiletten aan haar te delegeren.

Zelfs Hugh Grant bood vrijwillig zijn diensten aan als klusjesman. Jammer genoeg kreeg ik niet echt de kans om hem te imponeren met mijn scherpzinnigheid en gevatheid, aangezien ik het te druk had met bevelen blaffen tegen de werklieden en dingen afstrepen op een lijst die zo lang was als twee armen. Hij arriveerde met een gigantische gereedschapskist en was een briljante doe-het-zelver; Gloria en ik deden het bijna in onze broek van opwinding.

Team Gloria overtrof zichzelf. Chris(tian) kwam met tweehonderd witte mokken op de proppen – waar hij ze vandaan had wil ik liever niet weten, maar Luie Linda en hij hadden er het hele weekend en zestig peuken voor nodig om de naam van een zeer beroemde multinational eraf te pulken voordat we ze konden gebruiken.

Lori bewees ons allemaal een dienst door er niet te zijn. In plaats daarvan kregen zij en haar kinderjuffenschoolvriendinnen een pak geld mee om alle kinderen mee te nemen naar McDonald's en het winkelcentrum en de bioscoop. Er was een ietwat pijnlijk moment toen Amber terugkwam met gaatjes in haar oren, maar gelukkig was ik te uitgeput om veel te zeggen. En trouwens, ze was zo door het dolle heen dat ik haar plezier niet wilde bederven. We zouden er alleen aan moeten denken om de oorbellen uit te doen voordat we bij oma op bezoek gingen, dat was alles.

Gloria was in haar element. Ze was gekleed alsof ze de hoofdrol had in een Dulux reclame, blond haar (alleen voor vandaag) in een hoog en springerig paardenstaartje, tuinbroek en veel te klein vestje dat op knappen stond, met glimmende paarse bergschoenen. Ik heb haar niet daadwerkelijk zien schilderen, maar ze heeft de hele dag rondgelopen met een aantrekkelijke klodder verf op het puntje van haar neus.

Ze stortte zich vol overgave op het project. Wat we ook nodig hadden, zij vond het. Ze richtte ergens in de hoek letterlijk haar toko in, en elke loodgieter, elektricien of man-met-een-busje die binnenkwam, kreeg een gratis knipbeurt. In de loop van dat weekend liet ze mensen van alles en nog wat bezorgen, van koperen lichtknopjes tot duizend rollen pleepapier; ze leek overal connecties te hebben, we kregen zelfs een aquarium vol kleurige tropische vissen, voor niets.

Toen het zondagavond was, had het Down Undernet Café een complete facelift ondergaan. Om middernacht legden we het gereedschap neer en staken de straat over om er vanaf de overkant naar te kijken. Op Jimmy's handgeschilderde bord stond 'Global Village' (Oz had het Surfers Paradise willen noemen – gelukkig werd zijn voorstel weggestemd) in grote gouden letters, en het was fleurig en vriendelijk en het glansde uitnodigend.

Zo stonden we in stilte ons werk te bewonderen. 'Wauw,' zei Oz. En nog een keer 'wauw'. Na de derde keer zeiden we tegen hem dat hij zijn mond moest houden.

Als dit een film was, zou alles van nu af aan van een leien dakje gaan. Het café zou een doorslaand succes zijn, Oz en Rosheen zouden weer bij elkaar komen, ik zou Zakenvrouw van het Jaar worden, Joe totaal uit mijn hoofd zetten, en Amber en ik zouden nog lang en gelukkig leven.

Maar dit was Hammersmith, niet Hollywood. En in het echte leven is er geen eind-goed-al-goed, maar alleen voortdurende ontwikkelingen.

Het café werd niet van de ene op de andere dag een succes. We kregen er wel een paar klanten bij, maar ze stonden niet bepaald voor de deur te dringen als we 's morgens opengingen. Hoewel het aantal vaste klanten verviervoudigde, konden we de eerste paar maanden maar net alle rekeningen betalen.

Oz had geen interesse om zijn relatie met Rosheen nieuw leven in te blazen, zelfs als zij hem had willen hebben – hij had het internet daten ontdekt. Ik kon niet meer bijhouden hoeveel vrouwen ik de trap naar zijn flat af had zien komen, gevolgd door een breed grijnzende oz@ripper-root.com. Hij vond het meesterlijk – ik vond het tragisch.

Aangezien ik het niet bepaald razend druk had, had ik veel te veel tijd om voor me uit te zitten staren en na te denken. Goed, oké, te piekeren. Over Joe, uiteraard.

11

'Vergeven heeft niets te maken met vergeten, het heeft te maken met het loslaten van de pijn.'

Mary McLeod Bethune

Ik was eindelijk bezweken voor Gloria's campagne om me een makeover te geven en had gezegd dat ze vanavond mocht langskomen om de gevreesde handeling te voltrekken. Dus Chris(tian) was ook meegekomen, aangezien hij hulp nodig had bij een brief voor een notaris. Dus Luie Linda had hem vergezeld ('nou ja, het is vrijdagavond, toch') en had daar een beetje de pest over in, dus ze zei niet veel.

Lori had een dringende afspraak om rond te hangen voor de deur van McDonald's en bekakte jongens lastig te vallen, en de zus van mevrouw P. Rei was ziek (voedselvergiftiging, naar het scheen) dus Chanel moest ook mee, waardoor Amber aan het mokken sloeg, aangezien ze net op het punt stonden om ruzie te krijgen of het al hadden, dat weet ik niet meer.

En geen babysitter betekende dat Rev en Max en May ook mee moesten. De tweeling was zo vriendelijk om onder de eetkamertafel in slaap te vallen zodra ze er waren, en Rev vond het prima om op de bank te zitten met Chris(tian) en naar het voetballen te kijken op tv. Luie Linda begon de avond ingeklemd tussen hen in, met een professionele boze blik, voor het vaderland, maar draaide algauw bij en voegde zich bij ons in de keuken, waar Gloria haar draagbare schoonheidssalon op tafel had geïnstalleerd, en – tot grote vreugde van het aanwezige publiek – haar best deed om me te transformeren van Charlotte Small de Huisvrouw in Charlotte Small de Superster.

Overeenkomstig de make-overtraditie mocht ik niet in een spiegel kijken voordat ze klaar was. En overeenkomstig de make-overtraditie was ik geschokt door wat ik zag.

Een moderne versie van mezelf staarde mij aan. Gloria had niets buitensporigs gedaan – alleen maar mijn haar geknipt in een meer geprononceerde stijl, mijn wenkbrauwen vorm gegeven, een beetje kleur aangebracht op mijn gezicht en behendig de wallen onder mijn ogen weggewerkt. Ik zag er – nou ja, mooi uit. Als een aardig iemand. Het soort vrouw waar je best bevriend mee zou willen zijn.

'En?' Gloria hield het niet meer. 'Wat vind je ervan?'

Tranen welden op in mijn ogen. Het klinkt idioot, maar ik had het gevoel dat mijn oude ik voorgoed verdwenen was, en ik was een klein beetje verdrietig om haar te zien vertrekken.

'O nee, je gaat verdomme niet huilen, Char!' krijste Gloria. 'Dan verpest je het meteen. Linda, geef haar eens een stukje keukenrol. Oké, Chanel, pak jij het dan maar, vlug!'

Ze liet me mijn hoofd buigen zodat de tranen niet over mijn gezicht stroomden, maar in plaats daarvan rechtstreeks vanuit mijn ogen op het strak gespannen stuk keukenpapier drupten. Het moet er behoorlijk lachwekkend uit hebben gezien.

'Mam,' zei Ambers bezorgde stem terwijl ik er op los huilde, 'gaat het?'

'Natuurlijk wel, liefje,' Gloria sprak op zachte toon terwijl ze over mijn rug wreef, 'ze is gewoon weer een beetje verder aan het ontdooien, hè, Char?'

God, ik hou echt van die vrouw, en ik weet dat zij ook van mij houdt.

Ik had nog nooit eerder zo'n vriendschap met een vrouw gehad, althans, geen gelijkwaardige. Ik had veel tijd besteed aan pogingen om vriendschap te sluiten met meiden die ver buiten mijn bereik lagen, en toen ik dat niet meer deed, was ik de rest van mijn leven bezig geweest met de griezelige meiden van me af te schudden die vriendschap met mij probeerden te sluiten.

Soms had Gloria de leiding over ons, en soms ik. Mijn sterke kanten compenseerden haar zwakheden en andersom. Het was goed, het was eerlijk, het was zoals het moest zijn.

Ik denk nu dat de gezondste vriendschappen gelijkwaardige vriendschappen zijn. Zouden dezelfde principes gelden voor mannen?

Vervolgens liet Gloria me zien hoe je avondmake-up opbrengt. Dat was pas echt een transformatie. Voor het eerst in mijn leven had ik grote omfloerste ogen en donkere glanzende lippen, en als je me niet kende, zou je zeggen dat ik mondain was. (Gloria zei dat ik niet eens moest proberen om de wrong zelf te maken, een van die grote clips van Claire's Accessoires zou hetzelfde effect hebben.)

Daarna bood ze aan om door mijn garderobekast te gaan, wat het onderdeel was waar ik absoluut tegenop had gezien. Ik hield van mijn donkere kleding, het maakte de keuze wat ik aan moest trekken makkelijker, en ik wilde niet getransformeerd worden in een eenvrouwsverkleedpartijtje. Gelukkig was het bijna middernacht en was ik uitgeput, dus ik smeet iedereen eruit. Nou ja, dat probeerde ik.

Chris(tian) en Luie Linda waren al vertrokken om het uitgaansleven in te duiken aangezien ze jong waren en dat nu eenmaal wet was; Amber wilde dat Chanel bij haar onderin het stapelbed bleef slapen, kennelijk hadden ze het inmiddels bijgelegd en waren ze weer onafscheidelijk. Ik zei ja, want de tweeling lag nog altijd in diepe slaap verzonken onder de eettafel, dus ik legde een deken over hen heen en zei tegen Gloria dat ik hen de volgende ochtend allemaal terug zou brengen.

Revs oma zou hem 's ochtends vroeg komen ophalen, dus Gloria nam hem mee naar huis – en dat was maar goed ook, want toen ze weg waren, kwam ik erachter dat hij al mijn postzegels op de muur had geplakt in de wc beneden.

Het was na middernacht tegen de tijd dat iedereen weg was. Ik had de meisjes voor de laatste keer een fikse uitbrander gegeven, en nu waren ze eindelijk in slaap gevallen. Ik was net begonnen om al die make-up eraf te halen toen er op de voordeur werd geklopt.

'Zeg het maar, wat ben je vergeten?' vroeg ik terwijl ik opendeed.

Maar het was Gloria niet.

Het was Joe.

Hij had streperig geblondeerd haar, naar voren gekamd zoals je ook wel ziet bij de mannelijke modellen in van die idiote Levi's advertenties. Het was een modernere versie van Joe, hij zag er hetzelfde uit maar toch anders. Hij was gebruind en mager en zijn blauwe ogen waren niet meer sprekend maar flets. Verschoten, zelfs. Hij was ouder geworden, in mijn herinnering was hij altijd een jonge man gebleven. Vanavond zag hij er net zo uitgeteld uit als ik me voelde.

'Hoi.' Dat zei hij, niet ik.

Ik kon van schrik geen woord uitbrengen. Ik had geweten dat dit eraan zat te komen, maar ik was er niet klaar voor. Waarom kon hij niet gewoon bellen, of schrijven? Waarom dit nachtelijke dramatische gedoe op de stoep?

'Leuke "look",' zei hij. Hij glimlachte die echte jammie-glimlach. 'Is dat de laatste mode?'

Ik realiseerde me vol afgrijzen dat ik nog maar één omfloerst oog had, het andere had ik eraf gehaald. Ik moet eruit hebben gezien als een halve panda.

'Mag ik binnenkomen?'

Inmiddels uit mijn lichaam getreden deed ik zwijgend een stap opzij en liet hem over mijn drempel. (Pas veel later herinnerde ik me dat ik dat mes in de radiator bewaarde, speciaal voor dit moment. Wie had ooit kunnen denken dat ik de deur voor hem zou opendoen en hem binnen zou laten wanneer puntje bij paaltje kwam?)

'Te gek,' zei hij, om zich heen kijkend in de hal, en door de deur van de woonkamer. 'Je hebt de boel flink opgeknapt – fantastisch.'

'Jep,' antwoordde ik. Hij hoefde de details niet te weten, nog niet. 'Thee?' vroeg ik, iets anders kon ik niet bedenken.

Hij deed die half-frons-half-glimlach die mensen doen als ze willen dat je denkt dat ze je niet hebben verstaan, terwijl jij weet dat ze je heus wel gehoord hebben. 'Heb je niks sterkers?'

'Nee.' Ik voelde niet de behoefte om het nader te verklaren, en hij voelde niet de behoefte om ernaar te vragen. 'Ik heb koffie, maar het is al laat...'

'Te gek,' zei hij nogmaals, 'dat wil ik wel. Twee lepels, geen melk, heel veel suiker.' Zijn koffiewensen waren in ieder geval niet veranderd.

'Oké.'

Hij volgde me naar de keuken, en floot terwijl hij om zich heen keek. 'Leuk.' Hij knikte goedkeurend. 'Heb je een baan?'

Ik legde uit dat ik tegenwoordig co-manager was van een internetgerelateerd bedrijf. (Hetgeen waar was – hij keek bij lange na niet verrast genoeg, maar ik vond het behoorlijk indrukwekkend.)

'Te gek,' zei hij, 'dat klinkt erg volwassen.'

Ik wilde zeggen dat het dat helemaal niet was, dat het heel zwaar werk was en dat we nog geen cent hadden verdiend, maar ik deed het niet.

Hij legde zijn gsm op tafel en ging zitten. Hij rommelde in de zak van zijn spijkerjack. Het was hetzelfde spijkerjack dat hij altijd al had gehad. Groot gat in de linkerelleboog, ontbrekende knoop bij de rechter bovenzak. Waar hij zijn peuken bewaarde en andermans aansteker. Hij haalde er een blikje uit, en wat papiertjes. 'Vind je het goed als ik –?'

'Eh, nee, sorry, ik vind het niet goed.' Ik kon niet geloven dat ik dat had gezegd. 'Dit huis is een rookvrije zone.' Waarom klonk ik nou ineens net als mijn moeder?

'Ja, maar, weet je, ik dacht dat het misschien zou helpen...' O, ik snapte het al, hij wilde een joint draaien.

'Voor mij niet, dank je, ik doe dat niet meer – maar ga gerust je gang.' Waarom had ik dat gezegd? Er waren kinderen in huis. 'Buiten, in de tuin, wel te verstaan.' Heel kordaat, Charlotte, goed zo. En toen verpestte ik het enigszins door eraan toe te voegen: 'Als je het niet erg vindt.'

Hij rolde hem evengoed, terwijl ik me bezighield met de waterkoker. Ik wilde dokter Lichtenstein bellen, of Gloria, of een nachtelijk praatprogramma op de radio, om te vragen wat ik moest doen. Iedere zenuw in mijn lichaam stond op scherp, ik wist zeker dat hij mijn hart kon zien bonzen. Ineens dacht ik aan Daarboven en had een kort gesprekje. Tegen de tijd dat hij een joint had gedraaid en ik koffie had gezet, voelde ik me iets rustiger.

'Zo,' zei ik. Ik kon hem niet aankijken, nog niet; ik keek aandachtig naar mijn kamillethee. Ja, het zag er nog steeds uit als pis.

'Zo,' antwoordde hij. Hij had de joint neergelegd maar kon zijn ogen er niet van afhouden, hij moest wel heel erg nerveus zijn. Hij omklemde zijn koffiemok met twee handen, alsof hij het koud had – het was eind mei, geloof ik, een vrij warme nacht. Het viel me op dat zijn handen niet hun gebruikelijke zachte lelieblanke kleur hadden en dat er allemaal vuil onder zijn nagels zat – misschien had hij in de tuin gewerkt.

'Hoe is het met je zus?' vroeg ik, in een wanhopige poging om Het Moment uit te stellen.

'Geen idee,' antwoordde hij. 'Ze is weer verhuisd, heeft een ander nummer. Opgerot zonder een adres achter te laten.'

'O?' zei ik, wachtend op verdere details.

Die kwamen niet. 'En jouw familie, hoe is het daarmee?' vroeg hij.

Ik vertelde hem dat Matt naar de VS was verhuisd, en dat ik mijn ouders tegenwoordig zeer regelmatig zag, dat we zelfs heel goed met elkaar konden opschieten. Ik kakelde zo lang mogelijk door, De Inzinking vermijdend uiteraard, maar juist toen ik op het punt stond om uit te gaan weiden over een oudtante die onlangs voor de tweede keer was getrouwd met haar eerste man, zei hij: 'Mag ik Amber zien?'

'Ze is niet thuis,' loog ik, ik weet niet waarom. 'Ze logeert bij een vriendinnetje.'

Ik weet wel waarom, ik wilde dat hij eerst bij mij kwam voordat hij naar haar toe ging. Ik wilde een verklaring, een verontschuldiging, een volledige politiecontrole voordat hij ook maar bij haar in de buurt mocht komen.

Hij stond op. 'Wat jammer. Ik was benieuwd hoe ze er nu uitziet.' Hij liep naar de deur. 'Lijkt ze op mij?'

'Waar ga je heen?' wilde ik weten.

'Naar de plee,' antwoordde hij. 'Mag dat?'

'Tuurlijk,' zei ik, 'natuurlijk. Sorry. Weet je nog waar het is?'

Hij grijnsde. 'Zo ongeveer.'

Kijkend naar zijn prachtige, in denim gehulde billen die het vertrek verlieten, moest ik toegeven dat ik hem nog steeds leuk vond. Hij zag er nog steeds uit als slecht nieuws, maar – nou ja, hij had altijd een soort onweerstaanbaarheid over zich gehad, hij had iets waar ik meer van wilde en waar ik volledig machteloos tegenover stond. Misschien was het zijn dronken glimlach, zijn soepele, sexy manier van bewegen, de manier waarop zijn haar zich om zijn oor heen probeerde te krullen – misschien was het het allemaal samen, ik wist het niet. Ondanks de jeugdige kleren kon ik zien dat hij een stuk ouder geworden was, een enigszins verbleekte versie van zijn vroegere ik, maar hij was het nog steeds voor mij. Tot mijn afgrijzen en zeer tot mijn onwil voelde ik een lichte flakkering in mijn lendenen. Ik wist dat ik zou moeten proberen om mezelf tot de orde te roepen, maar in plaats daarvan merkte ik dat ik een knoopje van mijn blouse losmaakte.

Hij kwam de kamer weer binnen, geschokt, lijkbleek ondanks zijn verweerde bruine kleur.

'Joe? Wat is er?'

'Is hij hier?' Hij keek angstig.

'Wie?'

'Hun vader.'

'Wiens vader?'

'Van die, eh, baby's daar?'

'O!' Ik had er een hoop lol van kunnen hebben. Ik heb er nog steeds spijt van dat ik het niet heb gedaan. 'Eh, nee.'

'Te gek.' Hij ontspande – een beetje. 'Jij en hij – eh...?'

'Wat?' Ik wist precies wat hij bedoelde, maar ik was niet van plan om de rest voor hem in te vullen.

Hij liet het onderwerp meteen rusten. 'Niets.'

'Waar ben je geweest, Joe?' flapte ik eruit, ik kon me niet langer inhouden.

'Wat, vanavond? Ja, sorry dat ik zo laat nog op de stoep stond, ik –'

'Nee, niet vanavond! De afgelopen negen jaar, waar heb je gezeten?!'

'O, op die manier.' Hij leunde achterover in zijn stoel, legde zijn handen achter zijn hoofd en zuchtte. 'Moeten we het daar nu over hebben?'

'Nou en of. Ik zou best willen zeggen: laten we ergens afspreken om er een keer onder het genot van een kop koffie over te babbelen, maar ik heb een vermoeden dat je dan niet zou komen opdagen.'

Hij glimlachte. 'Nog altijd even grappig, Carlotta.'

Ik was vergeten dat hij me altijd zo noemde. Het leek nu merkwaardig ongepast. Te intiem. 'Noem me niet zo.'

'Waarom niet?' Hij leunde naar voren, raakte mijn hand aan. Een ijskoude elektrische schok trok door mijn arm.

Ik deinsde achteruit, bij hem vandaan. Sloeg mijn armen over elkaar, voor de veiligheid. 'Ik moet het gewoon weten, Joe, dat is alles. Waarom ben je bij ons weggegaan?'

'Ik weet niet, eigenlijk.'

'Pardon?'

'Ik weet niet.'

Ik was al een tijdje niet meer boos geweest, maar ik wist nog goed hoe het moest. 'Je weet het niet?' Ik lachte vals, als iemand in een slecht melodrama. 'Toe nou, Joe, je kunt toch zeker wel wat beters verzinnen!'

Hij leek verbaasd dat ik niet net zo relaxed was als hij over 'vroeger,' zoals hij het noemde.

Dus ik gaf hem de volle laag. Ik vertelde hem hoe het was geweest, wat er was gebeurd, hoe het nu was. Terwijl ik praatte, beende ik door de keuken, ik ging zitten, ik ruimde de vaatwasser uit, ik staarde uit het raam in de duisternis buiten, ik ging op een andere stoel zitten, ik liep nog wat rond. Ik deed mijn best om hem niet de schuld te geven, om er geen dingen bij te verzinnen of vallen te zetten, ik vertelde gewoon de waarheid. Nou ja, oké, er werd af en toe wat met een vinger gewezen en er werd veel ge-'jij klootzak!'-t, maar hoe het ook zij, ik deed mijn best.

Hij viel me niet in de rede, dat moet ik hem nageven. Toen ik klaar was, zei hij: 'Ik vind je geweldig.' Hij glimlachte die glimlach weer, verdomme, waarom was hij dan ook zo mooi?

'Hoe bedoel je?' Ik ging weer aan tafel zitten, ik was uitgeput.

'Nou ja, je hebt alles goed voor elkaar, weet je. Je bent een doordouwer, Carlotta. Fantastisch.'

Ik weet dat het aardig van hem was om dat te zeggen, maar ik kon zijn bewondering niet zonder slag of stoot aanvaarden. Ik moest weten van wie die bewondering afkomstig was. 'En jij, Joe? Wat is er met jou gebeurd?'

Het was een meelijwekkend verhaal, en hij vertelde het niet echt goed. Hij was niet zo heel erg duidelijk, sterker nog, ik merkte dat hij steeds meer in de war raakte naarmate de tijd verstreek. De details waren niet met elkaar in overeenstemming, het was lastig om een compleet beeld te krijgen. Er kwam nog meer koffie, nog meer pogingen om mijn vragen te omzeilen, en nog meer niet willen vertellen wat ik hoorde te weten. Maar uiteindelijk werden de grote lijnen me wel duidelijk.

Hij beweerde dat hij zichzelf niet goed genoeg had gevonden om Ambers vader te zijn; toen ze eenmaal geboren was, had het hele concept van het ouderschap hem afgeschrikt, hij had niet geweten hoe hij ermee om moest gaan.

Toen hij wegging, was dat met het plan om door te breken en ons daarna te komen halen, als miljonair – verrassing! Dus had hij al zijn energie in zijn carrière gestopt, kennelijk. Hij had het gedaan voor ons.

Hoe onzelfzuchtig van hem. Ik wilde schreeuwen en tieren vanwege de oneerlijkheid van dat alles, om mij met de rest op te zadelen, maar op de een of andere manier slaagde ik erin om mijn mond dicht te houden.

Het had een poosje geduurd voordat het tot de band was doorgedrongen dat ze nooit zouden doorbreken. Jaren, om precies te zijn. Niet dat ze het niet hadden geprobeerd, ze hadden een tijdje in Japan gewoond, en daarna in Australië. Ze hadden het goed gedaan in Nieuw-Zeeland, hadden zelfs de limousine-vanaf-het-vliegveld status bereikt.

Nee maar. Een limousine, zeg je. Dat is heel wat beter dan in de stromende regen achter een buggy aan naar de bushalte lopen, nietwaar?

Jammer genoeg was er geen enkele manager die in hen de grote sterren herkende die ze verdienden te zijn. Het was een van de Grote Onopgeloste Mysteries van het Leven.

Ik zei niets.

Toen waren de bandleden tot de ontdekking gekomen dat ze uit elkaar waren gegroeid, en was de band schokkend genoeg uiteengevallen. Hun verschillen waren niet alleen muzikaal, ze waren mondiaal. De leadzanger verdween in een ashram in Goa, en de gitarist was nu melkboer in Devon. De drummer werd gearresteerd in Canada met een vuurwapen in zijn hand, nadat hij zijn stiefvader in het kruis had geschoten. Het was het typische rock-'n-roll zelfmoordverhaal, eigenlijk.

Dus Joe werd gedwongen om 'het alleen te doen.' Er zijn maar weinig bassisten die grote commerciële successen boeken als solo-artiest, maar daar had Joe zich niet door laten ontmoedigen. Hij was vastbesloten om door te breken, snap je, voor ons.

Ja hoor, tuurlijk.

Voor zover ik begreep, had hij de afgelopen jaren heel Europa rondgereisd, azend op contracten en optredens, en was daarbij in allerlei moeilijkheden verzeild geraakt. Hij vond zijn verhalen over waaghalzerij en losbandigheid hilarisch; ik kon alleen maar pissig zijn omdat hij niet eerst een babysitter had hoeven zoeken.

Hij had voornamelijk sessiewerk gedaan – ik kwam er tot mijn verbijstering achter dat hij inderdaad degene was geweest die ik had gezien bij *Top of the Pops* met kerst! Ik had gedacht dat ik hallucineerde, maar nee, hij was inmiddels een graag geziene gast, muzikaal gesproken. Overal geweest, alles gedaan. Hij had talloze verhalen zonder clou, dat is een ding dat zeker is.

Toen, laat op een avond in een bar in Parijs, had hij een soort openbaring gehad en ingezien dat het tijd was om naar huis te komen en een toontje lager te gaan zingen, om het zo maar eens te zeggen.

'Dus hier ben ik dan, snoes, ik ben terug.'

Hij schonk me een smeulende blik over de keukentafel heen, maar ik moest nog meer weten voordat ik kon smelten.

'Heb je een vriendin? Of misschien zelfs,' de gedachte was bijna ondraaglijk, 'nog meer kinderen?'

'Ja, nou, dat is eigenlijk deels de reden waarom ik hier ben. Ik wil scheiden.'

Scheiden!

Dit had ik niet verwacht. Het was een klap in mijn gezicht, dit had ik niet verwacht. Het was niet bij me opgekomen dat hij niet meer verder zou willen met me; ik was ervan uitgegaan dat de keuze aan mij zou zijn. Voor het eerst in mijn leven wist ik niet wat ik moest zeggen.

'Nou ja, ik wilde scheiden, eigenlijk.' Hij schudde zijn hoofd, wreef over zijn gezicht. 'Miyuki is mijn manager en ook mijn vriendin,' zei hij, vermoeid. 'Ik ben nu al een paar jaar met haar samen, we hebben een knipperlichtrelatie, ze is fantastisch – heel erg zeker van haar zaak, heel erg georganiseerd, je zou haar geweldig vinden.' Dat betwijfelde ik. 'Ze gelooft echt in me, Carlotta. Maar nou moest ze ineens zo nodig zwanger raken en zegt ze dat ze wil trouwen.'

'Dat is niet bepaald rock-'n-roll, toch, trouwen?' was het enige wat ik kon verzinnen om te zeggen.

'Ach, nou ja.' Hij schoof heen en weer op zijn stoel, hij had in ieder geval het fatsoen om er ietwat ongemakkelijk bij te kijken. 'Ik heb haar natuurlijk een poosje aan het lijntje gehouden, maar uit-

234

eindelijk moest ik haar wel vertellen over jou en Amber. Ze ging verdomme door het lint.'

Ik voelde dat ik op het punt stond om hetzelfde te doen.

'Het probleem is, nu ik hier ben, loopt alles in de soep. Ik ben helemaal in de war. Vooral nu ik jouw kant van het verhaal heb gehoord. Ik dacht niet dat ik – nou ja, het zit zo, ik zie nu in dat ik niet van haar hou zoals ik van jou hou.'

Wat?

'Dat is ook nooit zo geweest. Ze haalt het niet bij jou.' Hij keek me recht in mijn ogen; God, ik vond het gewoon heerlijk om naar dat gezicht te kijken. 'Misschien zouden we gewoon de draad weer moeten oppakken, Carlotta, maar ik denk niet dat je me nu nog terug zou willen, of wel?'

Ik was met stomheid geslagen. Dit ging allemaal veel te snel, het was niet te bevatten.

Hij pakte de joint. 'Is het goed als ik deze buiten oprook?'

'Nee, nee, steek hem hier maar op.' Ik haatte hem, maar ik wilde hem geen moment uit het oog verliezen. Het was alsof ik een stomp in mijn maag had gekregen en zat te happen naar adem. Wie was deze Japanse vrouw? Hield hij van haar? Hield ik van hem? Hoe wist ik dat? Geloofde ik hem? Hoe zou het uitpakken? Hoeveel van dit gelul was waar? Wilde hij echt bij me terugkomen, of zei hij dat alleen maar?

Hij inhaleerde diep. 'Wil je een trekje?' vroeg hij, met ingehouden adem.

'Nee, dank je.' Maar eigenlijk wilde ik het wel, ik wilde alles wat me uit het hier en nu vandaan zou halen. Ik wilde op de vlucht slaan, maar ik moest blijven. Dokter L. had gezegd dat ik het concept vechten-of-vluchten altijd verkeerd begrepen had; dit was mijn kans om het goed te doen.

Uiteindelijk blies hij uit. 'Jij bent altijd speciaal geweest voor me, Carlotta, dat weet je wel. Er is geen dag voorbijgegaan zonder dat ik aan jullie tweetjes heb gedacht.' Zijn heldere licht straalde nu weer op volle sterkte, ook ik herinnerde me hoe het was geweest tussen ons. Maar –

'Ik ga hieraan kapot, Carlotta,' zei hij, 'ik weet niet wat ik moet doen.'

Ik wist het ook niet. Er stormden duizend gedachten door mijn hoofd, stuk voor stuk totaal verschillend. 'Tuin er niet in.' 'Misschien is hij aan een nieuw hoofdstuk begonnen.' 'Hij kan hier niet zomaar binnen komen wandelen – dat kan wel als jij dat wilt.' Mijn hoofd tolde, mijn hart maakte salto's.

'Het zou fijn zijn, denk je niet, jij en ik en Amber? Alleen wij drietjes, een nieuw begin? Ik heb je gemist. En ik weet dat jij mij ook hebt gemist.'

'Dat wel, maar waarom heb je niet –'

'We zouden een team vormen, Carlotta. Wij samen tegen de rest van de wereld, net als vroeger.'

'Ik weet het niet, Joe, ik kan niet zomaar –'

'Ik weet het.' Hij nam nog een trekje en legde de joint in de asbak. 'Klote, hè?' ademde hij uit. 'Luister,' zei hij terwijl hij opstond, 'als ik nou eens wegga, zodat je er een nachtje over kunt slapen? Dan kom ik morgen teru-'

'Nee!' Ik wilde niet dat hij weg zou gaan, niet nu hij er eindelijk was. Maar ik wilde ook niet dat hij zou blijven, dat zou niet goed zijn. Ik wist niet wat ik wilde. Ik stond in de deuropening en zei: 'Ik heb je gemist, Joe. Ik heb het zo moeilijk gehad, ik voelde me – nou ja, zo lelijk en slecht, en –' Ik kon geen woord meer uitbrengen, mijn keel zat vol snikken en verdriet en verwarring.

'Ssst.' Hij liep naar me toe. 'Ik ben er nu toch?' Hij sprak op zachte toon. 'Toe nou, Carlotta, ik kan zien dat je me nog steeds leuk vindt.' Hij keek diep in mijn binnenste, net als vroeger. 'Het is er nog steeds, hè? Onze Grote Liefde?' Ook dat was ik vergeten, maar hij niet. Mijn kin bibberde als die van een klein meisje. 'Stil maar, het komt allemaal goed nu.'

Ik keek in zijn ogen, en ook al was er iets wat niet klopte, toch zag ik mijn oude Joe ergens daarbinnen. Het was bewolkt, mistig, wazig, maar hij was er wel. Ik wilde dat het weer goed zou komen.

Hij houdt mijn blik gevangen terwijl hij op me af loopt. Voordat ik dieper in zijn ziel kan kijken, heeft hij me al in zijn armen genomen en zijn zijn lippen op de mijne. Eerst alleen een langzame, tedere kus, en een omhelzing, net als vroeger. Zijn mond is hard en zacht, precies goed. Nu streelt hij mijn haar en fluistert in mijn oor: 'Ik ben terug, ik ben bij je teruggekomen. Je wist dat ik dat zou doen, dat heb je altijd geweten.' Ik voel mijn pantser afbrokkelen terwijl hij nog een van mijn knoopjes losmaakt en ik zijn jasje van zijn schouders duw en hij het op de grond laat glijden. Mijn hand is koel wanneer deze zich een weg baant over zijn T-shirt naar zijn gladde rug met de zijdeachtige huid, we zijn allebei zacht en warm en kwetsbaar voor elkaar. Hij voelt nog net zoals vroeger, ik voel nog net zoals vroeger. Ik leun achterover tegen de deurpost, hij leunt naar me toe, we zijn op weg naar een wereld die alleen wij kennen, op de keukentafel rinkelt zijn telefoon.

Hij liet mij vallen en nam de telefoon op. 'Yo,' zei hij.

Hij liep weg zodat ik niet kon horen wat de beller zei. Het was een man, dat kon ik in ieder geval wel merken. Ik keek op de klok – het was verdorie bijna drie uur 's nachts. Wie belde er nou op een dergelijk tijdstip?

'Ik moet gaan,' zei Joe. Hij keek geschrokken, getergd, afwezig.

'Maar –'

'Sorry.' Hij gaf me een snelle kus op mijn wang en zei: 'Maar ik kom terug.'

Hij vertrok onmiddellijk.

Ik bleef nog een paar uur op de bank zitten wachten.

'Ik kom terug.' Dat was wat er in zijn briefje had gestaan al die jaren geleden, de laatste keer dat hij wegging.

Ik kwam met een schok tot bezinning. Wat was ik een onnozele hals! Dacht ik nou echt dat hij was veranderd?

Ik zette het volledig uit mijn hoofd toen ik naar boven ging. Ik huilde zelfs niet toen ik me klaarmaakte om naar bed te gaan. Ik was moe, ik wilde slapen en alles morgenochtend op een rijtje zetten, wanneer alles misschien wat helderder was.

Het was nu mijn taak om voor mezelf te zorgen, zoveel wist ik inmiddels wel.

Dat was een groot verschil.

Het zal niemand verbazen dat ik die nacht geen oog dichtdeed. Mijn hoofd was bezig aan een olympisch nummertje turnen, mijn dekbed was te warm. Daarboven leek ook niet bepaald veel belangstelling te hebben, ik heb die nacht geen bliksemflitsen met berichten eraan vast in mijn slaapkamer gezien. De pijn was ondraaglijk, ik moest actie ondernemen.

Dus ik kwam weer uit bed, ging aan de keukentafel zitten en schreef het allemaal op in een van Ambers Aladdin schriften. Alles wat ik me kon herinneren van wat Joe had gezegd, alles wat ik voelde, alle mogelijke haat en verlangen en verbittering en eenzaamheid en angst en woede en jaloezie en kloterigheid die ik maar op die pagina kon uitspugen. Ik redeneerde dat als ik het verleden van me af kon zetten, ik daarna verder zou kunnen gaan met de toekomst, wat die ook mocht brengen. Daarna, voor een beetje extra drama en een ceremonieel tintje, gooide ik het schrift in een metalen prullenbak en stak het in brand. Daar waren de katten uit de buurt wel even stil van.

Daarna voelde ik me veel beter. Ik voelde me een stuk lichter toen ik in bed stapte – ik was die nacht een paar pondjes emotioneel gewicht kwijtgeraakt.

'Mam, van wie is deze?' Ik werd wakker van Amber, die met haar ene hand in me stond te porren terwijl ze met haar andere hand een spijkerjack omhoog hield. Chanel stond achter haar, met grote ogen.

'Hoe laat is het?'

'Van wie is deze?'

Het was alsof ze het wist.

'Ik weet het niet,' loog ik. 'Willen jullie even gaan kijken of de tweeling nog steeds ligt te slapen onder de eetkamertafel?'

'Kijk, dit zat erin,' zei ze. Ze deed haar hand open – daarin lag wat ik uit verscheidene televisiedocumentaires herkende als de toebehoren van een heroïnegebruiker. Er was een klein wit pakje, opgevouwen in origamistijl, met wat bruin poeder erin, diverse stukjes opgevouwen aluminiumfolie, een wegwerpaansteker, en het omhulsel van een oude ballpoint waar het bovenste stuk vanaf was gebroken.

'Het inktding zit er niet in,' zei Amber, in verwarring gebracht.

Gelukkig werden we gestoord door het tweestemmige gehuil van de tweeling – ze wilden hun ontbijt en ze wilden hun mama, godzijdank in die volgorde.

Een ongevraagd advies:

Als je verkering wilt met een popster, ga dan niet uit met een musicus. Ga uit met een popster.

En als je verkering wilt met iemand die geen drugsverslaafde is, ga dan niet uit met iemand die nog gebruikt. Ga uit met iemand anders.

Word niet verliefd op iemands mogelijkheden.

'O.'

Joe was terug!

Het was later op diezelfde zaterdag; we hadden de kinderen bij Gloria afgeleverd en waren daar gebleven voor de lunch. Daarna hadden we eventjes gewinkeld, op zoek naar een goedkoop maar duur uitziend pakje dat ik kon dragen naar Sabrina's naderende jet-set bruiloft in New York, dat niet bestond; en schoolschoenen voor Amber die voor ons allebei aanvaardbaar waren, die ook niet bestonden.

Vervolgens waren we even bij Oz binnengewipt in Global Village; hij had ons de video gegeven van *Gejaagd door de wind* (Rosheen had hem achtergelaten, hoewel het haar absolute lievelingsfilm was) en het plan was om die vanavond te gaan kijken, opgekruld op de bank met pizza's en chocolade-ijs.

En nu waren we thuis aangekomen en stonden we oog in oog met Joe, die duidelijk al enige tijd had zitten wachten. Hij stond op toen hij ons zag, hij zag er geagiteerd en zenuwachtig uit.

Je zou denken dat ik wellicht in staat zou zijn om aardig tegen hem te doen na alle bombarie van de afgelopen nacht, nietwaar?

'Ik heb je stuff weggegooid,' beet ik hem toe terwijl ik graaide naar de sleutel in mijn akelig nette handtas.

'Jezus nog aan toe,' zei hij, zijn handen door zijn haren halend, 'dat is niet de reden waarom ik hier ben.' Hij nam niet eens de moeite om te ontkennen dat de drugs van hem waren. 'Ik ben gekomen om jou te zien,' zei hij, neerhurkend bij Amber, die nu boven hem uit torende. 'Ik ben je papa,' zei hij, terwijl hij weer ging staan en zich over haar heen boog op een tamelijk irritante, opdringerige manier.

Amber keek naar mij, ik probeerde haar een glimlach te schenken, maar hij was een tikje dunnetjes. Met bonzend hart deed ik de voordeur open en liet mezelf binnen. Amber keek opnieuw naar me.

'Je kunt maar beter even binnenkomen,' zei ik met een zucht, de deur voor hem openhoudend.

Wat nu?

'Wil je mijn kamer zien?' vroeg Amber aan Joe.

'Ja hoor,' hij grinnikte, 'dat lijkt me te gek.'

Dus ik keek toe, volkomen machteloos, terwijl zij hem meevoerde naar boven, haar wereld binnen. Ik stond daar maar, met open mond, vol afgrijzen. Mijn dochter was boven met De Vijand. Het was één ding om midden in de nacht een verbrandingsritueel uit te voeren om iemand te vergeven, maar het was heel andere koffie om diegene al zo snel weer hier terug te hebben, morrelend aan je dochters diepste gevoelens.

Ik vroeg Daarboven om een oogje in het zeil te houden terwijl ik probeerde te bedenken wat ik nu moest doen.

Ik belde Gloria, ze was niet thuis en haar mobiele telefoon stond uit. Ik sprak een boodschap in.

Ik belde dokter Lichtenstein, vergetend dat het weekend was. Ik sprak een boodschap in.

Ik belde Arthur, hij nam thuis niet op en hij nam zijn mobieltje niet op. Ik sprak op allebei een boodschap in.

Ik belde een paar van Gloria's vriendinnen, maar die waren in gesprek, waarschijnlijk waren ze met elkaar aan het bellen.

Dus belde ik Oz in het café, die tegen me zei dat het allemaal goed zou komen.

'Goed?!' schreeuwde ik tegen hem, zo zachtjes als ik maar kon, 'hoe bedoel je, goed? De man is een drugsverslaafde, hij houdt mijn dochter gevangen in haar slaapkamer, waarschijnlijk is hij haar aan het voordoen hoe ze lsd moet slikken!'

Oz lachte. 'Luister, je moet hen gewoon goed in de gaten houden –'

'Denk je dat ik er naar binnen moet gaan, gewoon om te zien of alles in orde is met haar? Naar binnen lopen met de stofzuiger en doen alsof ik de kamer moet schoonmaken of zoiets?'

'Nee,' ik kon hem horen grijnzen, 'dat moet je niet doen. Laat het maar gewoon gebeuren. Laten ze elkaar maar leren kennen. Ze redden zich wel, laat hem alleen niet met haar het huis uit gaan – zeg dat het daar nog te vroeg voor is, misschien de volgende keer.'

'Je klinkt ontzettend verstandig,' zei ik. 'Hoe weet jij al die dingen?'

'Mijn moeder heeft mijn zus en mij bij mijn vader achtergelaten,' antwoordde hij, 'en vervolgens heeft ze nog twee kinderen gekregen met mijn stiefvader. Het was niet makkelijk, maar we hebben ons er-doorheen geslagen.'

'Echt waar?' Ik had hem nog nooit eerder over zijn familie horen praten; misschien omdat ik er nooit naar had gevraagd.

'Ach ja, ik zal het je wel een keer precies vertellen.'

'Dat zou ik fijn vinden,' zei ik, en ik meende het. Hij was een goe-de ziel, Oz, ik kon nog wel het een en ander van hem leren.

'Luister,' ging hij verder, 'ze moet haar vader zo vaak mogelijk zien. Jij mag hem dan wel haten, maar zij kent hem nog niet. Ze is een slimme meid, laat haar zelf maar een oordeel vormen over hem. Jij hebt nu toch immers niets meer met hem van doen?'

'Nou, eh,' zei ik, en vertelde hem alles over de *kussus interruptus* van de avond tevoren.

'Denk je dat hij nu weer zoiets zal proberen?' vroeg hij.

'Ik weet het niet,' zei ik.

'En zo ja, wat ben je dan van plan te doen?'

'Ik weet het niet,' zei ik opnieuw.

'Zeg, ik moet ophangen, er heeft iemand koffie geknoeid over een toetsenbord – ik bel je zo terug, oké?'

'Prima,' zei ik, 'ga maar gauw. En Oz –'

'Zeg het eens?'

'Bedankt.'

Daarna ging ik boven 'aan de slag' – nou ja, het badkamerkastje puilde uit van de troep, als je het opendeed viel alles eruit, dus dat moest uitgezocht worden. Ik was al een eeuwigheid van plan om de handdoeken en lakens opnieuw op te vouwen, dus het was goed om dat nu eindelijk eens te doen. En ik probeerde mijn gezicht geraffi-neerd op te maken zoals Gloria het had gedaan, en ook al zag ik er aan het eind van de rit uit als een vampier, ik kon in ieder geval Am-ber vrolijk horen kletsen tegen Joe, die steeds op het juiste moment leek te lachen.

Begrijp me niet verkeerd, het was niet zo dat ik het allemaal pri-ma vond, ik stierf verdomme duizend doden. En als ik ook maar zoiets als luide stemmen had gehoord in haar slaapkamer, zou ik er als de kippen bij zijn geweest om hem eigenhandig te vermoorden. Ik hield het zo lang mogelijk vol, en toen zei ik tegen mezelf dat we maar beter snel konden beginnen met kijken naar *Gejaagd door de wind*, aangezien het al bijna zes uur was en we anders voor het einde in slaap zouden vallen. Goed, hè?

Ik ging naar beneden en riep naar boven: 'Amber!', mijn best doend om opgewekt te klinken, maar eerder klinkend als een jammerende geest die een sterfgeval aankondigt, 'we gaan beginnen!'

Ze kwamen heel erg – nou ja, blij, denk ik – de trap af stuiteren, en Amber ging op zoek naar het nummer van de pizzaman terwijl ik de video klaarzette. Joe bleef wat in de gang rondhangen. Hij zag er irritant goed uit, nog knapper dan de dag daarvoor. Ik was inmiddels gewend aan zijn nieuwe uiterlijk.

'Zal ik dan maar gaan?'

'Nee, mama, hij moet blijven!' Amber kwam de gang in lopen, het foldertje in haar hand geklemd. 'Alsjeblieft?'

'Ga jij maar even kijken of er nog genoeg ijs in de vriezer zit,' zei ik, 'anders moeten we wat bijbestellen.'

Ze liep terug naar de keuken. Joe pakte mijn hand. Ook dit keer voelde ik een elektrische schok.

'Ik heb de hele dag aan je gedacht,' zei hij.

'Meen je dat?' zei ik, voorwendend dat ik het veel te druk had gehad om hetzelfde te doen.

'Zal ik maar gewoon blijven om samen met jullie de film te kijken? Dan kan ik weggaan als hij afgelopen is.' Hij schonk me een schalkse blik. 'Of we zouden Amber in haar eentje kunnen laten kijken...'

Mijn lendenen tintelden weer, ik kon zijn kus nog steeds voelen, ik wilde zijn huid weer ruiken. Verdomme!

Hij liep naar me toe. 'Oké, jij je zin, Carlotta. Maar laat me dan in ieder geval fatsoenlijk gedag zeggen, tot de volgende keer...'

Heer sta me bij. Zijn mond komt op me af, ik sluit mijn ogen en bereid me voor op een verrukkelijke aanval. Ik hoop dat mijn lichaam mijn hoofd de mond snoert, ik wil dit, ik wil dit echt. Ik kan zijn hete adem voelen op mijn gezicht, hij is heel erg dichtbij, de deurbel gaat.

Ik deed de deur open. In de deuropening stond een man met een motorhelm op en een stapel dozen in zijn handen.

'Heeft er iemand zin in pizza?' zei een bekende stem.

'Hoe kan dat nou?' vroeg Amber, uit de keuken komend. 'Ik heb nog niet eens –'

'Oz?'

'Hou eens vast,' zei hij, en hij rende weer naar buiten, zette zijn helm af en gaf die aan een wachtende Pizza Hut koerier. 'Bedankt voor de lift, Raoul!' riep hij, weer mijn tuinpad op lopend. 'Hoi!' Hij stak zijn hand uit. 'Jij moet Joe zijn!'

'Eh, ja,' zei Joe, wiens hand stevig op en neer werd gepompt.

'Hoi, Oz!' zei Amber, en ze stoof op hem af om hem te omhelzen. 'Dat is mijn vader!'

'Ik ben Charlottes partner,' murmelde hij over haar schouder heen, 'ik heb al veel over je gehoord, Joe!'

Voordat ik kon zeggen 'niet dat soort partner,' zei Joe: 'Oké, ik ga ervandoor, eh – heb je mijn jasje?'

'O ja, natuurlijk,' ik pakte het van de trapleuning en gaf het aan hem.

'Ik kom gauw terug,' zei hij, 'om Amber op te zoeken,' zei hij tegen ons allemaal, en hij stoof de deur uit, bijna tegen Gloria op botsend, die het pad op kwam lopen.

'Kijk een beetje uit, ja!' zei ze tegen zijn uit het zicht verdwijnende rug, 'verdomde junkies. Is alles in orde?' vroeg ze stralend.

De telefoon ging. Dokter L., die vandaag toevallig even naar kantoor was gegaan, had mijn boodschap gehoord.

Voor de deur stopte een taxi met Arthur erin.

Ooit het gevoel gehad dat er echt voor je werd gezorgd?

Dank u, God.

Achteraf gezien, begrijp ik dat ik geluk heb gehad. Maar op het moment zelf was ik des duivels. Ik vond dat het hun zaken niet waren.

Aha, zeiden ze, maar je hebt het onze zaken gemaakt toen je ons om hulp vroeg.

Ja, antwoordde ik, maar ik weet zelf wel wat het beste voor me is, ik ben de deskundige, bedankt en tot ziens.

Niet meer, kennelijk. Dat bleek wel uit hoe ik eraan toe was. Zij wisten het beter dan ik, ik moest nu naar hen luisteren.

Hij is niet goed voor je, zeiden ze. Hij kan je niet gelukkig maken. Hij is ziek.

Zoals ik al zei, ik heb geluk gehad.

Kort daarna meldde Joe zich bij een afkickcentrum.

In de week nadat hij eruit kwam, scoorde hij vervolgens een nieuwe lading drugs in de trein naar huis. Hij wilde gewoon niet stoppen.

Gelukkig vond ik dit niet bepaald aantrekkelijk.

Op de een of andere manier, echter, slaagde hij erin om zijn prille relatie met Amber goed te houden – op zijn manier. Dus kon ze eindelijk met opgeheven hoofd over haar vader praten op het schoolplein, net als de andere meisjes. Ze moest leren dat hij niet betrouwbaar was, en rijk was hij ook niet, maar hij was beslist niet saai. Niet elke vader neemt zijn dochter en haar vriendinnetje immers mee naar de televisiestudio om hem gitaar te zien spelen met de band van de week, nietwaar?

Dankzij dokter L. slaagde ik er uiteindelijk in om Joe los te laten, al hield hij er diepe schrammen op zijn flanken aan over. Ik had nooit gedacht dat ik ooit in staat zou zijn om dit te zeggen, maar ik heb nu helemaal geen onverwerkte gevoelens meer voor hem. Hij is gewoon iemand uit mijn verleden, dat is alles. Het is een aardige vent, hoor, maar hij is het niet voor mij.

Ik verdien beter.

12

'Er bestaat een type mens dat onuitputtelijke liefde kan tonen aan anderen, maar niet altijd aan zichzelf, of aan naaste familieleden. Mijn moeder was zo iemand. Dat is de reden waarom er, op het feestje dat we gaven nadat ze was overleden, meer dan honderd mensen om haar kwamen rouwen en – met de hulp van goedkope wijn, kaasblokjes aan cocktailprikkers en papieren zakdoekjes – hun tranen rijkelijk lieten vloeien vanwege hun collectieve verlies in een intens verdriet dat mijn broers en ik zelf niet zo voelden.'

Jonathan Self, *Self Abuse*

We waren op een kritiek punt beland in de Global Village. Het was het begin van de zomer, en de zaken liepen beslist niet als een trein. Oz en ik hielden een spoedvergadering, net zoals we de dag daarvoor en de dag dáárvoor hadden gedaan. We waren ten einde raad.

Zelfs de aanblik van Hugh Grant, die erop los tikte achter wat inmiddels Zijn computer was geworden, kon me niet opvrolijken. Ik had de afgelopen weken alle tips die Gloria kende om zijn aandacht te trekken uitgeprobeerd, maar hij wilde niets van me weten.

Oz had vandaag ook geen zin om te flirten, zelfs niet met de schoolmeisjes die spijbelden van school om samen één colaatje te drinken. Verder was er niemand, er was bijna nooit iemand. Het zag er behoorlijk somber uit – we zouden deze maand de kosten niet kunnen dekken, en Rosheen zou het genoegen smaken om ons te zien falen.

'Het was waarschijnlijk ook gekkenwerk,' zei ik, somber, 'dat we hieraan zijn begonnen. Ik bedoel, we hebben geen van beiden relevante ervaring met dit soort –'

'Je hebt bij Starbucks gewerkt!' protesteerde Oz.

'Ja, dat weet ik wel, maar alleen als koffiedeskundige. Ik ben weggegaan op de dag dat ik promotie kreeg, weet je nog?'

'O ja, dat is ook zo,' zei Oz. Hij staarde uit het raam. 'Ik ben rijinstructeur geweest, weet je.'

'Echt waar?!'

'Nee. Nou ja, voor één dagje maar.' Hij zuchtte. 'Maar ik ging wel bij zieke mensen op bezoek in het ziekenhuis met Suki de labrador en Puffy het konijn.'

'Zoals ik al zei,' ik hield mijn hoofd tussen mijn handen, 'we hadden geen ervaring. Wat bezielde ons?'

De deur van het café ging open. 'Der-ner!' krijste een vertrouwde stem. Om de een of andere reden was Gloria gekleed als Al Capone op hoge hakken, helemaal opgedoft met een broekpak in krijtstreep, zwarte blouse, zwarte stropdas. Als klap op de vuurpijl zwaaide ze naar ons met een stapel bankbiljetten.

'Wat is dat?' vroegen Oz en ik, allebei tegelijk.

'Heb je een bank overvallen?' vroeg ik, bloedserieus. (Ik bedoel, laten we wel wezen, deze vrouw was tot alles in staat. En ze was erop gekleed.)

'Ja, eigenlijk wel!' verkondigde ze trots. 'De Koninklijke Gloria Bank.' Oz en ik wisselden een blik. 'Mijn spaargeld!' zei ze. 'Ik heb besloten dat jullie het harder nodig hebben dan ik. Jullie kunnen me te zijner tijd wel een keer terugbetalen, maar voorlopig moeten jullie het maar nemen.'

We weigerden, dat spreekt vanzelf.

Maar ze bleef aandringen, dat spreekt vanzelf.

Dus weigerden we nog een keer.

Uiteindelijk wist Oz behendig van onderwerp te veranderen door haar een gratis computerles aan te bieden, meteen, ter plekke. 'Van uitstel komt afstel, Glo!'

'Eh, nee dank je, Oz, makker, niet nu. Ik moet de tweeling zo ophalen, en –'

'Ik dacht dat Keko met ze naar Legoland was vandaag,' zei ik.

'Ja, nou ja, weet je, Rev is zo –'

'Vakantie aan het vieren bij zijn oma in Bournemouth, als ik me niet vergis –' maakte ik de zin voor haar af. 'Trouwens, Amber heeft gebeld, Chanel en zij hebben het enorm naar hun zin bij je vader en moeder.' Gloria glimlachte dunnetjes, ze was helemaal niets zonder haar kinderen. Ze zag er zelf uit als een klein meisje. 'Toe nou, Gloria, je kunt zijn aanbod maar beter aannemen. Dit is een uitstekend moment, het is nu juist even lekker rustig op deze anders zo drukke dag...'

'Nee.' Om de een of andere reden leek ze doodsbenauwd.

'Het is heus niet eng, hoor,' zei Oz geruststellend. 'Of moeilijk. Laten we wel wezen, als een muts als Charlotte het kan, dan kan iedereen het!'

'Ik wil het niet, dank je.' Ze keek een tikje schichtig nu, en ik was vastbesloten om dit tot op de bodem uit te zoeken.

'Maar Gloria, waarom niet? Het is leuk, je zult het enig vinden. Wat houdt je tegen?'

'Hou erover op, Char, oké?'

Ze stond op het punt om te ontploffen. Ik herkende de signalen, maar Oz niet.

'Vertel ons gewoon waarom je het niet wilt, Gloria, misschien kunnen we dan helpen –'

'Omdat,' haar gezicht was knalrood en ze sprak met opeengeklemde kaken, 'ik verdomme niet kan lezen, daarom niet!'

Goh.

Allemachies.

'Maar, hoe zit dat dan met al die formulieren voor uitkeringen –'

'Bij de sociale dienst weten ze het, natuurlijk; sterker nog, ik ben aan het proberen om me door hen te laten registreren als gehandicapte.'

'En hoe zit het dan met boeken, kranten, dat soort dingen?' wilde Oz weten.

'Die heb ik niet nodig, en trouwens, Lori doet de dingen die ik niet kan,' antwoordde ze. 'Gaan jullie er nog verder over doorzeuren, of kunnen we het nu over iets anders hebben?'

Ze staarde ons allebei aan, trots en furieus.

We wisten niet wat we moesten zeggen.

Gelukkig kwam er op dat moment iemand het café binnen en die zei: 'Ha, Charlotte – papa zei dat ik je hier zou kunnen vinden.'

'Matt!' Wat deed mijn broer hier in godsnaam? Hoorde hij niet in

Amerika te zitten? Het was raar om hem hier te zien, sterker nog, hij zag er helemaal raar uit. 'Is alles goed met je?'

'Mama is heel erg ziek. Papa wil haar niet alleen laten, en hij wilde het je niet door de telefoon vertellen. We moeten er meteen naartoe. Ik heb een auto gehuurd op het vliegveld. Ik leg het onderweg wel uit.'

Het was allemaal een beetje veel voor me. Ik moest Oz alleen achterlaten met Gloria's schokkende nieuwtje, ik kon het niet rustig verwerken, ik moest gaan.

Terwijl ik een ietwat stille Gloria omhelsde voordat ik wegging, fluisterde ik in haar oor: 'Van mijn kleine broertje blijf je af, jij stoute meid!'

Ze fluisterde terug: 'Wees maar niet bang, schat, hij is niets voor mij!' Ze was echt onvoorspelbaar, dacht ik bij mezelf, terwijl ik in de auto stapte – hij was niet alleen walgelijk rijk, maar hij was ook een van de knapste mannen die ik ooit had gezien. Maar misschien vond ik dat alleen maar omdat hij mijn broer was.

'Waarom heb je me niet gebeld, Matt?' Ik had een hekel aan last minute paniektoestanden, ik hield ervan om ruimschoots de tijd te hebben om mezelf flink op te fokken van tevoren.

'Papa en ik wilden niet – nou ja, je weet wel, dat je overstuur zou raken. Gewoon, voor het geval dat...'

'Voor het geval dat wát? Voor het geval dat ik al je meubilair uit het raam zou gooien, is dat het? Ik had het kunnen weten – je denkt zoals gebruikelijk weer eens alleen maar aan jezelf, Matt.'
Hij zweeg.

Ik ook. Verdomme nog aan toe.

'Sorry.' Ik kon me gewoonweg niet meer ongestraft op die manier gedragen. 'Het is mijn eigen – angst, dat is alles. Verwarring. Verbazing. Het was niet mijn bedoeling om het op jou af te reageren.'

'Geeft niks.' Hij was walgelijk vergevingsgezind, zoals altijd. 'Je verkeert waarschijnlijk in shock, net zoals ik in eerste instantie. Ik moest alles laten vallen, in het vliegtuig springen. Ik geloof dat ik gisterochtend naar de kapper moest.'

We lieten het café achter ons. Het was een heerlijke, warme avond. Matt had voor de zekerheid een cabrio gehuurd. Hij had zo verdomd veel stijl dat het pijn deed.

'Wat mankeert haar eigenlijk?'

'Geen idee. Papa zei dat hij het ons zou vertellen zodra we er waren.'

'Het is toch niet terminaal, hè?' Ik keek naar zijn gezicht, speurend naar aanwijzingen dat hij het wist en het me niet vertelde. 'Ik bedoel, het is toch niets ernstigs?'

'Ik weet het niet.' Hij hield zijn blik op de weg gericht, maar hij zat aan één stuk door met zijn ogen te knipperen.

'Je maakt je echt zorgen, hè?' Ik was vergeten dat hij een compleet andere relatie met haar had. Het was zijn favoriete ouder die ernstig ziek was. 'Zal ik rijden? Je zult wel bekaf zijn.'

Hij slaagde erin om me een zijdelingse blik toe te werpen. 'Voel jij je wel goed?'

'Ja, hoezo?'

'Zomaar,' hij glimlachte bij zichzelf, 'je bent alleen veranderd, dat is alles. Je bent een ander mens geworden.'

'Correctie,' zei ik, 'er is een ander mens van mij gemaakt.' Ik glimlachte eveneens. 'Mijn aanbod was overigens niet geheel onzelfzuchtig – ik heb altijd al in zo'n ding willen rijden! Dus zet je hem aan de kant, of moet ik je letterlijk de auto uit duwen?'

Ik ging van nul naar woedend in ongeveer vijf minuten.

Terwijl Matt naast me zat te slapen in de passagiersstoel, merkte ik dat ik het irritant vond dat ik dat hele eind moest rijden terwijl hij kon uitrusten.

Tien minuten later was ik boos omdat hij langere benen had dan ik, en haar dat makkelijker te temmen was, en witte tanden.

Weer vijftien minuten later ziedde ik van woede omdat hij zo'n hechte band had met mijn moeder – ze aanbaden elkaar, ook al was hij saai en zij meedogenloos.

Tegen de tijd dat we de oprit op reden, zat ik te fantaseren dat ik hem zou steken met een van de scherpe keukenmessen uit het houten messenblok, rechts naast mijn moeders smetteloze roestvrijstalen gootsteen.

Ik had me in tijden niet meer zo gevoeld. Verrassend genoeg voelde het niet zo fijn.

Mijn arme vader was in alle staten. Hij had bij het raam op ons staan wachten, en zodra hij de auto zag, stoof hij naar buiten om ons te begroeten, nog voordat ik de motor had uitgezet. Matt sliep nog steeds, ten prooi gevallen aan het jetlagcoma – mond open, inmiddels waarschijnlijk vol met vliegjes. Ik besloot hem daar nog een paar minuten te laten liggen terwijl ik, de oudste van de twee, naar binnen ging om de situatie in ogenschouw te nemen.

Ik volgde mijn vader naar de niet-zo-blinkend-schone keuken – ze moest echt ziek zijn – terwijl ik onafgebroken vragen op hem afvuurde. 'Wanneer is het begonnen? Heeft ze koorts? Heb je de dokter gebeld? Waarom niet? Natuurlijk moet je hem lastigvallen, ze is ziek! Heb je arnica geprobeerd? Echinacea? Weet je wat dat is? Eet ze/slaapt ze/is haar stoelgang wel regelmatig?'

Hij wist niet meer welke vragen hij wel en niet had beantwoord, en ik had moeite om zijn antwoorden te koppelen aan alle vragen die ik had gesteld, dus we zetten een pot thee en begonnen opnieuw.

Ze bleek al niet helemaal goed te zijn geweest sinds hun thuiskomst na hun verblijf in mijn huis. Er was een hoop 'werk' te doen geweest, en de buurvrouw en de werkster en de tuinman hadden allemaal hun best gedaan, maar voor mijn moeder moest het een ondoenlijke opgave hebben geleken. Papa had geprobeerd te helpen het huis in beheersbare staat te herstellen, uiteraard, maar hij was er alleen maar in geslaagd om haar voor de voeten te lopen.

'Hoe erg was het dan?' vroeg ik. 'Was er een leiding gesprongen of zo? Wemelde het van de ratten? Zaten er krakers in?'

'Nee, nee, niets van dat alles,' antwoordde papa, die een tikje bleek zag en een tikje bibberig was, hij worstelde hier duidelijk al geruime tijd mee. 'De arme oude schat stond de hele nacht te stoffen en te poetsen, begon bij zonsopgang met stofzuigen, dat soort dingen. Controleerde de houdbaarheidsdatum van alle blikjes in de provisiekamer, maakte schema's van wat er wanneer moest worden weggegooid, weet je wel.'

Nou en of ik het wist, dit was het soort waanzin dat ik als kind te verduren had gehad. Inmiddels wist ik van dokter L. dat het een obsessief-compulsieve stoornis was. Het doet er niet toe wat voor deftige naam je eraan geeft; ze was een controlfreak, ze leed aan smetvrees, in feite was ze gewoon een allround neuroot. Ik ken niet veel andere families waar je niet alleen je schoenen uit moet trekken als je binnenkomt, maar ze bovendien in huishoudfolie moet wikkelen.

250

'Weet niet meer wat ik met haar moet beginnen, sta met de handen in het haar.' Ineens zag mijn vader eruit als een klein jongetje dat de weg kwijt was. Zijn vriendelijke ogen vulden zich met tranen, ik kon de aanblik niet verdragen.

'Je houdt echt van haar, hè, pap?'

Hij knikte.

'Maar waarom?' Ik schudde mijn hoofd. 'Ze is een nachtmerrie!'

'Doe niet zo grof!' viel hij uit.

Het was alsof ik een tik op mijn vingers kreeg, en terecht. Ik was nog nooit eerder zo ver gegaan bij hem. Hij wist dat mama en ik elkaar niet bepaald aanbaden, maar ik was er tot nu toe nog nooit zo eerlijk over geweest. Het was een van de vele Onbesproken Onderwerpen in onze familie.

Papa sloeg zijn armen over elkaar, leunde tegen het aanrecht, keek naar de grond. 'Zorgen voor elkaar, weet je. Zijn te lang gescheiden geweest, zijn de tijd nu aan het inhalen.'

Hij was voor zijn werk de hele wereld over geweest, soms was hij maanden achtereen weg; ze had geweigerd om met hem mee te gaan omdat ze liever in Engeland bleef. 'Maar waarom reisde ze niet met je mee, papa, het was zo egoïstisch van haar om jou in je eentje in het buitenland te laten wonen. Je moet zo eenzaam zijn geweest.'

'Wilde jullie niet alleen laten,' zei hij, in zijn borst.

'Maar ik zat het grootste deel van de tijd op kostschool,' protesteerde ik, 'en ik weet zeker dat Matt altijd en overal de beste van de klas zou zijn geworden, waar ook ter wereld.'

'Wilde jullie stabiliteit geven,' zuchtte hij, 'kon het me niet veroorloven om jullie constant de hele wereld over te laten vliegen, was nooit lang op dezelfde plek, weet je.'

Dat had ik niet geweten. Ik was er altijd vanuit gegaan –

'Heb haar nog nooit zo gezien,' hij keek naar me op, zo bezorgd, 'denk je dat ze er weer bovenop komt?'

Ik haalde mijn schouders op, ik wist het niet.

Hij beende naar de provisiekamer – de rest van de wereld zou het zien als een inloopkeukenkast, maar wij moesten het De Provisiekamer noemen. 'Zou het niet kunnen verdragen als de oude schat iets overkwam,' zei hij, zijn stem een tikje bibberig, 'zou het niet redden alleen.'

251

Ik lachte. 'Natuurlijk wel, papa, zo'n grote oude klungel als jij!'

'Zou het niet redden.' Hij stond in de deuropening met een doos suikerklontjes van horecaformaat in zijn handen. 'Zou het niet willen. Leven zonder je moeder – ondraaglijk.'

Hij zette de doos op de keukentafel en maakte hem open, en kwam pas echt goed op dreef terwijl hij langzaam de per twee stuks verpakte suikerklontjes uitpakte en ze in een piepklein schaaltje deed.

'Is het licht van mijn leven, weet je. Raak nog steeds in vervoering als ze de kamer binnenkomt. Mooiste schepsel dat ik ooit heb gezien, hart van goud, heel intelligente vrouw. Familie eerst, zijzelf als laatste. Laat me weten dat ik belangrijk ben. Zorgt uitstekend voor me, mijn taak om voor haar hetzelfde te doen.'

Hij keek op. 'Want weet je, Charlotte, liefde heeft alles te maken met het gevoel dat iemand anders je geeft over jezelf.'

Dit was verbijsterend. Niet alleen had ik hem nog nooit zo horen praten, het was ook de eerste keer dat ik hem een volledige zin had horen zeggen.

'Dus we moeten hun liefde beantwoorden, want anders is het stelen.'

Goh.

Hij ging door met uitpakken. Er klonk een gedempte bons van boven; hij keek op.

'Katten,' zei hij tegen me.

'Katten?'

'Heb een stel kittens voor haar gehaald, haar het gevoel geven dat ze iets had om voor op te staan. Heb ze Kraak en Helder genoemd. Werkte niet.'

'Aha.'

'Mogen niet in de slaapkamer, nieuw tapijt. Kattenpislucht is er bijna niet uit te krijgen, weet je. Nog meer zorgen voor je moeder...'

'Luister, blijf jij maar hier. Ik ga wel naar boven om even met haar te pr –'

'Nee!' Zijn toon veranderde meteen. 'Moet haar niet van streek maken, weet niet of ze het aankan.'

Mijn eigen vader, bang voor mij. Zijn vrouw in bescherming nemend tegen hun dochter. Vroeger zou ik naar buiten zijn gestormd, waarschijnlijk door de verkeerde deur. Maar ik geloof dat ik nu wel kon begrijpen waarom hij zo reageerde. Ik was een beetje een monster geweest, een beetje een dief volgens mijn vaders maatstaven. Ik had genomen, maar niet gegeven. Nog niet.

Op de meest vriendelijke toon die ik kon opbrengen, teneinde hem niet te alarmeren, zei ik: 'Wees maar niet bang, pap. Ik wil alleen helpen, dat is alles. Als ze tekenen van onrust vertoont, zal ik je roepen.'

Hij leek niet overtuigd.

'Weet je wat, maak jij alvast een kop sterke koffie voor Matt. Ik weet zeker dat hij daar behoefte aan zal hebben als hij wakker wordt, in Californië drinken ze immers niks anders, toch?'

Dankbaar voor de afleiding van een praktische bezigheid voor zijn zoon, scharrelde hij rond tot hij de nieuwe plek van het koffiezet-apparaat had gevonden, de filterkoffie had opgesnord, en de filters, en de maatlepel. (Dat nieuwerwetse apparaat De Senseo had zijn intrede nog niet gedaan in hun uithoek van Surrey.)

Ik ging de trap op, glimlachend om de vertrouwdheid van het huis. Er was niets veranderd, niets. De traploper begon een beetje kaal te worden op de treden, maar hij zou nog niet weggegooid worden, ze hadden hem pas een jaar of tien. (Voor zover ik me kon herinneren, moest het oude tapijt in hun slaapkamer minstens dertig jaar oud zijn geweest voordat het werd vervangen.)

Aan de muren langs de trap hingen oude familiefoto's; stijve Victorianen met oncomfortabele hoeden op, kinderen in eigenaardige gebreide badpakken op koude stranden, mijn vader en zijn vader en diens vader in diverse militaire uniformen, hun best doend om er angstaanjagend uit te zien, maar er in plaats daarvan angstig uitziend.

Aan de muur op de overloop hingen allemaal boekenplanken, die doorbogen onder het gewicht van oude gebonden romans uit de jaren zeventig door lang vergeten boekenclubauteurs. Er stonden rare porseleinen snuisterijen bovenop, beeldjes van herderinnetjes en panfluitspelers, die eruit zagen alsof ze op willekeurige plekken hier en daar waren neergezet in al hun schoonheid – maar wij ingewijden wisten dat ze stuk voor stuk precies op de plek stonden waar ze hoorden, en dat ze het onmiddellijk zou zien als er iets was verplaatst.

(Het behoeft geen betoog dat Matt noch ik ooit heeft geprobeerd een feest te geven tijdens hun afwezigheid. Onze vrienden deden ook geen enkele moeite om ons over te halen. Begrijp me goed, we kónden het niet; we mochten niet alleen thuis blijven in dergelijke gevallen, dan moesten we altijd bij vrienden of familie logeren. Ik heb wel degelijk geprobeerd uit te leggen dat ik niet zo nodig mijn eigen huis in brand hoefde te steken, maar ze wilde er niets van horen.)

Alle deuren boven zaten potdicht, om het stof buiten en de spinnen binnen te houden. Als ik een van de kamers binnen zou zijn gegaan, zouden mijn neuspapillen ongetwijfeld een enorme opdoffer hebben gekregen van de gebruikelijke overweldigende geur van boenwas en mottenballen, met meer dan een vleugje citrus, lenteweiden, dennenbossen en bloemboeketten, afkomstig uit de overdaad aan elektrische luchtverfrissers die in alle beschikbare stopcontacten waren gestoken. Het was genoeg om spontaan hooikoorts te krijgen, zelfs in de winter.

'Mam?' Ik klopte zachtjes op de deur van hun slaapkamer.

Je raadt het al, geen antwoord.

Ik drukte geluidloos de deurklink naar beneden, om haar niet wakker te maken. Ik wist precies hoe ik dat moest doen, aangezien ik als klein kind altijd 's nachts hun kamer binnen sloop om naar hen te kijken als ze sliepen. Ik weet niet waarom ik dat deed, en ik vind het nu een tikje eigenaardig – ik vermoed dat het me een veilig gevoel gaf.

In het kiertje licht dat tussen de verduisteringsgordijnen door kroop (mijn vader wist nog steeds niet hoe hij ze fatsoenlijk dicht moest krijgen, zo had ze ons verteld, talloze keren) kon ik zien dat ze lag te slapen. Haar tengere gestalte leek te zijn verzwolgen door hun grote bed. Het verbaasde me altijd dat ze nooit waren verhuisd naar eenpersoonsbedden, zoals de ouders van mijn vrienden. Ik geloof dat zij het wel had geprobeerd, maar dat hij had geweigerd, handig aanvoerend dat het een hoop geld zou kosten om twee nieuwe dekbedden en extra beddengoed aan te schaffen, en dat het zonde zou zijn om hun tweepersoonsbed af te danken terwijl er niks aan mankeerde. De echte reden, begreep ik nu, was dat hij naast haar wilde slapen, haar aan wilde raken en voor haar wilde zorgen en haar dicht tegen zich aan wilde houden, voor troost en bescherming, omdat hij van haar hield.

Maar dat begreep ze vast niet. Of wel? Terwijl ik daar stond aan het voeteneind van hun bed, realiseerde ik me dat ik deze vrouw niet echt kende. Ze was altijd Mijn Moeder geweest, nooit een echte persoon. Hoe zou ik over haar denken als ik haar ontmoette, haar leerde kennen als een normaal mens?

De foto's op de ladekast vertelden haar verhaal. Ik had ze al honderd keer gezien, maar nu keek ik er aandachtig en met andere ogen naar. Ze was debutante geweest, maar geen knappe, ondanks een ingenieus kapsel en de matte gepoederde make-up uit die tijd. Het uniform van de jaren vijftig had haar een gedistingeerde elegantie gegeven die ze sindsdien nooit meer had gekend. Haar ogen hadden echter wel iets; iets sprankelends, iets ondeugends, pretlichtjes. Dat was me nog nooit eerder opgevallen. Ze zag eruit alsof ze een ontzettend leuke meid was geweest; ze was waarschijnlijk een vrolijk gezelschap voor hem geweest, populair op zakenfeestjes, een grote hit bij zowel de mannen als de vrouwen.

Hun bruiloft zag eruit alsof het een vreselijk saaie bedoening was geweest, met massa's ongetrouwde tantes en kinloze ooms. De moeders van de bruid en bruidegom stonden op de groepsfoto respectievelijk uiterst rechts en uiterst links, en dat was hun hele verdere leven zo gebleven. Ze waren allebei van mening geweest dat hun zoon/dochter veel beter had kunnen krijgen, en ze hadden allebei hun mening kenbaar gemaakt aan iedereen die het maar wilde horen. Ik vermoed dat mijn ouders hierdoor alleen nog maar vastbeslotener werden om een succes te maken van hun huwelijk, en een succes was het zeker geworden. Ze waren nu al bijna vijfenveertig jaar getrouwd. Dat is een verbluffend lange tijd om getrouwd te zijn, vind je niet? Zelfs als ik vanmiddag nog iemand zou tegenkomen, zou het onwaarschijnlijk zijn dat ik ooit een dergelijke prestatie zou kunnen neerzetten.

Haar hele houding leek te zijn veranderd sinds ik was gedoopt. Zoals ze me daar vasthield met grimmige vastberadenheid, glimlachend tussen opeengeklemde tanden door. Wat mankeerde dat mens? Was ze niet blij met mijn geboorte? Wist ze niet wat voor een kostbaar geschenk een kind is?

Toen drong het ineens tot me door. Was ik niet precies hetzelfde geweest nadat Amber geboren was? Oké, mijn omstandigheden waren anders, maar had ik niet net zo naar de camera geglimlacht, met dezelfde geforceerde grijns? Tot voor kort was ik een groot aanhanger geweest van de 'kinderen krijgen is verschrikkelijk'-stroming – misschien had mijn eigen moeder er net zo over gedacht, maar in die tijd had ze dat nooit hardop mogen zeggen. Nu ik erover nadacht, was mijn vader bijna altijd weg geweest toen ik klein was, toen Matt klein was niet. Feitelijk was zij ook een alleenstaande moeder geweest.

Maar hoe verklaarde dat deze stralende foto van haar met Matt? In mijn slaapkamer. (Deze kon ik wel dromen, uiteraard, aangezien ik hem zo lang en aandachtig had bekeken toen hij op school was gearriveerd.) Aha – mijn vader had inmiddels zijn eigen bedrijf opgericht, hij was veel vaker thuis. Natuurlijk. Ze konden een echt gezinnetje zijn.

Toen vielen alle puzzelstukjes ineens op hun plaats. Net als ik had ze niet over de emotionele kracht beschikt om een baby in haar eentje groot te brengen. Net als ik had ze het erg moeilijk gevonden, een ondankbare taak. In tegenstelling tot mij had ze daarna nog een kind gekregen, met de hulp en steun van een liefhebbende echtgenoot, en dit keer was ze er wel in geslaagd om gelukkig te zijn.

Geen wonder dat ze het niet prettig vond als ik ineens voor haar neus stond, ik herinnerde haar alleen maar aan haar vroegere misère. En misschien was papa zich hiervan bewust geweest, en overcompenseerde hij het, hield hij te veel van me. Ze moet vreselijk jaloers zijn geweest. Geen wonder dat Matt alles voor haar was.

En hier waren ze met zijn drietjes bij de uitreiking van zijn bul op Oxford, glunderend van trots. (Ik weet nog dat ik ook was uitgenodigd, maar ik had gezegd dat ik het te druk had om te komen. Te druk met het zoeken naar een mes om mijn neus mee af te snijden, waarschijnlijk.) Wat zag ze er anders uit! Stralend, bijna knap. Waarom kon ik haar nou niet zo gelukkig maken?

Het is nog niet te laat, zei een stem in mijn hoofd – griezelig genoeg was Daarboven sinds kort begonnen om tegen me te praten.

Ik stond op het punt om ertegenin te gaan, toen de deur zo wild werd opengesmeten dat hij tegen mama's nachtkastje aan knalde, zodat de wankele stapel Georgette Hyder paperbacks en het informatiemateriaal over de bond van plattelandsvrouwen op de grond viel. Een kleine zwarte kitten schoot onder het bed vandaan en ontsnapte door de openstaande deur, waardoor Matt bijna plat op zijn gezicht viel.

'Vooruit, mam.' Zelfs in de verstikkende kamer klonk Matts stem nog hard. 'Wakker worden!' Hij begon de gordijnen open te doen.

Ik dacht dat ze wel rechtop zou gaan zitten, dolblij om haar lievelingetje te zien, maar dat deed ze niet. Ze rolde zich op haar zij en keerde hem haar rug toe.

Ik trok over het bed heen zwijgend mijn wenkbrauwen op naar Matt, in verwarring gebracht.

Hij keek op haar neer en schudde zijn hoofd, niet als iemand die bedroefd was omdat zijn moeder ziek was, maar meer als iemand die gefrustreerd was vanwege een koppig kind.

'Ik heb geprobeerd het haar te vertellen toen ze bij me waren met de kerst,' zei hij tegen mij, terwijl hij op het bed ging zitten. 'Maar ze heeft er alles aan gedaan om te zorgen dat ik de kans niet kreeg.'

'Om haar wat te vertellen?' vroeg ik, en ging zitten op een stoel bij het raam, waarop mijn vaders kleren voor de volgende dag altijd werden klaargelegd.

'Telkens als ik het onderwerp probeerde aan te snijden, begon ze over iets anders te praten, of zette ze de tv aan, of liep ze de kamer uit. Het was alsof ze wist wat ik probeerde te vertellen, maar het niet wilde horen.'

'Wat probeerde je dan te vertellen?'

'Ik denk dat ze het waarschijnlijk al wel wist, ze wilde alleen niet dat het waar was.'

'Wát wist?' Mijn laatste poging.

'Jezus, en dan te bedenken hoe ik het had kúnnen doen. Ze heeft nog geluk gehad. Sommige mannen zijn echt meedogenloos tegen hun ouders, weet je dat?' Hij zuchtte 'Uiteindelijk heb ik haar een brief geschreven. Dat leek me de beste manier om het haar te vertellen. Ik denk dat dat de reden is waarom ze haar bed niet meer uit komt. Ze is des duivels.'

Godallemachtig. 'WAT WILDE JE HAAR DAN VERTELLEN?'

Precies op het moment dat mijn vader de kamer binnenkwam met een dienblad met daarop de mooie koffiepot en het melkkannetje van hun trouwen plus vier porseleinen kopjes en schoteltjes die normaal gesproken exclusief voor visite en/of de koningin gereserveerd werden, zei Matt: 'Ik ben homo.'

Papa liet het dienblad vallen.

Mama's hele lichaam kromp ineen.

Er viel een korte stilte, onmiddellijk gevolgd door de dekens die werden teruggeslagen en mijn moeder die uit bed sprong en in actie kwam. Er was een hoop bedrijvigheid die eruit bestond dat de kinderen naar beneden werden gestuurd voor doekjes en vlekkenverwijderaars en in plaats daarvan in-het-geheel-niet-behulpzaam terugkwamen met zout en witte wijn, terwijl de grote mensen al schrobbend tegen elkaar bleven zeggen dat het helemaal niks gaf, hoewel ze donders goed wisten dat het hartstikke wel gaf.

Gelukkig had het tapijt een Scotchguard-behandeling ondergaan, twee keer, en vonden we alle scherven terug van het porselein, dat door de klap door de hele kamer was geslingerd. Ze werden weer op het dienblad gelegd, zodat mijn moeder ze in de loop van de komende weken en maanden en mogelijk jaren weer zorgvuldig aan elkaar kon lijmen. De hele troep was binnen tien minuten opgeruimd. Crisis voorbij.

Al was Matt nog steeds homo.

Homo!

Natuurlijk!

Maar welke soort?

Misschien was hij een van die wannabe types, het soort waar Arthur altijd grapjes over maakt. Vraag: Wat is het verschil tussen een hetero-man en een homo? Antwoord: Ongeveer acht biertjes.

Hij kon onmogelijk zo'n relnicht zijn, anders hadden we het allemaal jaren geleden al geweten. Evenmin had hij een schoenborstel op zijn bovenlip laten staan, droeg hij een houthakkershemd, of was hij helemaal hyperactief geworden.

Nee, hij was beslist van hetzelfde soort als Arthur. Hij liep er niet mee te koop, het maakte gewoon deel uit van zijn leven. Matt was een beschaafde homo, een professionele man die toevallig homoseksueel was. Een flikker in een pak.

Te gek.

Tegen de tijd dat we hadden gegeten en de afwas hadden gedaan en klaar waren om te vertrekken, was de sfeer iets luchtiger geworden. Papa leek zich staande te houden door te doen alsof hij niets had gehoord, hij was eventjes Oost-Indisch doof geweest. Die arme mama had nog steeds een van haar buien, maar het was moeilijk te zeggen of het het eind van de vorige was, of het begin van een nieuwe, ze gingen allemaal min of meer naadloos in elkaar over. Er werd niet over gepraat, uiteraard – dit was de familie Small, waarom zou je ergens over praten?

Ik dacht niet dat mijn nieuw verworven inzicht over mijn moeder enig verschil zou maken, maar dat deed het wel. Toen we aanstalten maakten om elkaar op onze gebruikelijke manier te lucht-kussen ten afscheid, wilde ik haar laten weten dat het allemaal goed zou komen. Dus dat deed ik.

'Mam,' zei ik, haar in de ogen kijkend, 'het spijt me dat ik zo lastig ben geweest. Ik begrijp het nu. Het wordt allemaal anders, dat beloof ik.' Tot haar afgrijzen sloeg ik mijn armen om haar heen en omhelsde haar stevig. Het verbaasde me hoe tenger haar gestalte was in mijn greep. Ik had haar al een eeuwigheid niet meer echt aangeraakt, ik had me nooit gerealiseerd dat ze oud begon te worden. Ineens wilde ik lief voor haar zijn. Vreemd.

Enfin, we zeiden allebei tegen haar dat we van haar hielden, hetgeen de genadeslag voor haar moet zijn geweest, want ze rende het huis binnen en deed de voordeur achter zich dicht.

Papa liep mee naar de auto om ons uit te zwaaien. 'Bedankt,' zei hij, Matt de hand schuddend. (Een omhelzing kon hij niet opbrengen, nog niet. Veel om over na te denken.)

'Waarvoor?'

'Je moeder op weg helpen,' zei papa. 'Had het me niet gerealiseerd. Dacht dat ze ziek was. Voel me een beetje onnozel.' Hij keek verontschuldigend. 'Sorry voor het valse alarm.'

'Geeft niks, pap!' Matt griste de autosleutel uit mijn hand en liep naar de bestuurderskant. 'Maak je geen zorgen, ze komt er wel overheen. Ze weet in ieder geval dat ze altijd mooie draperieën zal hebben.'

Giechelend griste ik de sleutel weer uit zijn hand. Papa liep terug naar het huis terwijl wij een discussie hadden over wie er terug mocht rijden naar Londen, hij schudde met zijn hoofd terwijl hij op de deur klopte en wachtte tot hij werd binnengelaten.

De rit naar huis was heel bijzonder.

Niet omdat we onze harten luchtten, naar elkaar luisterden en onmiddellijk dikke maatjes werden, maar omdat we dat allemaal niet hoefden te doen. Nu het homo-woord eruit was, was de last om de perfecte zoon te zijn van Matts schouders gevallen. En ik vond hem een stuk menselijker zo. We konden allebei ontspannen.

Dus kletsten we erop los als mensen die elkaar al heel lang kenden, wat eigenlijk ook het geval was.

Hij vertelde dat hij het al die jaren voor ons had verzwegen omdat hij wilde wachten tot hij De Ware had ontmoet. Stu en hij hadden met Pasen besloten samen een huis te kopen, en in plaats van een baby hadden ze een hond die Louis heette, de naam die ze hun zoon zouden hebben gegeven. Ach, wat snoezig!

(Hij had geprobeerd me dit alles te vertellen toen ik hem die dag had gebeld om hem te bedanken en ik niet had geweten hoe snel ik weer op moest hangen; hij dacht dat ik het al wist en het net zo glashard ontkende als papa en mama.)

En wat voor mij nog veel belangrijker was: Stu was een heel succesvol restauranthouder. Matt was zo vriendelijk om een paar van zijn zakelijke tips aan me door te spelen; er vielen woorden als 'adverteren' en 'reclame'. Tegen de tijd dat we Londen bereikten, wist ik precies wat we moesten doen met het café, en ook *hoe* we het moesten doen. Na die dag heb ik Stu talloze keren gebeld, en zijn adviezen waren altijd buitengewoon verstandig.

Mijn broer had dus voor de zoveelste keer mijn hachje gered. Alleen was ik dit keer niet geïrriteerd, ik was dankbaar.

Het was rond middernacht tegen de tijd dat we mijn straat in reden. Het was een schitterende warme avond, en de maan was vol en helder, dus ik had niet zo verbaasd hoeven zijn dat er nog één Biografie Moment op het programma stond voordat ik die avond mijn bed in kon. Het was echter niet voor mij bestemd.

Sinds de introductie van de parkeervergunning, was het onmogelijk geworden om een plekje te vinden vlak bij mijn huis, dus zette

Matt me af terwijl hij verderop in de buurt op zoek ging naar een parkeerplaats.

Arthur zat in elkaar gedoken bij de voordeur. (Ik heb ooit eens ergens gelezen dat je leven zich grotendeels afspeelt op één en dezelfde locatie – bij mij was dat onmiskenbaar mijn voordeur.) Eenmaal binnen en in het licht kon ik zien dat hij van streek was – zijn gezicht was grauw en betraand en zijn haar stak alle kanten uit. 'Wat is er gebeurd?' vroeg ik terwijl ik de deur achter ons dichttrok, al kon ik dat wel raden.

'Je raadt het nooit,' zei hij hees, de arme schat had kennelijk langdurig zitten huilen, 'Jimmy is ervandoor.'

'Nee!' zei ik, mijn uiterste best doend om verrast te klinken.

'Toch wel, vrees ik,' zei hij, terwijl hij zich met zijn gezicht naar beneden op de bank liet vallen, zoals hij altijd deed als ze een fikse ruzie hadden gehad.

Ik maakte een kop sterke thee voor hem met heel veel suiker, en zelf nam ik kamillethee met honing. (Plus een hele rol chocoladekoekjes, ik was niet op de macrobiotische toer gegaan of zo.)

'Wat is er gebeurd?' vroeg ik, terwijl ik zijn mok op de salontafel zette, me installeerde in de fauteuil en me voorbereidde op het aanhoren van alweer hetzelfde liedje, heimelijk hopend dat hij het niet al te lang zou maken.

Dat deed hij niet. Jimmy was er weer vandoor met de Punkpauw. (Ik had Arthur uiteindelijk nooit verteld over het toneelstuk dat hij die dag in Starbucks voor me opvoerde – ik had besloten om Jimmy zijn eigen vuile karweitjes te laten opknappen.) Ze had in zalige onwetendheid verkeerd over Arthurs bestaan, tot het weekend van de metamorfose van het café, hetgeen opnieuw een poging was geweest van Jimmy om iemand anders de beslissingen te laten nemen. Ze had Jimmy gedwongen om tussen hen beiden te kiezen, en dat vond ik tamelijk bewonderenswaardig van haar. Dat hij biseksueel was, vond ze niet erg, want dat was ze zelf ook.

Arthur was er kapot van, hij had altijd al gedacht dat hij Jimmy een tweede keer zou verliezen, en dat was nu dus ook gebeurd. Ik vond het heel vervelend voor hem – had zelfs medelijden met hem. Ik was hard op weg om een zacht eitje te worden.

(Dat vertelde ik hem niet, uiteraard – de arme man zou zich lam zijn geschrokken van een dergelijke verandering, het zou de hele vriendschap om zeep hebben geholpen.)

Enfin, net toen ik tegen hem zei: 'Arme Arthur, je verdient zoveel beter. Ik weet zeker dat er vanzelf iemand op je weg komt, wacht maar af,' werd er zacht op de voordeur geklopt.

Arthur hief zijn ongelukkige hoofd. 'Wie had ooit kunnen denken,' zei hij, 'dat het zo snel al zou zijn?'

'Ben blij om te zien dat Jimmy er niet met je gevoel voor humor vandoor is,' zei ik, terwijl ik opstond om open te doen.

De uitdrukking op Arthurs gezicht toen hij Matt zag, zal me mijn leven lang bijblijven. Ik moet nog altijd glimlachen bij de herinnering.

Later zei Arthur dat Matt zijn beschermengel was, die was gestuurd om hem de weg te wijzen.

Ik wilde graag dat ze een koppel zouden worden, en Arthur ook, het zou gewoonweg perfect zijn geweest. Maar het mocht niet zo zijn. Matt viel niet op Arthur, en bovendien, hij was verliefd op Stu. Dit weerhield hen er echter niet van om de volgende avond samen uit eten te gaan, en ik weet niet wat Matt heeft gezegd, of wat er daarna eventueel is voorgevallen – het is een homo aangelegenheid, de regels zijn totaal anders, wij begrijpen dat toch niet – maar daarna werden ze zeer goede vrienden.

Arthur besloot om jonge jongens niet langer als mogelijke kandidaten aan te merken, en voert sindsdien met veel plezier sollicitatiegesprekken met mannen van dezelfde leeftijd en sociale status als hij, hoewel hij De Ware nog niet heeft gevonden. Jimmy's naam is nooit meer genoemd – Arthur zegt dat hij een co-piloot zoekt, geen passagier.

Ik geloof er geen woord van, maar dat doet er niet toe – als hij maar gelukkig is.

Arthur bleek niet de enige te zijn die die zomer werd gedumpt.

Het café begon geleidelijk aan steeds beter te lopen, en die dag was het ietsje drukker dan de dag daarvoor. Er zaten verscheidene klanten her en der verspreid, zowel binnen als buiten, kranten te lezen terwijl ze wachtten tot de cafeïnestoot zijn werk zou doen. Ik was op weg naar buiten, naar de tafeltjes op de stoep, om Elaine (onze plaatselijke zwerfster) te vragen op te houden met voorbijgangers lastigvallen en haar commentaar voor zich te houden. Het was een heerlijke zonnige ochtend, en ik wilde haar omkopen met een ijskoffie, haar favoriete drankje, en een paar croissants van de dag daarvoor die we voor haar hadden bewaard, zoals gewoonlijk. Zo stond ik daar dus te goochelen met het bord en het glas in één hand, terwijl ik met mijn andere hand de deur probeerde open te doen, en wie stond er ineens voor mijn neus? Niemand minder dan Hugh Grant.

'Hoi!' zeiden we allebei tegelijk.

God, wat was hij toch knap! Hij was een poosje niet in het café geweest, maar ik had het zo druk gehad dat het me niet eens was opgevallen. Ik was eveneens vergeten hoezeer hij me aan het blozen maakte. Ik voelde me bijna meteen weer een schoolmeisje.

En toen: 'Jij bent vast Charlotte,' zei een ademloos hoge meisjesachtige stem achter hem, 'hallo!'

Hij stapte opzij; de zon scheen in mijn ogen, dus ik moest ze tot spleetjes knijpen, maar ik kon precies een vrolijk gezichtje onderscheiden met bleke glanzende lippen onder een honkbalpet, een van die donkerblauwe exemplaren met 'NY' erop in witte letters. Ze had heel lang blond haar en droeg een strak lichtroze T-shirtje en een spijkerbroek, die haar perfecte figuurtje volmaakt accentueerden. Alles wat ik had moeten zijn maar nooit was geweest, en ook nooit zou worden.

'Dit is Mandy,' zei hij. 'Mijn vrouw.'

'Hallo!' zei ik, helemaal niet in shock of zo. 'Wat ontzettend fijn om kennis met je te maken,' vervolgde ik, 'werkelijk absoluut verschrikkelijk leuk!!! Vinden jullie het goed als ik deze eerst even ga afleveren?'

Totaal ondersteboven vervolgde ik mijn weg naar buiten, waar ik Elaine strenger tot de orde riep dan anders, en liep toen het café weer binnen, hopend dat mijn hart tegen die tijd was opgehouden met zo hard te bonzen. Dat was niet het geval.

'We zijn onlangs getrouwd!' deelde Mandy binnen mee, met een Amerikaans accent, van het schattige soort. Ze zette haar honkbalpet af en woelde door haar haar zodat het eruitzag alsof ze net uit bed kwam; niet zoals wanneer ik dat deed en het eruitzag alsof ik achterstevoren door een heg was gesleurd. 'Is dat niet geweldig?'

'Ja,' zei ik, 'ik ben ontzettend blij voor jullie.' (Dat kan wel of niet waar zijn geweest.)

Vervolgens begonnen ze in dwepende, misselijkmakende tortel-duifjes-bewoordingen uit te leggen dat hun romance zich groten-deels online had ontvouwen, hier in dit café, in het afgelopen jaar. Mandy was danseres – tot een maand geleden had ze een rol gehad in een musical op Broadway. Hugh Grant had zijn oog op haar laten vallen tijdens een zakenreis (hij deed in verzekeringen – ja, ik weet het, *verzekeringen*) en had haar backstage opgewacht en zij had hem haar telefoonnummer niet willen geven en dus had ze hem in plaats daarvan haar e-mailadres gegeven en – nou ja, je snapt het al, de rest was geschiedenis. Sinds dat moment hadden ze trans-Atlantische gesprekken gevoerd via msn, en uiteindelijk was Hugh Grant, de oude romanticus, voor haar op zijn knieën gegaan en had haar ten huwelijk gevraagd in Central Park, vlak na een ritje in een van die door paarden getrokken clichés, en hadden ze besloten om zich het weekend daarop in Las Vegas te laten trouwen door een El-vis imitator, en is dat niet het meest romantische verhaal dat je ooit hebt gehoord?

Nou ben ik geen cynicus, maar – goed, oké, dat ben ik wel – hoe weinig origineel.

'Adembenemend,' zei ik, druk in de weer met een paar vuile kop-jes om iets te doen te hebben, 'absoluut adembenemend!'

'En dat allemaal dankzij jou!' kwetterde Mandy.

'Mij?'

'Ja. Toen Keith –' die naam deed me nog steeds ineenkrimpen, 'zei dat het café gesloten dreigde te worden, waren we daar helemaal kapot van. Het was ons enige communicatiemiddel, weet je.' Ze knipperden met hun wimpers naar elkaar, zij vertelde verder. 'We konden ons geen lange trans-Atlantische telefoontjes veroorloven. Keith kwam hier elke lunchpauze omdat hij op zijn werk niet zoveel privacy had, en op dat moment stapte ik in New York net uit bed, dus het was een goed tijdstip voor ons allebei –' ik denk dat ze kon zien dat ik bezig was mijn levenslust te verliezen – 'dus we waren door het dolle heen toen jij het van de ondergang redde.' Even keek ze heel ernstig, zo serieus als een Baywatch mokkel maar kan kijken. 'Charlotte, ik wil je bedanken. Je hebt onze relatie in stand helpen houden.'

Wie had dat ooit kunnen denken?

'Is het internet geen geweldige uitvinding?' dweepte ze.

'Nou en of!' beaamde Oz, die alweer een nieuwe klant op weg had geholpen met een kop koffie en een computer – kassa!

'O mijn god! Jij moet Shane zijn! O mijn god! Ik kan gewoonweg niet geloven dat ik je nu in levenden lijve ontmoet, o mijn god!!!' Zelfs Elaine tuurde door het raam naar binnen om te zien wat dat gekrijs te betekenen had.

Hugh Grant en ik keken toe terwijl Oz aandachtig luisterde naar Mandy, die beschreef welke rol hij had gespeeld in de Romance van de Eeuw. 'Is ze niet geweldig?' vroeg hij, met een grijns van oor tot oor.

'Is hij niet geweldig?' wilde ik op mijn beurt vragen. Oz was zo aardig, hij stond te luisteren naar haar oersaaie verhaal alsof zijn leven ervan afhing.

'Ik ben vast de gelukkigste man op aarde,' fluisterde Hugh Grant, verbijsterd over zijn eigen fortuinlijkheid.

Helaas was ik te veel bezig met mijn eigen afwijzing om blij voor hem te kunnen zijn. Ik voelde me zo onnozel – waarom had ik in vredesnaam zelfs maar gedacht dat ik een kans maakte? Ik was bijna oud genoeg om zijn moeder te zijn! Ik had altijd geweten dat het niet meer was dan een dwaze verliefdheid, natuurlijk had ik dat geweten, Gloria en ik maakten er constant grappen over, maar toch voelde ik me belachelijk teleurgesteld.

Mijn wangen brandden van schaamte, maar op de een of andere manier slaagde ik erin om het gelukkige echtpaar na te wuiven toen ze de zonsondergang tegemoet gingen. Ik was zo van streek dat zelfs hun verzoek om het café te mogen boeken voor een feest voor al hun vrienden en kennissen me niet kon opvrolijken. Ik zwaaide hen uit met een krampachtige glimlach.

'Kom eens bij me,' zei Oz, en hij omhelsde me stevig. Hij rook naar kaneel en olijven en te veel wasverzachter. Ik had mijn Hugh Grant Ding nooit met hem besproken, dat was niet nodig geweest – hij was een van die mensen die dingen gewoon weten. Ik snikte tegen zijn borst, ik voelde me als het meisje dat nooit wordt gekozen voor het basketbalteam. 'De oelewapper,' zei Oz, hij omhelsde me nu zo stevig dat ik bijna geen lucht meer kreeg. Ik maakte zijn greep losser zonder de omhelzing te verbreken, en keek naar hem op.

'Ik hou echt van je, Charlotte Small,' zei hij tegen me.

'Ik hou ook van jou, Oz,' antwoordde ik. En dat was ook zo, dat was echt zo.

Dat was ons moment. Soms wou ik dat we voor altijd zo hadden kunnen blijven staan.

Maar ik moest natuurlijk weer mijn mond opentrekken. 'Denk je dat wij misschien...'

'Wat, jij en ik? Samen? Een setje worden, zoals jij het zou noemen?!' Hij keek me aan, speurend naar aanwijzingen. Hij keek heel ernstig. 'Je maakt een grapje, hè?'

Er volgde een pauze, een lange pauze. Ik keek naar zijn grappige gezicht terwijl ik stond te wachten. Nee, ik was niet verliefd op hem. En ja, hij was de liefste man die ik ooit had ontmoet...

Neem geen genoegen met een compromis, zei Daarboven.

Dank u.

'Ja, Oz,' antwoordde ik langzaam maar bedroefd, terwijl ik hem losliet, 'ik maak maar een grapje.'

'Godzijdank!' zei hij, een beetje te luidruchtig toen we ons van elkaar losmaakten. 'Ik dacht dat je stapelgek was geworden!'

'Ja,' zei ik, en ik begon een tafel af te ruimen voor de volgende klanten, 'godzijdank.'

En dat was ons moment.

Stu's advies had ons echt op gang geholpen, maar nu moesten Oz en ik creatief worden. Toen we de naam Global Village bedachten, was dat precies wat we voor ogen hadden met het café – verbonden met de rest van de wereld, en toch dorps.

Dus richtten we talloze clubjes op en organiseerden allerlei bijeenkomsten die betrekking hadden op onze lokale gemeenschap, en die Oz tegelijkertijd handig wist te koppelen aan het internet. Dit bleek heel populair bij West-Londenaren – onze immense stad was zo uitgestrekt en onpersoonlijk geworden, dat het prettig was om een 'stamcafé' te hebben dat geen kroeg was.

We deden ons best om voor elk wat wils te bieden. We hadden bijvoorbeeld een naschoolse computerclub voor kinderen die thuis geen pc hadden. De moeders konden met elkaar kletsen onder het genot van een kop (fatsoenlijke) cappuccino terwijl de kinderen online praatten met schoolkinderen aan de andere kant van de wereld bij wie de dag nog maar net was begonnen, en Oz hielp met hun huiswerk. Nou ja, oké, maakte hun huiswerk grotendeels voor hen, als we hem zijn gang lieten gaan.

We begonnen met een Zilveren Surfers Groep, op dinsdag tussen de middag, die immens populair werd bij de oudjes, en waarin ze leerden hoe ze een e-mail moesten sturen en oude vrienden konden opsporen, goedkope treinkaartjes konden vinden, comfortabele broeken, dat soort dingen.

Vrijdagavond was Tieneravond, dan hadden we een speciale vergunning om open te blijven tot middernacht en waren alleen tieners welkom. Oz was dan de hele week op zoek geweest naar blitse websites, enkel om tot de ontdekking te komen dat ze zo 'uit' waren dat hij de bijnaam 'opa' kreeg toebedeeld. Het zal je niet verbazen dat ze allemaal probeerden om vier uur lang met één Fanta te doen, dus we zagen ons genoodzaakt om Lori bij de deur neer te zetten en een geringe entreeprijs te rekenen. Dit was echter geen probleem, hun ouders waren meer dan bereid om te betalen om hen in ieder geval één avond in de week van de straat te houden, in een alcoholvrije zone. Wat ze niet wisten, was dat we de tieners toestonden om te roken – ik heb het akelige gevoel dat dat de voornaamste attractie was...

Ik belde Wendy en nodigde haar en haar maatjes uit voor een online quizavondje – ze schepte er groot genoegen in om ons te vertellen hoe we het café rolstoelvriendelijker konden maken. Gelukkig won ze de quiz niet, dat zou ik niet hebben kunnen verdragen.

Team Gloria droeg uiteraard ook een steentje bij. Er was een lunchgroep voor alleenstaande ouders op maandagen, een gelegenheid die Gloria aangreep om officieus waardevolle praktische tips en adviezen te verstrekken over hoe je het uitkeringsstelsel moest uitbuiten.

En als dat achter de rug was, installeerde Oz Gloria achter een computer. Jawel! Hij had een heel goed programma gevonden voor analfabetisme bij volwassenen, dat Gloria na een hoop gemopper uiteindelijk leuk ging vinden. Er ging een wereld voor haar open nu ze leerde lezen, het was heerlijk om te zien. Alleen mochten we er natuurlijk niets over zeggen, we moesten doen alsof we het niet hadden gemerkt.

Chris(tian) en Luie Linda kregen het verzoek, daarna de smeekbede, en vervolgens werden ze met een langzame, pijnlijke dood bedreigd als ze geen voorverpakte sandwiches voor ons klaarmaakten; toen ze eenmaal in de gaten hadden dat er geld mee te verdienen was, waren ze niet meer te houden. Ik moest ze overhalen om iets avontuurlijker te zijn dan alleen kaas en augurken, maar uiteindelijk kwamen ze er wel. Lori was mijn onvolprezen koffiedeskundige tijdens de schoolvakanties.

Het was hard werken, maar het was leuk. Ik was een stimulans voor Oz, en hij was een stimulans voor mij. Het gevolg was dat Global Village een drukke, gezellige plek werd om te vertoeven. We waren geliefd bij de buurtbewoners, mensen leken het prettig te vinden dat we een klein, vriendelijk bedrijfje waren – en de koffie was ook niet slecht.

Het was weer december, en ik had een sessie met dokter Lichtenstein voor mezelf geboekt in de kliniek. Ik had hem nauwelijks meer gesproken sinds het fiasco met Joe, en ik had hem in geen maanden gezien.

Ik zou graag willen zeggen dat de sneeuw zachtjes neer dwarrelde op de schouders van de leden van het koor dat kerstliedjes stond te zingen op een plein terwijl ik me door de straten in het centrum van Londen begaf, op weg naar de kliniek, en de twinkelende kerstverlichting zich vrolijk knipperend een weg zocht in mijn warme, open hart. Dat zou ik graag willen zeggen, maar helaas. Het was verdomme steenkoud, een langsrijdende taxi had zojuist een smerige plens modderwater over mijn nieuwe suède laarzen gegooid, en ik stond stijf van de stress omdat ik mijn kerstinkopen nog niet had gedaan. Ik mocht dan wel een leuker mens zijn geworden, maar ik had nog steeds een hekel aan die verdomde kerst.

Mijn gsm riedelde – *All You Need Is Love*, wat anders – het was Gloria.

'Luister, schat, vind je het goed als ik een nieuwe vriendin van me meeneem als we eerste kerstdag met zijn allen bij jou komen? Anders zit ze helemaal alleen – haar zoon is dit jaar voor het eerst met zijn vader mee, ze is erg van streek –'

'Natuurlijk.'

'Weet je zeker dat je zoveel mensen kwijt kunt?'

'Dat betwijfel ik ten zeerste, Gloria,' antwoordde ik, 'maar ik denk niet dat we ons door een onbeduidend detail als onvoldoende ruimte zullen laten tegenhouden, of wel soms?'

'Het probleem is, waar moet je zoveel mensen laten? Ik kan waar-

schijnlijk wel een paar behangtafels ritselen – je zou er een tafella-
ken overheen kunnen gooien en er een paar knalbonbons op leggen,
ze zouden dan wel in de hal moeten staan, vergis je niet...'

'Het kan me niet schelen, Gloria!' zei ik lachend. 'We flansen wel
iets in elkaar. Zeg, ik moet ophangen, ik bel je als ik thuis ben, oké?'

'Dokter Lichtenstein heeft gezegd dat u mag doorlopen, Miss
Small,' zei de kleine dikke receptioniste, die kennelijk vond dat vijf
dagen voor De Grote Dag voldoende excuus was om sneeuwpop-
oorbellen met verlichting te dragen.

'Ha, Charlotte.' Dokter L. begroette me met een handdruk, en
tuurde bezorgd over zijn castingbureau-bril heen. 'Kom binnen.'

Hij wachtte totdat ik het me gemakkelijk had gemaakt op de bank
en vroeg toen met zijn gebruikelijke mengeling van belangstelling en
oprechtheid: 'Vertel eens, hoe is het met je?' Hij was duidelijk bang
dat ik weer in de problemen zat.

'Verbaasde het u om te zien dat ik een afspraak had gemaakt om
op het spreekuur te komen?' vroeg ik.

'Niet echt,' antwoordde hij, zijn pen recht leggend, zodat deze
exact evenwijdig liep met de kiestoetsen van zijn telefoon, 'de
meeste van mijn patiënten krijgen het rond de kerst een tikkeltje
moeilijk. En het is natuurlijk alweer bijna een jaar geleden dat je bent
ingestort, toch?'

'Jazeker, dokter L., jazeker.'

En wat was er veel veranderd. Ik was het grootste deel van het uur
bezig om hem bij te praten over de nieuwste ontwikkelingen in de
soapserie die nu mijn leven was. Ik vertelde hem alles over hoe Gloria en ik een Thelma en Louise hadden gedaan van de oostkust van
Amerika naar de westkust, na Sabrina's bruiloft; ze had van Keko in
het geheim leren autorijden, zodat we om beurten de kaart konden
lezen.

Ik vertelde hem alles over het verrassingsfeest dat Matt en ik hadden gegeven toen mijn ouders vijfenveertig jaar getrouwd waren,
waarbij mijn moeder zich in de slaapkamer had opgesloten en er
niet meer uit wilde komen. Papa had Matt een ladder op gestuurd
om door het raam naar binnen te gluren; ze lag op het bed, plat op
haar rug, in diepe slaap verzonken. Achteraf schreef ze ons echter
een zeer ontroerende brief om ons te bedanken.

Ik vertelde hem alles over het succes van het café; dat het ons was gelukt om Rosheen uit te kopen, en dat we zelfs een aantal aanbiedingen hadden gehad om de zaak uit te breiden, maar dat we hadden besloten om dat niet te doen, niet omdat we het geld niet nodig hadden, maar omdat we niet zaten te wachten op de stress die dat met zich mee zou brengen. Dat ik van Oz had geleerd om zelfstandig te zijn, en dat hij van mij had geleerd om verantwoordelijk te zijn, en dat we nu allebei veel zelfverzekerder waren.

'Dat is allemaal fantastisch nieuws, Charlotte – maar waarom ben je dan op mijn spreekuur gekomen?'

Ik was gekomen om hem te bedanken omdat hij me kennis had laten maken met het concept Daarboven – ik bad nog steeds elke ochtend, en elke avond dankte ik God voor een mooie dag. Ik wist niet hoe het werkte, maar ik wist dat ik het nu wel zou redden, wat er ook gebeurde. Ik had geleerd om te vertrouwen.

Dokter L. had een vraag voor me. 'En heb je de liefde gevonden waar je zo wanhopig naar op zoek was, Charlotte?'

'Ja, dokter Lichtenstein, dat heb ik zeker.'

'Een nieuwe man?'

'Nee.' Ik glimlachte. 'Een nieuwe vrouw.'

'O?' Hij trok zijn wenkbrauwen op.

'Ikzelf.'

Dankwoord

Tijdens het schrijven van dit boek heb ik een ooroperatie ondergaan, een blaasoperatie, en heb ik een cyste in mijn eierstok laten verwijderen, is mijn dochter Molly van huis weggelopen, werd bij mijn zoon Ted een ernstige gedragsstoornis geconstateerd, en ben ik het werk van bijna twee jaar kwijtgeraakt toen het dak van mijn werkkamer op mijn computer lekte.

In diezelfde periode heb ik de drank opgegeven en ben ik op de biologische toer gegaan, werd ik verliefd en zijn we met zijn allen in één huis gaan wonen, is Molly een popster geworden en hebben we de juiste hulp gevonden voor Ted. Niets van dit alles zou echter mogelijk zijn geweest zonder de eersteklas hulp van de volgende mensen:

Dr. Tania Abdulezer, Carla Ashford, Suzanne Bryson, JC, Jim Davidson, Gilly Greenwood, Benn Haitsma, Nichola Hill, Rachel Junior, Carmel Murphy, Mrs. Pink, Kathleen Tessaro, Jill Robinson en de Wimpole Schrijverskring, en die brave mensen bij Starbucks.

En last but not least, Hugo Brooks en Mari Evans, zonder wie zowel ikzelf als dit boek er enigszins beroerd aan toe zou zijn geweest...